영남대학교 중앙도서관 소장 귀중도서

해 제 집 3

해제 위원 명단(가나다 순)

곽해영	영남대 고문헌실	신태수	영남대 교양학부 조교수
권순박	영남대 고문헌실	양재성	영남대 한문교육과 강사
김남경	대구가톨릭대 한국어문학부 조교수	옥영정	한국학중앙연구원 고문관리학전공 교수
김원준	영남대 교양학부 조교수	이광우	영남대 민족문화연구소 연구원
김정화	영남대 국어국문학과 교수	이병훈	영남대 민족문화연구소 연구원
박은정	영남대 교양학부 조교수	이수환	영남대 국사학과 교수
남경란	대구가톨릭대 한국어문학부 교수	정은영	영남대 민족문화연구소 연구원
배현숙	계명문화대 유아교육과 교수	정은진	영남대 한문교육과 교수
백지국	영남대 국사학과 강사	하창환	영남대 민족문화연구소 연구교수
서인석	영남대 국어국문학과 교수		

영남대학교 민족문화연구소 민족문화연구총서 41

영남대학교 중앙도서관 소장 귀중도서

해 제 집 3

초판 1쇄 인쇄 2014년 7월 21일
초판 1쇄 발행 2014년 7월 31일

편   자 영남대학교 민족문화연구소
발행인 한정희
발행처 경인문화사

주소 서울시 마포구 마포동 324-3
전화 (02)718-4831
팩스 (02)703-9711
등록 1973년 11월 8일 제10-18호
홈페이지 www.kyunginp.co.kr / www.mkstudy.net
이메일 kyunginp@chol.com / kip1@mkstudy.net

가격 30,000원
ISBN 978-89-499-1068-0   93910

※ 이 책은 2010년도 정부재원(교육과학기술부 인문사회연구역량강화
  사업비)으로 한국연구재단의 지원을 받아 연구되었음(NRF-2010-
  322-A00089).

영남대학교 민족문화연구소
민족문화연구총서 41

영남대학교 중앙도서관 소장 귀중도서

해 제 집 3

영남대학교 민족문화연구소 편

景仁文化社

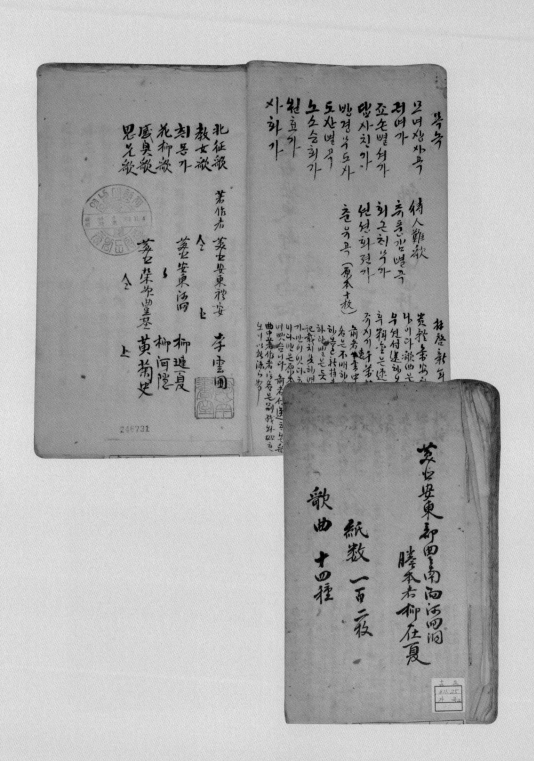

▲ 가곡 14종

▲ 금강반야경소론찬요조현록

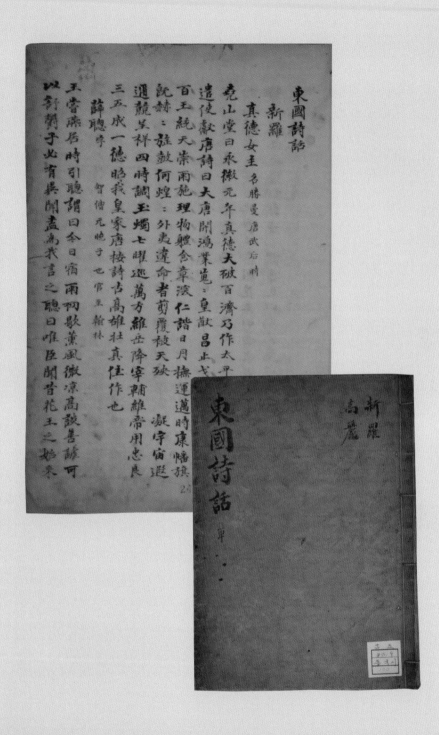

▲ 동국시화

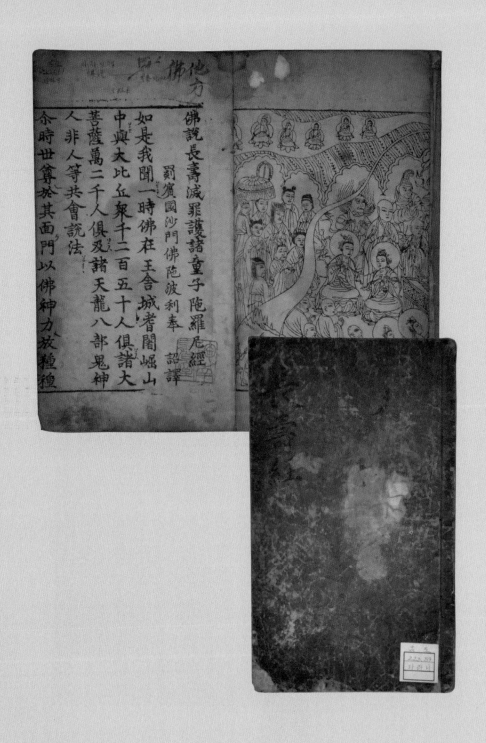

▲ 불설장수멸죄동자다라니경

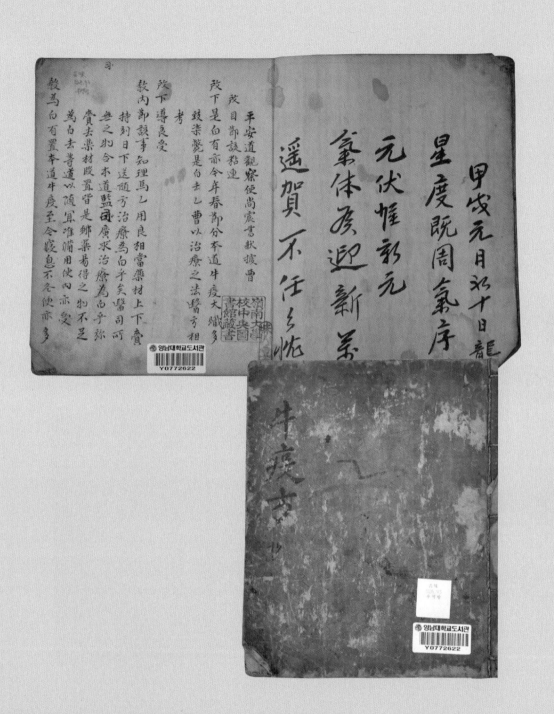

▲ 우마양저염역병치료방

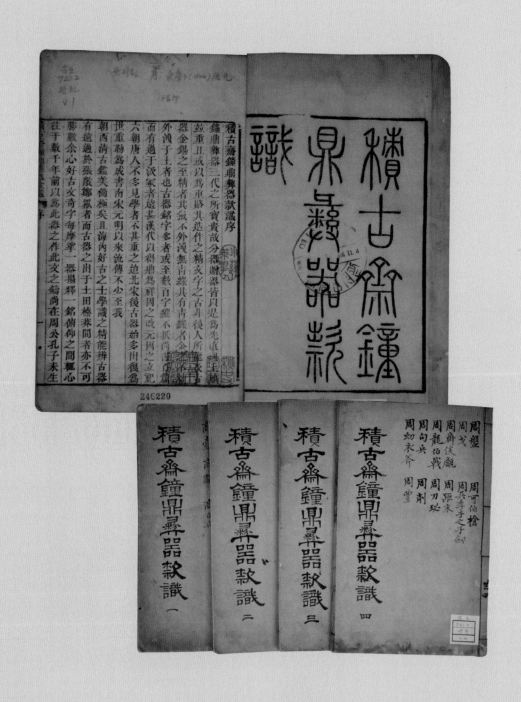

▲ 적고재종정이기관지

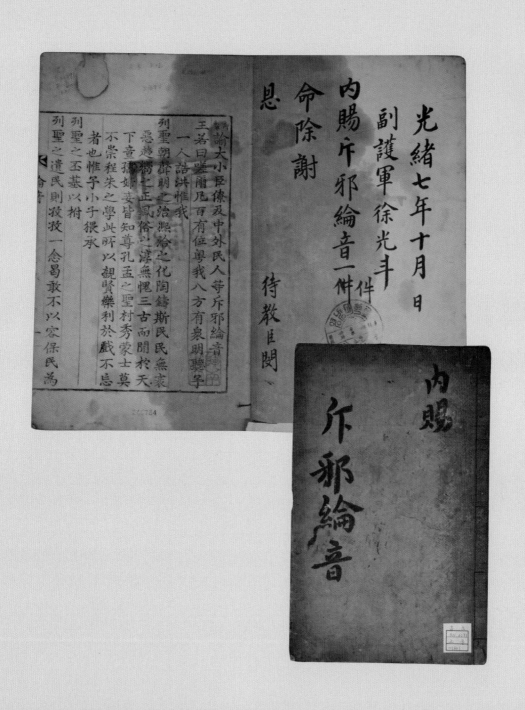

▲ 척사윤음

일러두기

1. 이 해제집은 한국연구재단에서 지원하는 '2010년 기초연구지원 인문사회(토대연구)사업'인 〈영남대학교 소장 희귀·귀중 국학 자료 해제·연구 및 DB 구축 사업〉의 3차년도 결과물(영인집·자료집·해제집) 중 하나이다.

2. 이 책은 영남대학교 중앙도서관 도남문고 및 고서실 소장 자료 50종을 해제한 것이다.

번호	서명	판본	책수
1	가곡십삼종(歌曲十三種)	필사본	1
2	가곡십사종(歌曲十四種)	필사본	1
3	가곡삼십팔종(歌曲三十八種)	필사본	1
4	가사육종(歌詞六種)	필사본	1
5	가사집(歌辭集)	필사본	1
6	강좌친병일기(江左親病日記)	필사본	2
7	거창구호라	필사본	1
8	계안(稧案)	필사본	4
9	고문진보언해(古文眞寶諺解)	필사본	1
10	교훈가(敎訓歌)	필사본	1
11	규중칠우쟁론기(규중칠우징논긔)	필사본	1
12	금강반야경소논찬요조현록(金剛般若經疏論纂要助顯錄)	목판본	1
13	금란계안(金蘭契案)	목활자본	1
14	김진옥전(김진옥젼 단)	필사본	1
15	내훈(內訓)	금속활자본 (무신자)	1
16	농가집성(農家集成)	금속활자본 (현종실록자)	1
17	동거계안(同居稧案)	필사본	1

18	동경지(東京誌)	필사본	15
19	동국시화(東國詩話)	필사본	1
20	동국패사(東國稗史)	필사본	1
21	동몽선습(童蒙先習)	목판본	1
22	두껍전(둑겁젼 단)	필사본	1
23	무신년창의시일기(戊申年倡義時日記)	필사본	1
24	백화당가(빅화당가)	필사본	1
25	불설장수멸죄동자다라니경(佛說長壽滅罪童子陀羅尼經)	목판본 (절첩본 번각)	1
26	선화봉사고려도경(宣和奉使高麗圖經)	목판본 (중국)	3
27	소학언해(小學諺解)	금속활자본 (을해자체경서자)	1
28	수매청(洙梅淸)	필사본	6
29	신간음점성리군서구해(新刊音點性理羣書句解)	목판본	4
30	신정심상소학(新訂尋常小學)	금속활자본 (재주 정리자)	1
31	쌍주기연(쌍쥬기연)	필사본	1
32	앙엽기(盎葉記)	필사본	1
33	여창가요록(女唱歌謠錄)	필사본	1
34	연행가(燕行歌)	필사본	1
35	염불보권문(念佛普勸文)	목판본	1
36	용감수감(龍龕手鑑)	목판본 (후쇄본)	8
37	우마양저염역병치료방(牛馬羊猪染疫病治療方)	필사본	1
38	유합(類合)	목판본	1
39	육전조례(六典條例)	금속활자본 (전사자)	10
40	이륜행실도(二倫行實圖)	목판본	1
41	임진록(壬辰錄)	필사본	1
42	적고재종정이기관지(積古齋鍾鼎彝器款識)	목판본 (중국)	4
43	정와변서(訂窩辨書)	필사본	1

44	조선시문변천(朝鮮詩文變遷)	필사본	1
45	척사윤음(斥邪綸音)	금속활자본 (임진자)	1
46	학계안(學稧案)	필사본	2
47	한객건연집(韓客巾衍集)	필사본	1
48	한거록(閑居錄)	필사본	1
49	화룡도연산별곡이라	필사본	1
50	황월선전(황월성전)	필사본	1

3. 해제 작성 지침은 아래와 같다.

▶ 해제 작성 지침

  1) 해제의 기본 구성은 아래 사항을 따르되, 세부 항목은 자료의 성격에 따라 조
    금씩 다르게 기술될 수 있다.

  2) 해제의 분량은 원고지 20매 이상 30매 이내로 하되, 자료의 분량과 가치에 따
    라 가감할 수 있다.

  3) 해제 대상 자료인 '영남대학교 도서관 소장본'은 '영남대본'으로 지칭한다.

  4) 기타 표기는 아래에 제시된 '기술 및 부호 표기 원칙'을 따른다.

◆ 해제의 기본 구성

① 개요	편·저자, 편찬연대, 권책사항, 판사항, 서·발 사항, 내용 등을 포함한 간략한 소개
② 편·저자 및 편찬 경위	편·저자에 대한 소개. 간행·편찬·필사의 연대 및 경위. 서명(書名)에 대한 설명
③ 구성 및 내용	목차와 구성, 주요 내용에 대한 간략한 설명
④ 가치 및 의의	영남대본의 특징 및 가치. 해제 대상 자료의 수장 현황, 가치와 위상, 연구 현황 및 전망 기술
⑤ 집필자	해제 집필자명
⑥ 핵심어	해제 대상 자료와 관련된 주요 개념어, 인명, 지명
⑦ 참고문헌	해제 대상 자료와 관련된 주요 참고문헌 기재

◆ 기술 및 부호 표기 원칙

1) 기술은 한글 표기를 원칙으로 한다. 고유명사나 이름, 관직, 지명, 기타 전문용
   어는 한자 또는 원어를 '( )' 안에 표기하고, 반복되어 나올 경우에는 한글로만
   표기한다.

2) 핵심어는 개념어, 인명(人名), 지명(地名), 서명(書名) 등을 포함하며, 가나다 순
   을 따른다.

3) 인명은 호와 자를 모두 밝히되 본명을 우선하며 생몰년을 밝힐 수 있는 경우는
   '(~)'로 기재한다.

4) 간사년(刊寫年)이나 기타 연도는 서력 연도로 기재하고, 한국 연호나 역조 임
   금의 즉위 연도로 환산하여 '( )'에 넣어 부기한다. 추정 연도는 '[ ]'를 사용
   한다. 역조명(歷朝名)조차 추정할 수 없는 경우에는 '[간사년미상]'이라고 기술
   한다.

5) 서명에는 '『 』'를 사용한다.

6) 항목, 편명, 작품명에는 '「 」'를 사용한다.

7) 인용, 대화 등을 나타낼 때에는 큰따옴표를 사용한다.

8) 강조, 재인용, 대화 안의 대화에는 작은따옴표를 사용한다.

9) 일반적인 것은 「한글 맞춤법 규정」을 따른다.

목차

歌曲十三種

서　　　명：歌曲十三種

편 저 자：柳在夏

판 사 항：筆寫本

형태사항：1冊(116張)：無界, 10行 字數不定；30.6×18.7 cm

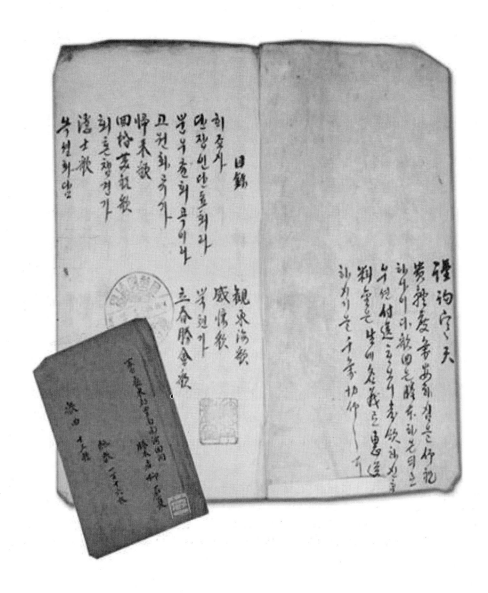

1. 개요

규방가사는 규방 공간에서 양반부녀자들을 중심으로 향유된 가사이다. 경북 지역에 집중되어 분포하고 있으며, '필사', '두루마리'라는 독특한 방식으로 전승, 향유되어 왔다. 규방의 부녀자들은 기존의 양반 가사를 돌려 읽기도 했지만, 직접 가사를 짓고 향유하면서 독특한 문화를 형성했는데, 그 가운데는 남성에 의해 지어진 것도 있다. 비록 남성작이라 하더라도 규방이라는 공간에서 향유, 계승되었다는 점에서 규방가사의 범주에 속하게 된다.

규방의 부녀자들은 새로운 가사를 접할 때면 으레 필사하여 소장했다. 부녀자들의 처지와 공감되어 그들의 감성을 자극하던 동일한 가사가 다른 필체로 여러 곳에서 발견되는 것도 그러한 이유에서이다. 한편 필사할 때는 작자를 밝히는 경우도 있었지만, 그보다는 필사하는 사람과 필사 일자를 적었기 때문에 원작자를 알지 못하는 경우가 허다하다. 또한 한글을 위주로 여러 번 필사의 과정을 겪다 보니 오자, 탈자도 많고 첨삭 과정도 거치면서 내용도 원본과 달라지는 경우도 많았다.

규방이라는 공간은 외부와는 단절된 공간이기 때문에, 국문학 연구 초기에는 규방가사의 면모를 파악하는 데 여러 제약이 따를 수밖에 없었다. 지역의 몇몇 학자들은 친분 관계에 있는 집안의 가사를 입수하기도 했지만, 수많은 작품이 존재함을 알면서도 자료의 수집부터가 쉬운 일은 아니었다. 차츰 규방가사에 대한 이해와 관심이 높아지면서 1970년대부터는 규방가사 수집을 위한 조사단이 파견되어 일정한 성과를 거두기도 하고 안동을 비롯한, 봉화, 경주 등의 지역문화원에서도 규방가사를 수집하여 책으로 발간하기도 했다.

도남은 경북 안동이 규방가사의 본거지 중 하나라는 점에 착안하여 안동 지역 특히 명문거족이었던 하회 류씨 가문이 소장하고 있던 규방가사를 수집하려 했던 것 같다. 하회에 거주하고 있던 류재하[1]라는 분에게 하회 지역의 규방가사를 등사하

---

1 柳在夏: 본관은 풍산. 자는 來玉, 1897(丁酉)年生. 1966(丙午)年卒. 생부는 時源(셋째)으로 伯父인 時億의 양자로 감. 謙庵과 西厓의 祖父였던 柳子溫의 셋째 아들 柳公奭의 후손으로, 모하당파(慕河堂派)의 27세 胄孫. 「동아일보(1922.4.23.)」에 따르면, 류재하 씨는 '1920년 4월에 창립된 우리청년회에 참여하여 활동하던 중 1922년 제3회 정기총회에서 서기로 선출되었다.'고 함. 김희곤 「안동 독립

도록 부탁하였고, 이러한 부탁에 류재하는 주변의 가사를 등사하여 총 3책으로 만들어 도남에게 보내었으니 『歌曲 十三種』, 『歌曲 十四種』, 『歌曲 三十八種』이 그것이다. 『가곡 십삼종』은 류재하가 도남에게 처음으로 보낸 것이다.

2. 편 · 저자 및 편찬 경위

책 표지에는 책제인 '歌曲 十三種'과 '紙數 一百十六杖' 및 '慶北 安東郡 豊南面 河回洞 謄本者 柳在夏'가 분명히 밝혀져 있다. 이로써 이 책을 만든 사람은 안동 하회에 살고 있던 류재하이며, 그 자신이 직접 규방가사 작품을 베껴 『가곡 십삼종』이라고 이름을 붙였음을 알 수 있다.

도남은 국문학 자료 수집의 중요성을 일찍이 간파했던 분으로, 규방가사의 수집에도 힘을 기울였던 듯하다. 규방가사가 집중적으로 창작, 향유되었던 경북 지역 중에서도 특히 안동 하회 지역의 가사를 수집한 것은 탁월한 선택이었다. 『가곡 십삼종』의 표지 뒷면에는 류재하가 도남에게 쓴 짧은 편지글이 있는데, '歌曲은 謄寫하온 딘로 우선 付送ᄒ오니 考頌하신 후 料金은 生에 名義로 惠送하시기를 千萬切仰切仰~'라는 내용으로 보아, 도남은 안동 하회에 거주하고 있는 류재하와 접촉을 했고 그에게 그곳의 규방가사를 직접 등사하여 자신에게 보내 줄 것을 부탁했으며 그 수고에 상응하는 돈까지 지불하기로 약속했음을 알 수 있다. 도남으로부터 이와 같은 부탁을 받은 류재하는 하회 지역에 읽히고 있던 규방가사를 보고 직접 한지에 붓으로 등사하여 도남에게 보내게 되는데 『가곡 십삼종』이 그 첫 작업인 셈이다.

그런데 도남이 류재하에게 규방가사의 등사를 부탁한 시기 및 류재하가 도남에게 이 책을 보낸 시기는 정확하게 알 수 없다. 책 어디에도 언제 등사했는지에 대해서는 전혀 단서를 찾을 수가 없는데, 다만 1960년대 말에서 1970년대 초반으로 추측해 볼 따름이다.

운동가 700인』 p. 202. 도서출판 영남사. 2001 참조.

3. 구성 및 내용

『가곡 십삼종』 표지에는 '慶北 安東郡 豊南面 河回洞 謄本者 柳在夏'라는 필사자의 주소와 이름이 분명히 기재되어 있고, '紙數 一百十六枚' 및 『歌曲 十三種』이라는 책제가 기재되어 있다. 뒷면에는 도남이 부탁한 가곡을 등본하는 대로 보내니 돈을 부쳐달라는 간단한 내용의 편지글이 있다. 『가곡 십삼종』에 수록된 13편의 규방가사 목록은 「희죠사」, 「단장인단표회라」, 「붕우춘회곡이라」, 「고원화류가」, 「歸來歌」, 「回婚慶祝歌」, 「회혼참경가」, 「隱士歌」, 「옥셜화답」, 「觀東海歌」, 「感懷歌」, 「북천가」, 「立春勝會歌」 등이다. 이상의 13편은 규방가사를 향유했던 부녀자들 사이에서는 상당히 인기가 있었던 작품들로, 학계에는 대체로 소개된 것들이다.

4. 가치 및 의의

도남이 하회에 거주하고 있던 사람에게 부탁하여 규방가사를 베껴 써 남기도록 하였다는 사실은 국문학 연구자들에게 놀라움과 함께 큰 교훈이 된다. 도남이 생존했을 당시는 규방가사의 대체적인 면모조차 밝혀지지 않았던 시기이다. 규방가사는 작품수의 방대함에도 불구하고 작품성에 대한 의구심이 있었고 수집 또한 쉽지 않았다. 그러한 가운데 규방가사의 핵심 산실인 안동 하회 지역의 규방가사를 수집하려 하여, 그 문중의 사람에게 자신의 돈을 써가면서 등사를 부탁한 도남의 학문적 적극성 및 탁월함은 본받을 만하다. 『가곡 십삼종』뿐만 아니라 『가곡 십사종』, 『가곡 삼십팔종』까지 세 책을 남겼으니 후학을 위한 배려에 감사할 따름이다.

『가곡 십삼종』에 실린 가사들은 이미 학계에 소개된 작품들이라고는 하나, 규방가사 연구 자료집으로서 소중히 쓰일 수 있다. 류재하는 등사하면서 최대한 정자로 보기 좋은 글씨체를 유지하고 있으며, 작품들의 내용도 매우 상세한 편이다. 따라서 이본 또는 동본 확인을 통해 현재까지 미해결로 남아있는 구절들의 의미를 정확히 파악하는 데 도움을 줄 수 있을 것이다. 또한 하회 지역에서 창작되어 타 지역까지 건너간 작품의 경우는 하회에서 발견된 작품이 원본일 가능성이 높다. 따라서 작품에 따라 원본의 정확성을 확보할 수 있으니 국문학 연구에 귀중한 자료로 쓰일 수 있을 것이다.

김 정 화

[핵심어]

규방가사, 내방가사, 필사본가사, 안동지역가사, 하회규방가사

[참고문헌]

권영철, 『규방가사 I 』, 가사문학관.

———, 『규방가사』, 효성여자대학교출판부, 1985.

이대준, 『낭송가사집1』, 세종출판사, 1986.

———, 『낭송가사집2』, 한빛인쇄기획, 1995.

임기중, 『역대가사문학전집』, 아세아문화사, 1998.

歌曲十四種

서　　　명 : 歌曲十四種

편 저 자 : 柳在夏

판 사 항 : 筆寫本

형태사항 : 1冊(102張) : 無界, 10行 字數不定 ; 29.5×18.7 cm

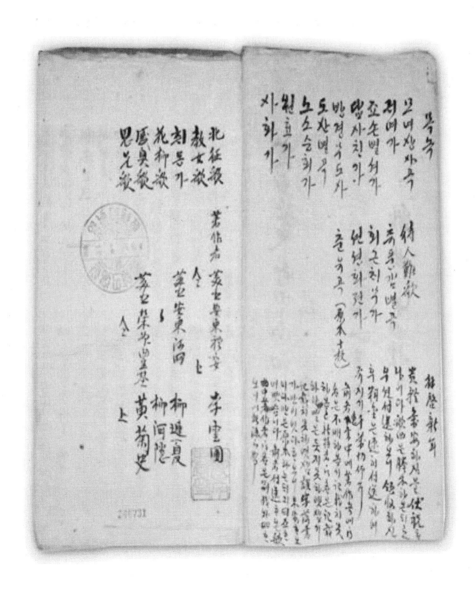

1. 개요

규방가사는 규방 공간에서 양반부녀자들을 중심으로 향유된 가사이다. 경북 지역에 집중되어 분포하고 있으며, '필사', '두루마리'라는 독특한 방식으로 전승, 향유되어 왔다. 규방의 부녀자들은 기존의 양반 가사를 돌려 읽기도 했지만, 직접 가사를 짓고 향유하면서 독특한 문화를 형성했는데, 그 가운데는 남성에 의해 지어진 것도 있다. 비록 남성작이라 하더라도 규방이라는 공간에서 향유, 계승되었다는 점에서 규방가사의 범주에 속하게 된다.

규방의 부녀자들은 새로운 가사를 접할 때면 으레 필사하여 소장했다. 부녀자들의 처지와 공감되어 그들의 감성을 자극하던 동일한 가사가 다른 필체로 여러 곳에서 발견되는 것도 그러한 이유에서이다. 한편 필사할 때는 작자를 밝히는 경우도 있었지만, 그보다는 필사하는 사람과 필사 일자를 적었기 때문에 원작자를 알지 못하는 경우가 허다하다. 또한 한글을 위주로 여러 번 필사의 과정을 겪다 보니 오자, 탈자도 많고 첨삭 과정도 거치면서 내용도 원본과 달라지는 경우도 많았다.

규방이라는 공간은 외부와는 단절된 공간이기 때문에, 국문학 연구 초기에는 규방가사의 면모를 파악하는 데 여러 제약이 따를 수밖에 없었다. 지역의 몇몇 학자들은 친분 관계에 있는 집안의 가사를 입수하기도 했지만, 수많은 작품이 존재함을 알면서도 자료의 수집부터가 쉬운 일은 아니었다. 차츰 규방가사에 대한 이해와 관심이 높아지면서 1970년대부터는 규방가사 수집을 위한 조사단이 파견되어 일정한 성과를 거두기도 하고 안동을 비롯한, 봉화, 경주 등의 지역문화원에서도 규방가사를 수집하여 책으로 발간하기도 했다.

도남은 경북 안동이 규방가사의 본거지 중 하나라는 점에 착안하여 안동 지역 특히 명문거족이었던 하회 류씨 가문이 소장하고 있던 규방가사를 수집하려 했던 것 같다. 하회에 거주하고 있던 류재하라는 분에게 하회 지역의 규방가사를 등사하도록 부탁하였고, 이러한 부탁에 류재하는 주변의 가사를 등사하여 총 3책으로 만들어 도남에게 보내었으니 『歌曲 十三種』, 『歌曲 十四種』, 『歌曲 三十八種』이 그것이다. 『가곡 십삼종』은 류재하가 도남에게 처음으로 보낸 것이다.

2. 편·저자 및 편찬 경위

『가곡 십사종』 역시 『가곡 십삼종』과 같이 등사자는 류재하이다. 『가곡 십사종』 표지에는 책제인 '歌曲 十四種' 및 등사자의 이름과 주소(慶北 安東郡 豊南面 河回洞 謄本者 柳在夏), 지면수(紙數 一百二枚)가 적혀져 있다. 『가곡 십삼종』, 『가곡 십사종』, 『가곡 삼십팔종』은 류재하가 등사하는 대로 묶어서 보낸 것이며, 특히 『가곡 십사종』과 『가곡 삼십팔종』은 함께 보냈을 가능성이 높다.

표지 뒷면에는 간단한 편지글이 적혀 있는데, 『가곡 십삼종』에도 있었던 안부 인사 및 '歌曲은 謄本하온 되로 우선 付送ㅎ오니 領收하신 후 料金은 速히 付送하여 쥬시기 千萬切仰~'이라는 내용과 함께 다음과 같은 글이 있다.

'前者 惠事中에 著作考에 名은 不明하옵기 記載치 못하옵고 新持者 家名
은 記載하란 말은 듯지 못하얏삽기 記載치 못하엿삽 誤字落字가 만이 잇다
ㅎ오니 未安ㅎ이다만은 原本과는 되기 되죠하여 밧습니다 前者 付送ㅎ온
曲中 著作者 家名은 別紙와 如ㅎ오니~'

도남은 앞서 『가곡 십삼종』을 받은 후 오자(誤字), 낙자(落字)가 많이 있음을 지적한 듯한데, 이에 대해 류재하는 원본과 대조해 봤음을 강조하고 있다. 또한 작자와 보유자에 대한 고민을 엿볼 수 있는데, 아마도 도남은 류재하에게 작품의 작자를 알 수 있을 경우 기록해 달라고는 한 듯하며, 작품을 지니고 있는 사람에 대해서는 기록 여부를 언급하지 않은 듯하다. 류재하는 『가곡 십사종』 목록에 앞서 몇 작품의 가사에 대해 작자를 언급(「北征歌」, 「敎女歌」, 「취몽가」, 「花柳歌」, 「感興歌」, 「思兄歌」)하고 있는데 이들 가사들은 『가곡 삼십팔종』에 수록된 가사들이다.

3. 구성 및 내용

『가곡 십사종』에서는 각 작품의 제목 아래에 보유자를 밝히고 있으며, 작자가 알려진 경우는 작자까지 밝혀 두고 있다. 『가곡 십사종』에 나오는 규방가사의 목록과 기재된 작자, 보유자는 다음과 같다.

목록	작자	보유자
「모여상사곡」	奉化郡 乃城 金沙濟	慶北 安東河回 柳時明
「귀여가」		慶北 安東 河回 柳源夏
「죠손별서가」		慶北 安東 河回 柳時郁
「답사친가」	安東河回 柳志佑	慶北 安東 河回 柳時郁
「방경무도사」		慶北 安東 河回 柳時郁
「도산별곡」		慶北 安東 河回 柳源夏
「노소승회가」		慶北 安東 河回 柳源夏
「원효가」		慶北 安東 河回 柳源夏
「사화가」	安東河回 柳志佑	慶北 安東 河回 柳志佑
「待人難歌」	慶北 安東郡 豊北面 五美洞 金在淵	慶北 安東郡 豊北面 新基 南相鎬
「츄풍감별곡」		慶北 安東 河回 柳漢秀
「회근치무가」		慶北 安東 豊南面 河回洞 柳萬壽
「션성화전가」		慶北 安東 豊南面 河回洞 柳萬壽
「춘유곡(原本十枚)」		

맨 마지막 「춘유곡」은 목록에서 原本十枚이라 따로 밝혀두고는 있는데, 『가곡 십사종』 본문 안에는 포함되어 있지 않다. 아마도 「춘유곡」은 책을 만드는 과정에서 별지 10장을 덧붙여 둔 것이 소실되지 않았나 추측된다. 『가곡 십사종』에 실린 가사들은 단국대율곡기념도서관 소장본인 『韓國歌辭資料集成(二)』에 필체는 다르나 목록과 내용이 보인다. 『韓國歌辭資料集成』에는 『가곡 십사종』의 목록이 다 보이기는 하나, 수록된 작품을 살펴보면 「모여상사곡」, 「귀여가」, 「죠손별서가」, 「답사친가」, 「방경무도사」, 「추풍감별곡」만 있고 나머지 작품은 실려있지 않다.

4. 가치 및 의의

『가곡 십사종』에는 「방경무도사」나 「도산별곡」, 「츄풍감별곡」, 「회근치무가」, 「션

성화전가」와 같이 잘 알려진 작품도 있지만, 이것들도 다른 필사본에 비해 내용이 풍부하고 정확한 편이어서 자료적인 가치가 있다. 「모여상사곡」, 「귀여가」, 「원효가」, 「노소승회가」, 「대인난가」 등은 잘 알려지지 않은 작품인데, 비슷한 제목으로 이본을 형성하고 있는 경우가 많아 세밀한 고찰이 필요하다. 이러한 작품들은 대체로 하회 풍산 류씨 가문과 직접적인 관계가 있는 사람들의 작품인 경우가 대부분이다. 구체적인 지명과 상황이 제시되어 있기 때문에 이곳에서 창작된 작품임을 짐작해 볼 수 있다.

「조손별서가」와 「답사친가」는 이미 학계의 주목을 받아 연구 논문도 나와 있다. 「조손별서가」와 「답사친가」는 많은 부녀자에 의해 수차례 등사되어 두루마리 형태로 전해지고 있음을 확인할 수 있는데, 『가곡 십사종』에 있는 「조손별서가」와 「답사친가」는 다른 두루마리 필사본에 비해 내용이 풍부하고 정확한 편이다. 아울러 『가곡 십사종』에는 「사화가」라는 작품이 실려 있는데, 지금까지 학계에 잘 알려지지 않은 작품이다. 『가곡 십사종』에서는 「사화가」를 「답사친가」와 같이 류지우의 작품이라 밝히고 있다. 「사화가」는 「답사친가」와 이본이라고 보기에는 너무 다른 내용이 많이 담겨 있어, 비슷한 시기에 씌여진 다른 작품으로 추측할 수 있다. 「답사친가」와 「사화가」가 같은 작자의 작품일 가능성도 있지만, 두 작품의 작자에 대해서는 면밀한 검토가 필요하다.

규방가사를 필사한 류재하는 도남의 말에 따라 필사를 하면서도 작자와 보유자를 밝히기도 하고 밝히지 않기도 했다. 규방가사는 필사에 필사를 거듭하면서 향유, 전승되는데, 필사의 과정에서 작자가 소실되는 경우가 허다하다. 작품을 지니고 있다 하더라도 원작자에 대해서는 자세히 알지 못하고, 다만 어디, 누가 지니고 있던 것을 필사했다는 정도의 정보가 흔하기 때문이다. 류재하가 밝힌 작품의 작자는 보유자의 말에 따라 밝혀 둔 것일 가능성이 높은데, 『가곡 십삼종』 및 『가곡 십사종』에서 밝힌 작자에 대해서는 비정(批正)이 필요하다.

김정화

[핵심어]

규방가사, 내방가사, 필사본가사, 안동지역가사, 하회규방가사

[참고문헌]

권영철, 『규방가사 I 』, 가사문학관.

―――, 『규방가사』, 효성여자대학교출판부, 1985.

이대준, 『낭송가사집1』, 세종출판사, 1986.

―――, 『낭송가사집2』, 한빛인쇄기획, 1995.

임기중, 『역대가사문학전집』, 아세아문화사, 1998.

歌曲三十八種

서　　　명 : 歌曲三十八種

편 저 자 : 柳在夏

판 사 항 : 筆寫本

형태사항 : 1冊(516張) : 無界, 10行 字數不定 ; 30.6×18 ㎝

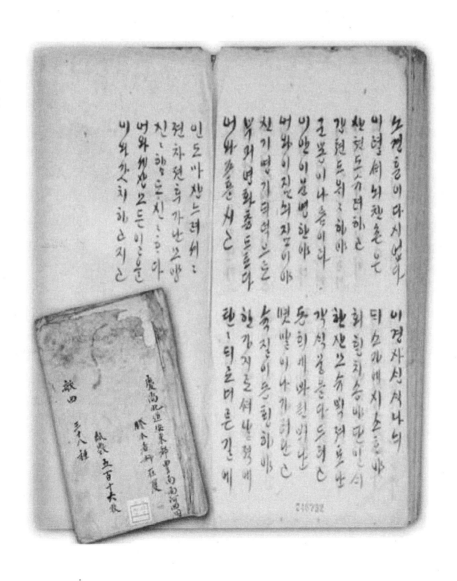

1. 개요

규방가사는 규방 공간에서 양반부녀자들을 중심으로 향유된 가사이다. 경북 지역에 집중되어 분포하고 있으며, '필사', '두루마리'라는 독특한 방식으로 전승, 향유되어 왔다. 규방의 부녀자들은 기존의 양반 가사를 돌려 읽기도 했지만, 직접 가사를 짓고 향유하면서 독특한 문화를 형성했는데, 그 가운데는 남성에 의해 지어진 것도 있다. 비록 남성작이라 하더라도 규방이라는 공간에서 향유, 계승되었다는 점에서 규방가사의 범주에 속하게 된다.

규방의 부녀자들은 새로운 가사를 접할 때면 으레 필사하여 소장했다. 부녀자들의 처지와 공감되어 그들의 감성을 자극하던 동일한 가사가 다른 필체로 여러 곳에서 발견되는 것도 그러한 이유에서이다. 한편 필사할 때는 작자를 밝히는 경우도 있었지만, 그보다는 필사하는 사람과 필사 일자를 적었기 때문에 원작자를 알지 못하는 경우가 허다하다. 또한 한글을 위주로 여러 번 필사의 과정을 겪다 보니 오자, 탈자도 많고 첨삭 과정도 거치면서 내용도 원본과 달라지는 경우도 많았다.

규방이라는 공간은 외부와는 단절된 공간이기 때문에, 국문학 연구 초기에는 규방가사의 면모를 파악하는 데 여러 제약이 따를 수밖에 없었다. 지역의 몇몇 학자들은 친분 관계에 있는 집안의 가사를 입수하기도 했지만, 수많은 작품이 존재함을 알면서도 자료의 수집부터가 쉬운 일은 아니었다. 차츰 규방가사에 대한 이해와 관심이 높아지면서 1970년대부터는 규방가사 수집을 위한 조사단이 파견되어 일정한 성과를 거두기도 하고 안동을 비롯한, 봉화, 경주 등의 지역문화원에서도 규방가사를 수집하여 책으로 발간하기도 했다.

도남은 경북 안동이 규방가사의 본거지 중 하나라는 점에 착안하여 안동 지역 특히 명문거족이었던 하회 류씨 가문이 소장하고 있던 규방가사를 수집하려 했던 것 같다. 하회에 거주하고 있던 류재하라는 분에게 하회 지역의 규방가사를 등사하도록 부탁하였고, 이러한 부탁에 류재하는 주변의 가사를 등사하여 총 3책으로 만들어 도남에게 보내었으니 『歌曲 十三種』, 『歌曲 十四種』, 『歌曲 三十八種』이 그것이다. 『가곡 십삼종』은 류재하가 도남에게 처음으로 보낸 것이다.

2. 편 · 저자 및 편찬 경위

『가곡 삼십팔종』 역시 표지에 책제인 '歌曲 三十八種'및 등사자의 이름과 주소(慶北 安東郡 豊南面 河回洞 謄本者 柳在夏), 지면수(紙數 五百十六枚)가 기재되어 있다. 『가곡 삼십팔종』에는 별다른 편지글이 보이지 않으며, 앞서 『가곡 십사종』의 목록 앞에 『가곡 삼십팔종』에 실린 「북정가」, 「교녀가」, 「취몽가」, 「화류가」, 「감흥가」, 「사형가」의 작자가 밝혀져 있는 것으로 보아 『가곡 십사종』과 『가곡 삼십팔종』은 처음부터 따로 된 책은 아니었던 듯하다. 다만 지면의 수가 너무 많아지자 적당히 두 책으로 나눈 것으로 보인다. 『가곡 삼십팔종』은 작품 수도 많지만 지면의 수도 월등하다. 『가곡 십사종』과 『가곡 삼십팔종』은 시간을 두고 등사를 했겠지만 도남에게 보낼 때는 같이 보낸 것으로 보인다.

3. 구성 및 내용

『가곡 삼십팔종』에는 총 38편이나 되는 가사가 실려 있으며, 지면의 수도 500여 쪽에 달한다. 『가곡 삼십팔종』에는 표지에 이어 목록이 나오고 그 뒤에 작품이 이어지고 있다. 작품 중 「북정가」나 「한양가」 같은 장편 가사는 방대한 전문이 실려 있다. 그런데 『가곡 십사종』에서는 보유자를 일일이 밝혀 두었음에 반해, 『가곡 삼십팔종』은 보유자에 관해 아예 기록하고 있지 않다. 작자의 경우는 『가곡 십사종』 목록 앞에 간략히 밝혀두고 있었기-작자를 알고 있는 작품에 한해-에 참고할 수 있다. 『가곡 삼십팔종』에 실린 작품의 목록은 다음과 같다.

歌曲目錄

「感興歌」, 「勸學歌」, 「戒女歌」, 「자치歌」, 「楚漢歌」, 「우별歌」, 「思兄歌」, 「道德歌」, 「桃源別曲」, 「花籛歌」, 「遠別曲」, 「兄弟歌」, 「북국歌」, 「원별여이회曲」, 「丙子曲」, 「최몽歌(본문 제목은 취몽가)」, 「花樹歌」, 「弄春歌」, 「樂春歌」, 「養子歌」, 「花遊歌」, 「世德歌」,

「教女歌」,「觀海歌」,「기슈曲」,「찬회曲」,「海東壯觀」,「慶尙道七十一州歌」,「閨中女子歌」,「陶山別曲」,「迎春歌」,「七夕歌」,「北征歌」,「소회歌」,「漢陽歌」,「淸凉山歌」,「虞美人歌」,「思親歌」

　　참조: 『가곡 십사종』에서 밝힌 작자
　　北征歌 : 慶北 安東 禮安 李雲圃
　　教女歌 : 同上
　　취몽가 : 慶北 安東 下回 柳璉夏
　　花柳歌 : 慶北 安東 下回 柳河隱
　　感興歌 : 慶北 英州 豊基 黃菊史
　　思兄歌 : 同上

4. 가치 및 의의

　　『가곡 삼십팔종』은 탄식류에서부터 계녀류, 역사류, 기행흥취류 등 다양한 작품을 담고 있다. 「계여가」를 비롯해, 「원별여이회曲」, 「자치歌」, 「楚漢歌」, 「虞美人歌」, 「道德歌」, 「桃源別曲」, 「북국歌」, 「漢陽歌」, 「淸凉山歌」 등 많은 이본을 자랑하는 규방가사 작품들도 대거 실려 있다. 이러한 작품들은 이미 학계에 소개된 것들이지만, 다른 이본들과 비교해 볼 가치는 충분하다.

　　작품 수가 많은 만큼 아직 미발표 가사도 몇 편이 보인다. 우선 「병자곡」이나, 「북정가」 같은 작품은 학계에 소개된 작품과 제목은 같지만 내용은 완전히 다르다. 특히 「북정가」는 현존 유배가사 중에서 가장 후대의 것으로, 이중언이라는 작자가 억울한 누명을 쓰고 관북 명천에 귀양을 가면서 쓴 것이다. 유배지에 도착한 직후까지의 여정만 실려 있지만, 150쪽에 달하는 대장편이다.

　　「우별가」, 「사형가」, 「원별곡」, 「형제가」 등은 작자를 분명히 밝히기는 어렵지만, 하회 류씨 집안과 직접적인 관계를 맺고 있는 사람들의 작품일 가능성이 높다.

작자가 처한 상황을 구체적으로 그리고 있으며 규방가사로서의 애절함이 돋보여, 기존에 발표된 부모형제 이별가류와 비교해 볼 수 있을 것이다.

「양자가」와 「교녀가」 같은 작품은 기본적으로 계녀가류에 속한다. 하지만 「교녀가」는 남성작자의 작품이면서도 매우 독특한 구조와 내용을 지니고 있어 비교 고찰이 요구된다. 「감흥가」를 비롯하여 「농춘가」, 「낙춘가」 등의 가사들도 하회 지역에서 창작된 가사로 보인다. 『가곡 삼십팔종』에 실린 여러 작품들은 규방가사 연구의 영역을 확대시킴은 물론이고, 하회 지역에서 창작된 규방가사가 다수 실려 있어 하회의 규방가사에 대한 면모를 짐작해 보는 데도 도움을 줄 수 있으리라 생각한다.

김 정 화

[핵심어]

규방가사, 내방가사, 필사본가사, 안동지역가사, 하회규방가사

[참고문헌]

권영철, 『규방가사 I 』, 가사문학관.

──────, 『규방가사』, 효성여자대학교출판부, 1985.

이대준, 『낭송가사집1』, 세종출판사, 1986.

──────, 『낭송가사집2』, 한빛인쇄기획, 1995.

임기중, 『역대가사문학전집』, 아세아문화사, 1998.

歌詞六種

서　　　명：歌詞六種
편 저 자：未詳
판 사 항：筆寫本
형태사항：1卷 1冊(52張)：無界, 12行 字數不定；30.4×22 cm

1. 개요

『가사육종(歌詞六種)』은 6종의 가사를 함께 필사하여 한 권의 책으로 묶은 가사집이다. 일본인(日本人) 아사미 린타로[淺見倫太郎, 1869~1943]가 『가곡원류』, 『남훈태평가』, 『송강가사』, 『고금가곡』, 『여창가요록』 등과 함께 소장했던 것으로 알려진 책이다. 원본으로 추정되는 자료는 수록 가사 6종 중 첫 번째 작품인 「옥루연가」를 표제로 내세운 『옥루연가(玉樓宴歌)』라는 제목으로 일본 궁내청(宮內廳) 서릉부(書陵部)에 소장되어 있다. 그 외에 3종의 이본이 알려져 있는데, 하나는 마에마 교사쿠[田間恭作, 1868~1942]가 전사한 것으로 일본 동양문고에 소장되어 있고, 다른 하나는 남창 손진태(1900~?)가 전사한 것으로 서울대학교 중앙도서관 남창문고에 소장되어 있다. 가람문고본은 남창문고본을 토대로 이병기가 전사한 것이다. 영남대본은 도남문고에 소장되어 있는데 아직 학계에 소개되지 않은 이본이다.

『가사육종』에 실린 가사는 「옥루연가(玉樓宴歌)」, 「농가월령(農家月令)」, 「춘면곡(春眠曲)」, 「강촌별곡(江村別曲)」, 「어부사(漁父辭)」, 「노인가(老人歌)」이다. 영남대본의 표제는 '歌詞六種'이고 표지 안쪽에 한자로 적어 놓은 목차가 있다. 본문은 모두 국한문 혼용이다. 「강촌별곡」의 작자는 차천로, 「어부사」의 작자는 이현보, 두 작품만 작자를 기록하였다. 「노인가」를 제외한 다섯 작품은 2단으로 필사되어 있고 「노인가」는 3단으로 필사되어 있다. 한 사람이 일관되게 정성들여 쓴 글씨체이다. 『가사육종』은 조선 후기 가사집의 생성 및 유통을 연구하는 데 중요하게 다루어지는 자료이다. 뿐만 아니라 영남대 도남문고본 『가사육종』은 아직 학계에 소개되지 않은 것으로 『가사육종』 연구를 더욱 풍부하게 할 수 있는 가치를 지닌다.

2. 편 · 저자 및 편찬 경위

『가사육종』은 일본인 아사미 린타로가 소장했던 것으로 알려진 가사집이다. 『가사육종』의 원본으로 추정되는 책은 『옥루연가』라는 표제로 현재 일본 궁내청 서릉부에 소장되어 있으며, 마이크로필름본이 국립중앙도서관 고전운영실에 소장되어 있다. 이 책은 3차에 걸쳐 순차적으로 필사된 것으로 보인다. 1차로 「옥루연가」, 「농가월령」이 필사되고 2차로 「춘면곡」, 「강촌별곡」, 「어부사」가 필사되고, 마지막으로 「노인가」가 추가로 필사된 것이다. 필사된 종이가 1825년 3월에 보낸 조문장의 이면지를 활용한 것이어서 1차 필사는 적어도 1825년 이후에 이루어진 것으로 추정된다. 2차 필사는 필체에 큰 차이가 없는 것으로 보아 동일인이 덧붙인 것으로 보인다. 3차 필사는 2차 필사 이후 꽤 시간이 경과한 시점에 이루어진 것으로 보이지만 1850년을 넘지는 않을 것으로 추정된다. 그래서 『가사육종』의 원본은 1830년~1850년 사이에 형성되었을 것으로 추정하고 있다. 1면을 3단으로 나누고 1면에 10행씩 필사하였으며, 한자 어휘의 경우 좌우 여백을 활용하여 한글음을 병기하고 있다.

남창문고본은 남창 손진태가 1928년 아사미의 원본을 빌려 전사한 것이다. 내용은 충실하게 전사하였지만 형태적으로는 원본 추정본과 차이를 보인다. 1면을 2단으로 나누고 1면에 12행씩 적고 있다. 한자 표기의 경우 한글 음 병기 없이 한자만 기록하였다. 동양문고본은 마에마가 1928년 4월에 전사한 것이다. 앞에 목차가 있으며, 1면을 3단 10행으로 나눈 점, 한글 음을 병기한 점 등은 원본 추정본과 같다. 남창문고본 권두와 동양문고본 권말에는 해제가 실려 있다.

영남대 도남문고본은 필사자와 필사시기를 알 수 없으나, 도남이 소장하고 있던 가사집들의 필사시기를 고려할 때 3종의 이본과 가까운 시기에 필사된 것이 아닌가 하고 추정한다.

「옥루연가」는 작자와 창작 연대를 알 수 없으나 본문 중에 '四百年 宗社慶이 聖子神孫 継 〃 ᄒ셔'라는 구절이 있어 18세기 후반 무렵에 창작된 것으로 추정된다. 「농가월령」은 헌종 때 정학유(丁學游, 1786~1855)가 지은 것으로 알려진 월령체 가사이다. 「춘면곡」은 강진 진사 이희징(李喜徵, 1647~?)이 창작한 것으로 남도의 강진 병영에서 불리던 노래이다. 「강촌별곡」은 영남대본에 차천로(車天輅, 1556~1615)의 작이라고 소개되어 있다. 홍만종(洪萬宗, 1643~1725)의 『순오지(旬五志)』에도 차천로의 작으로 기록되어 있으나, 퇴계나 율곡을 작가로 기록하거나 작가를 밝히지 않은 자료도 있다. 「어부사」는 고려 말부터 전하던 12장의 장가 「어부가」를 농암 이현보(李賢輔, 1467~1555)가 9장으로 개작한 것으로, 영남대본에도 작가가 이현보인 것으로 기록되어 있다. 「노인가」는 조선 후기 중인들의 유흥 체험이 반영된 작품임을 감안할 때 앞의 작품들보다는 좀 늦은 19세기 무렵에 중인 계층에 의해 창작된 작품이 아닌가 하고 추정할 수 있다.

3. 구성 및 내용

『가사육종』은 모두 6종의 가사를 싣고 있다. 「옥루연가」 39면, 「농가월령」 44면, 「춘면곡」 4면, 「강촌별곡」 4면, 「어부사」 4면, 「노인가」 6면으로 총 52장이다.

「옥루연가」는 작자 및 창작 연대 미상의 가사이다. 천상의 옥루 경연에서 조선 국왕이 옥황상제를 독대하고 청나라 정벌에 대한 밀명을 받아온다는 내용으로 된 사대부가사이다. 중국과 우리나라의 역대 제후(諸侯), 장상(將相), 문무(文武), 시객(詩客) 등을 비롯한 역대 인물들과 서화(書畵), 예악(禮樂), 군법(軍法), 선은(仙隱) 등에 얽힌 다양한 고사를 열거하면서 태평연월(太平烟月)에 성은(聖恩)을 구가한 노래이다. '온통 인명과 전고로 엮어져서 이해하기에 난삽함을 면할 수 없으나 고사숙어의 학습에는 일조가 될 만도 하다'라는 평가를 받기도 한다.

「농가월령」은 정약용의 아들 정학유가 지었다고 알려진 「농가월령가」의 이본이다. 1년 12달 동안 농가에서 할 일을 월별로 나누어 읊은 월령체(月令體)의 가사이다. 농민을 상대로 해서 부지런히 일해 농사를 잘 짓고 생활을 안정시키는 방도를 일러주는 내용을 담고 있다. 월별 농업 행사뿐만 아니라 농촌 풍속에 대해서도 충실하게 묘사하고 있다. 「월여농가(月餘農歌)」라는 제목으로 한역되기도 하였으며, 한문 이본도 다수 전한다.

「춘면곡」은 남도의 강진 병영에서 불리던 노래로, 18세기 서울의 가창 공간에 진입한 후 18세기 중반 이후가 되면 가창가사의 대표곡으로 자리 잡게 된다. 봄잠에서 깨어난 남자가 녹의홍상(綠衣紅裳)의 미인을 만나 육감적인 사랑을 나눈 것을 잊지 못해 애태우는 마음을 담고 있는 작품이다. 이별을 탄식하고 있다는 점에서 애정가사에 속한다고 볼 수 있다.

「강촌별곡」은 속세를 떠나 세상 공명을 버리고 자연에 은거하는 모습을 그린 작품이다. 자연과 더불어 안빈낙도하고 부귀공명도 부럽지 않은 자신의 생활에 만족하며 사는 모습이 드러나 있다. 「낙빈가(樂貧歌)」라는 제목으로도 전한다.

「어부사」는 고려 때부터 전해오던 12장의 장가를 이현보가 9장으로 개작한 것이다. 벼슬을 버리고 속계를 벗어나 한가하게 강호(江湖)에 묻혀 사는 선비의 모습을 어부에 빗대어 노래하였다. 각 절은 후렴구나 의성어 등을 제외하고는 모두 7언 절구에 토만 단 것이다. '빗 쓰여라 빗 쓰여라', '닷 드러라 닷 드러라', '至匊叢 〃 〃 〃 於思臥' 등의 어구를 통해, 배를 띄워 놓고 물외(物外)의 삶을 즐기는 가어옹(假漁翁)의 풍류를 느낄 수 있다.

「노인가」는 노인이 된 화자가 인생의 무상함을 느끼며 젊은 시절을 회상하는 내용이다. 젊은 시절에 온갖 친구들을 만나 화려한 풍류를 즐겼으나 지금은 오는 백발을 막을 수 없음을 안타까워하고 있다. 늙음을 물리치고 싶지만 어쩔 수 없음을 깨닫고 체념하며 젊은 시절에 실컷 놀 것을 권유한다.

「옥루연가」, 「농가월령」은 사대부가 창작한 장편가사로 19세기에 음영가사(吟詠歌辭)로 널리 유통되었던 작품들이다. 「춘면곡」, 「강촌별곡」, 「어부사」 역시 사대부가 창작한 것이며, 모두 가창가사(歌唱歌詞)로 향유되었다. 조선 후기에 전문적인 소리패가 많아지면서 영업 종목을 다채롭게 하기 위해 가사에 곡조를 붙여 노래하였는데, 이를 음영가사와 구별하여 가창가사라고 부른다. 앞의 다섯 작품들이 사대부의 삶과 가치관에 충실한 것인 반면 「노인가」는 중인 계층 시정인의 유흥과 풍류를 잘 보여주는 작품이라고 할 수 있다.

4. 가치 및 의의

『가사육종』은 「옥루연가」를 시작으로 「농가월령」, 「춘면곡」, 「강촌별곡」, 「어부사」, 「노인가」까지 모두 6종의 가사를 함께 필사하여 한 권의 책으로 엮은 가사집이다. 영남대본은 도남문고에 소장되어 있으며 1권 1책의 국한문 혼용 필사본이다. 필사자와 필사시기는 확인할 수 없으나 달필로 정성들여 썼으며 보관상태도 매우 깨끗하다. 『가사육종』은 원본 추정본을 포함하여 4종의 이본이 소개되어 있다. 원본으로 추정되는 이본은 일본 궁내청 서릉부에 소장되어 있고, 2004년 촬영한 마이크로필름본이 국립중앙도서관에 소장되어 있다. 마에마 교사쿠가 전사한 동양문고본과 남창 손진태가 전사한 남창문고본, 가람 이병기가 전사한 가람문고본이 있다. 영남대 도남문고본은 아직 학계에 소개되지 않은 이본으로 본격적인 연구를 요하는 자료이다.

도남문고에는 『가사육종』뿐만 아니라 여창가곡(女唱歌曲)만을 별도로 수록한 『여창가요록』과 40여 종의 가사를 합철하여 엮은 『가사집』도 소장되어 있다. 그리고 도남 조윤제 선생이 안동 하회 류씨 가문의 류재하(柳在夏)라는 분에게 부탁하여 지역의 규방가사를 등사하여 묶은 가사집 『가곡삼십팔종』, 『가곡십삼종』, 『가곡십사종』도 함께 소장되어 있다. 이들은 고전 시가문학에 대한 도남 선생의 애정을 확인할 수 있는 것이면서, 시가 문학 연구에서 중요하게 다루어져야 할 소중한 자료들이다.

박은정

[핵심어]

가사육종, 도남문고, 옥루연가, 농가월령, 춘면곡, 강촌별곡, 어부사, 노인가

[참고문헌]

이상원, 「조선후기 가사의 유통과 가사집의 생성 -『가사육종』을 중심으로-」, 『한민족어문학』 57, 한민족어문학회, 2010.

임기중, 『한국가사문학주해연구』 13, 아세아문화사, 2005.

조동일, 『한국문학통사』 3, 지식산업사, 2005.

歌辭集

서 　　명：歌辭集
편 저 자：未詳
판 사 항：國文筆寫本
형태사항：1卷 1冊(182張)：無界, 10-12行 字數不定；31.2×20.5 cm

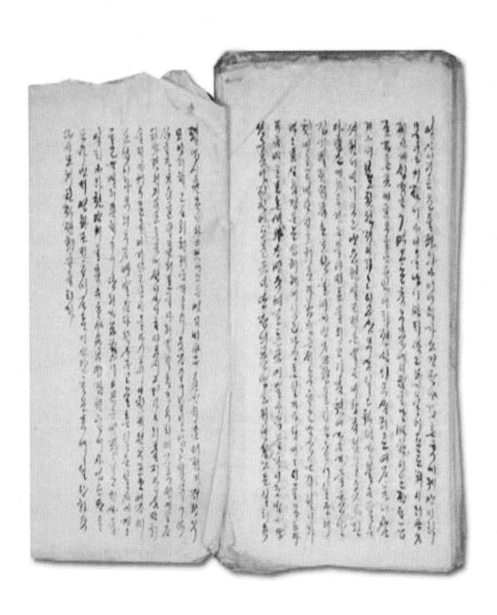

1. 개요

『가사집(歌辭集)』은 필체와 크기가 다른 가사 작품 43종을 합철하여 1책으로 엮은 방대한 책으로, 영남대 중앙도서관 도남문고에 소장되어 있다. 표지는 원래 없던 것을 마분지 같은 것으로 만들고 노끈으로 묶어서 표제를 '歌辭集'이라고 붙였다. 매 작품 제목 아래 '陶南藏書'라는 장서인이 있는 것으로 보아 도남이 따로 수집하였거나 필사를 부탁하여 소장한 여러 자료들을 한꺼번에 묶은 것으로 보인다. 첫 번째 수록된 '화전가라'만 종이 크기가 작고 뒤의 작품들을 필사한 종이는 그보다 크고 대체로 크기가 비슷하다. 제목과 본문 모두 국문으로 필사하였다. 단의 구분 없이 줄글로 쓴 것이 많으며, 경우에 따라서 2단이나 3단으로 나누어 쓴 것들도 있다.

수록된 작품은 규방가사의 여러 유형들을 다채롭게 보여주고 있다. 「계녀가」를 비롯하여 풍류가에 속하는 「화전가」도 있으며, 특히 「여자탄식가」, 「친형제이별가」, 「화조가」 등 자탄가 계열에 속할 수 있는 작품들이 많다. 그리고 판소리의 내용 일부를 가사체로 옮긴 「톡기 호랑이 화상이라」와 같은 작품과, 가사계 소설이라 할 수 있는 「김부인열행록이라」도 수록되어 있다. 도남문고에는 이 책 외에 안동 하회 마을에 전하던 가사들을 등사한 『가곡삼십팔종(歌曲三十八種)』, 『가곡십삼종(歌曲十三種)』, 『가곡십사종(歌曲十四種)』 등도 함께 소장되어 있다. 이 책들의 존재와 함께 『가사집』에 실려 있는 작품들이 대부분 규방가사에 해당한다는 점을 고려할 때, 『가사집』 역시 경북 북부 지역에서 수집한 자료들을 묶은 것이라 생각된다. 일부 작품들은 필사기를 통해 필사자와 필사 시기를 확인할 수 있는데, 대체로 20세기 초반에서 중반 사이에 창작 또는 필사된 것으로 추정된다. 이처럼 필사자와 필사 시기를 짐작할 수 있을 뿐만 아니라 수록된 작품 수도 많아, 규방가사의 창작 및 향유를 연구하는 데 많은 도움이 될 수 있는 자료이다.

2. 편 · 저자 및 편찬 경위

규방가사는 부녀자들이 주로 향유한 가사이다. 남자가 지은 작품도 규방에서 수용하면 규방가사로 편입될 수 있다. 18세기 이후 영남지방을 중심으로 사대부 부녀자들이 가사를 짓고 베끼고 읽고 하는 데 대단한 열의를 가지는 풍조가 이루어졌다. 창작되고 유통된 작품이 이본까지 합쳐서 수천 편에 이르러 남겨진 가사 중에서 규방가사가 차지하는 비중은 매우 크다. 규방가사는 부녀자들이 국문을 익히고 교양을 쌓고 심정을 토로할 수 있게 하는 구실을 맡았으며, 소설보다는 격이 높다고 인정되어 보수적인 지역에서 더욱 인기가 있었다. 그러면서 다른 한편으로는 욕구와 불만을 표출하는 방식이기도 했다.

규방가사가 가장 발달된 곳은 경상도 북부 지방이다. 그곳 사대부 가문 부녀자들은 처녀 시절에 국문을 익히고, 글씨 연습을 겸해 가사를 몇 편씩 베껴 시집갈 때 가져가서 다른 동류들과 서로 주고받으면서 읽었다. 집안일에서 어느 정도 물러나도 좋을 시기가 되면 가사를 읽고 베껴서 나누어 가지는 것으로 소일거리를 삼았다. 능력이 있으면 창작에도 참여해 새로운 작품을 산출했다.

영남대 도남문고에는 『가사집』 외에 『가곡삼십팔종』, 『가곡십삼종』, 『가곡십사종』 등도 소장되어 있다. 이 책들은 도남 선생이 안동 하회마을에 사는 류재하(柳在夏)라는 분에게 부탁하여 그곳에서 유통되던 가사를 등사하여 묶은 것이다. 『가사집』에는 유통 지역을 확인할 수 있는 구체적인 기록이나 단서는 없지만 도남문고에 함께 소장된 시가집들을 미루어 볼 때 『가사집』 역시 경상북도 북부지방에서 수집된 가사를 엮은 것으로 추정된다.

합철된 가사 중에는 필사기를 통해 필사자와 필사 시기를 밝히고 있는 작품도 있다. 「안진사쌍옥가」의 말미에는 '기사 이월 이십일일에 기록ᄒ노라'라는 기록이 있는데 기사년은 1929년인 것으로 추정된다. 「붕우춘회곡」의 '갑자 정월 초륙일'은 1924년이 아닌가 한다. 그 외에 「한심가라」에는 '을사 이월삼십일에 서ᄒ노라', 「감모사」에는 '신ᄒᆡ 정월일에 불초녀 근셔', 「친형제이별가」에는 '긔희년 이월 십사일 졍소져 필적', 「춘유가라」에는 '병인 쵸팔일 화젼ᄒᆞᆫ 역사', 「창회가」에는 '임ᄌᆞ 지월 염사일 동호라' 등의 필사기가 있다. 을사년은 1905년 또는 1965년, 신해년은 1911년 또는 1971년, 기해년은 1899년 또는 1959년, 병인년은 1926년, 임자년 1912년 또는 1972년 정도로 추정할 수 있을 듯하다. 이 지역에서 가사 작품들을 대거 수집한 시기를 고려할 때 필사 시기가 1980년대 이후로 넘어가지는 않을 것으로 생각된다. 그렇게 본다면 대개 20세기 초반에서 중반 정도에 필사된 자료들인 것으로 짐작된다.

필사기를 통해 알 수 있는 창작자 또는 필사자는 대부분 여성인 것으로 보인다. 「붕우작별하니」 뒤에는 본문 글씨보다 작은 글씨로 '유실아 보아라'라고 쓰여 있어서 시집간 딸에게 주는 글임을 알 수 있다. 「감모사」에는 '신히 정월일에 불초녀 근셔'라는 기록이 있어 딸이 어머니를 생각하며 쓴 글인 것으로 보인다. 「상명가」 말미에는 '씰듸업는 여식이나 깁흔 인정 살던 마음 이질 슈가 전혀 업서 혼이나마 드르라고 글을 지여 말하그라'라고 적혀 있어, 어머니가 딸을 생각하며 쓴 것으로 생각된다. 「친형제이별가」에는 '정소져 필', 「붕우소회가」에는 '정월 이십오일 이소져라'라고 적혀 있어 여성 필사자에 의한 필사임을 알 수 있다. 그리고 「긔여가」와 「게사라」 말미에는 각각 '정신이 노〃흐야 이만 긋치노라', '경게 말 무슈이 만타마난 정신 혼미흐여 이만흐고 긋치노라'라는 기록이 있는데, 정신이 혼미하다는 표현을 감안할 때 이는 상대적으로 나이가 많은 여성에 의한 필사인 것으로 보인다.

이상의 필사기들을 통해 볼 때 『가사집』에 수록된 작품들의 창작 또는 필사 시기는 대체로 20세기 초반에서 중반 사이일 것으로 추정된다. 개별적으로 존재하던 작품들을 수집하여 책으로 묶은 것은, 규방가사가 학문적 관심의 대상이 되면서 규방가사를 본격적으로 수집하기 시작한 1970년대 무렵이 아니었을까 생각된다. 이들이 가사를 창작 또는 필사한 이유는 다양하다. 시집간 딸에게 주기 위해 쓰기도 하고 시집간 딸이 친정어머니를 그리워하면서 쓰기도 했다. 글씨 연습을 하기 위해서 쓰기도 했으며, 노년의 소일거리로 필사를 하기도 했다. 『가사집』에 실린 가사는 그 내용이 중요할 뿐만 아니라 필사기를 통해 경북 북부 지방의 가사 유통 및 필사의 실제를 확인할 수 있다는 점에서도 소중한 자료이다.

3. 구성 및 내용

『가사집』은 별개로 존재하던 가사 작품들을 수집하거나 필사하여 묶은 책으로 보인다. 특별한 표제 없이 '가사집'이라는 이름으로 엮었으며 목차도 따로 기록되어 있지 않다. 수록된 가사 작품 43종의 제목을 순서대로 제시하면 다음과 같다.

「화젼가라」, 「초한가」, 「여ᄌ가」, 「우미인가」, 「빅발가」, 「안진사쌍옥가」, 「과부가」, 「봉우춘회곡」, 「특기사시풍경이라」, 「화죠가라」, 「톡기호랑이화상이라」, 「붕우작별하니」, 「한심가라」, 「퇴게리선생도덕가」, 「시졀가」, 「계여가」, 「감모사」, 「상명가」, 「가사」, 「화조가」, 「위명월」, 「화시풍경가」, 「식과가」, 「친형제이별가」, 「긔여가」, 「춘유가라」, 「옥셜가」, 「화전가」, 「롱여자탄가」, 「사회가」, 「게사라」, 「남조사」, 「양사라」, 「여자농조가」, 「원별시」, 「김부인열행록이라」, 「산슈가라」, 「여자탄식가」, 「붕우소회가」, 「심회사」, 「창회가」, 「사친가라」, 「사향가라」

이들 중에는 이미 학계에 소개된 것들이 많다. 「화젼가라」, 「초한가」, 「우미인가」, 「붕우춘회곡」, 「화전가」, 「계여가」, 「사친가라」, 「춘유가라」, 「원별시」 등은 부녀자들 사이에 널리 유통되어 다양한 이본이 전해진다. 일부 작품들은 안동뿐만 아니라 의성, 봉화 등지에서도 발견되어 경북 북부지방에 폭넓게 유통되었음을 알 수 있다. 내용적으로는 계녀가에 해당하는 작품도 있고, 풍류가에 속하는 화전가류도 여러 편 있다. 무엇보다 자탄가류에 속할 수 있는 작품들이 가장 많은 것으로 보인다. 결혼한 여성의 고단한 삶을 노래하거나, 친구를 애절하게 그리워하는 심정을 나타내기도 한다. 그리고 부모님에 대한 감사와 그리움의 마음을 절절히 담고 있는 것도 있으며 늙음에 대한 아쉬움을 토로하는 내용도 있다.

그 밖에 판소리 「수궁가」의 일부를 변개하여 가사체로 옮긴 「톡기호랑이화상이라」와 같은 작품도 있고, 가사계 소설로 널리 유통되었던 「김부인열행록이라」도 수록되어 있다. 다소 성격이 다른 것으로 「퇴게리선생도덕가」와 달타령의 종류인 「위명월」 등도 실려 있다.

4. 가치 및 의의

　많은 시간을 규방에서 보내야만 했던 조선 시대 부녀자들의 삶에 있어서 가사는 큰 위안이 되었을 것이다. 18세기 이후, 특히 영남지방의 사대부 부녀자들은 가사의 창작, 필사 및 향유에 대단한 열의를 가졌다. 그들에 의해 창작되고 유통된 작품은 이본까지 합치면 수천 편에 이를 정도이다. 이처럼 규방가사는 그녀들의 희로애락을 고스란히 담고 있는 갈래라 해도 과언이 아니다.

　영남대 도남문고에 소장된 『가사집』은 필체와 크기가 다른 규방가사 작품 43종을 합철하여 1책으로 엮은 방대한 책이다. 가철하여 표제를 '歌辭集'이라고 붙였으며, 매 작품마다 '陶南藏書'장서인이 있다. 제목과 본문 모두 국문으로 필사되었으며, 줄글의 형태가 대부분이나 2단 또는 3단으로 나누어 필사한 것도 있다. 일부 작품들은 필사기도 기록되어 있어 필사자와 필사 시기에 대해 추정해 볼 수 있는데, 대체로 20세기 초반에서 중반 사이에 필사된 것으로 추정된다. 수록된 작품은 계녀가, 화전가, 자탄가 등 규방가사의 여러 유형들을 다채롭게 보여주고 있는데, 그 중에서 자탄가 계열에 속하는 작품들이 가장 많다.

　도남문고에는 특히 시가집이 많이 소장되어 있는데, 『가사집』 외에 안동 하회마을에 전하던 가사 작품들을 등사한 『가곡삼십팔종』, 『가곡십삼종』, 『가곡십사종』 등도 함께 소장되어 있다. 이 책들의 존재와 함께 『가사집』에 실려 있는 작품들이 대부분 규방가사에 해당한다는 점을 고려할 때, 『가사집』 역시 경북 북부지방에서 도남이 따로 수집하였거나 필사를 부탁하여 소장한 자료들을 묶은 것이라 생각된다. 이미 학계에 소개된 작품이 많지만, 이 작품들도 기존에 알려진 이본들과의 대조 연구에는 충분히 도움이 될 수 있다. 『가사집』에 실린 가사는 그 내용이 중요할 뿐만 아니라, 필사기를 통해 경북 북부 지방 규방가사의 창작 · 유통 및 향유를 연구하는 데 많은 도움이 될 수 있다는 점에서 가치가 있는 자료이다.

박은정

[핵심어]

가사집, 도남문고, 규방가사, 내방가사, 경북 북부지방, 필사기

[참고문헌]

임기중, 『한국가사문학주해연구』 13, 아세아문화사, 2005.

조동일, 『한국문학통사』 3, 지식산업사, 2005.

江左親病日記

서　　　명 : 江左親病日記

편 저 자 : 權萬

판 사 항 : 筆寫本

발행사항 : 1717年

형태사항 : 2冊(第1冊 11張, 第2冊 6張) ; 15行 字數不定, 18.3×23.6 cm

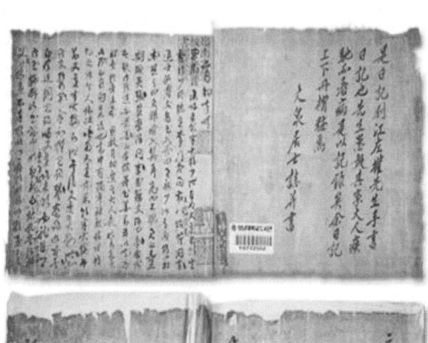

1. 개요

강좌(江左) 권만(權萬)이 아버지 권두굉(權斗紘)을 간병하며 기록한 일기이다. 이 일기는 현재 영남대학교 미산문고(味山文庫)에 소장되어 있으며, 2책으로 되어 있다. 제1책은 1717년(숙종 43) 1월 1일부터 19일까지의 기록이고, 제2책은 같은 해 2월 7일에서 10일까지의 기록이다. 제2책 뒤에는 '혈록(血錄)'과 '정유경행일록(丁酉京 行日錄)'이 첨부되어 있다. '혈록'은 아버지가 세상을 떠난 뒤 그 그리워하는 마음을 표현한 글이며, '정유경행일록'은 서울에 계신 아버지를 간병하러 가기 위해 고향이 자 거주지인 안동부(安東府) 춘양현(春陽縣) 유곡리(酉谷里)에서 길을 떠나기 위한 과 정을 기록한 것이다. '강좌친병일기'는 바로 부친의 간병을 준비하는 과정에서부터 시작되기 때문에 1월 1일부터 3일까지의 내용과 '정유경행일록'은 동일하다. 그리 고 각 권이 시작되는 첫 장에는 서문의 형식으로 조장자인 고(故) 박정로(朴庭魯) 씨 가 그 내용을 간단히 소개하고 있다. 그에 따르면 이 일기는 권만이 그의 아버지 서 암(西巖) 권두굉을 간병하면서 손수 기록한 것임을 알 수 있다.

2. 편 · 저자 및 편찬 경위

권만(1688~1749)은 호가 강좌이고, 자는 일보(一甫)로 충정공(忠定公) 권벌(權橃) 의 5세손이며, 아버지는 권두굉이다. 그는 안동부 춘양현 유곡리(현 경상북도 봉화군 봉화읍 유곡리)에서 태어나 큰아버지인 권두경(權斗經)과 이재(李栽)에게서 학문을 배 웠다. 1721년(경종 1) 사마시에, 1725년(영조 1) 증광문과에, 1746년(영조 22) 중시 문과에 각각 급제하였다. 이후 성균관직강, 예조정랑, 병조좌랑 등을 역임하였다. 1728년(영조 4) 이인좌(李麟佐)의 난이 일어났을 때 안동 지역 의병장 류승현(柳升鉉) 을 도와 난을 진압하는 데 공을 세웠다.

권만은 어전에서 『근사록(近思錄)』 전체를 외워 강론함으로써 영조의 돈독한 신 임을 받았다. 그러나 그는 출세에 대한 뜻을 버리고 향리로 돌아와 독서와 저술에 전념하였다. 그의 고향인 봉화 지역에서 눌은(訥隱) 이광정(李光庭)과 함께 후학들을 가르치며 육경의 학습을 강조하였다. 또한 당시 안동의 유림을 이끌던 대산(大山) 이상정(李象靖)과 제산(霽山) 김성탁(金聖鐸) 등과 독서론을 두고 논쟁을 벌여 많은 사람들의 관심을 끌었다.

그의 부친을 간병하며 기록한 이 일기는 그가 아직 과거시험에 급제하기 전의 것이다. 그래서 그는 벼슬을 하던 아버지와 떨어져 고향에서 공부를 하고 있던 때였다. 이 일기가 고향인 유곡리에서 상경하는 과정에서부터 시작된 이유도 여기에 있다.

이 일기를 기록한 데는 여러 가지 목적을 담고 있는 것으로 추정된다. 이 일기의 내용은 크게 두 가지로 볼 수 있다. 하나는 아버지의 병세이고, 다른 하나는 문병을 온 사람들이다. 전자는 아버지의 병을 관찰하여 호전되는 방향으로 간호를 하기 위한 것이면서, 또한 의원에게 그 정보를 제공함으로써 의원이 환자를 진단하고 약을 제조하는 데 도움을 주기 위한 것으로 추측이 된다. 일기를 보면 의원이 약을 짓는 데 실제로 일기에 기록된 증세를 참고로 하고 있다는 것을 알 수 있다. 후자는 자신들에게 도움을 준 사람들의 고마움을 잊지 않고, 또한 받은 만큼 돌려주기 위한 것으로 짐작이 된다. 당시에 사람들은 직접 집을 찾아 문병을 오는 것은 물론이고, 환자의 병에 도움이 되는 물품들을 가져오거나 보내오는 일이 많았다. 그러한 물품을 받고 고마움에 그 은혜를 어떻게 갚아야 할지 모르겠다며 감격해 하는 표현을 일기에서 볼 수 있다.

3. 구성 및 내용

표지는 소장자인 박정로 씨가 새롭게 배접(褙接)하였다. 표지 좌측 상단에 "江左親病日記"라는 책의 제목이 쓰여 있다. 이 제목은 원래 있던 것을 그대로 옮긴 것인지, 아니면 배접한 박정로 씨가 임의로 붙인 것인지는 알 수 없다. 그 다음 장에 그가 쓴 "이 일기는 바로 강좌 권선생이 손수 쓴 일기이다.(是日記則江左權先生手書日記也)"라는 글을 보면 이 제목은 소장자가 배접을 하면서 임의로 붙인 것일 가능성이 높다.

　일기는 소장자가 배접을 하면서 서문의 형식으로 이 책의 내용을 간략하게 소개한 글 다음부터 시작된다. 일기의 첫 날인 1717년 1월 1일은 저자가 지난해 12월부터 아버지가 병에 들었다는 소식을 들었으며, 아버지가 계신 서울에 가기 위해 유곡(酉谷)에 있는 가묘(家廟)에 가서 참배를 하고, 아울러 일가의 여러 부형들을 알현하였다는 내용으로 되어 있다. 이틀째의 일기는 서울에 다녀온 다른 사람들로부터 아버지의 소식을 듣기 위해 노비를 그 집으로 보내는 한편, 서울에 갈 채비를 하는 내용이다. 셋째 날은 서울로 떠나기 전에 친분이 있는 사람들에게 인사를 하고, 노비를 춘양에 보내 행자(行資)를 마련하고, 또 아버지의 병환을 간호하기 위해 서울로 떠난다는 소식을 듣고 이웃에서 약을 보내오는 등의 내용으로 되어 있다. 넷째 날은 행자를 마련하러 춘양에 갔던 노비가 오후에 돌아와 밥을 먹은 후에 집을 떠나게 되는데, 집안사람들이 문밖에 나와 송별하는 모습들을 자세하게 기록하고, 그리고 서울로 떠난다는 소식을 듣고 찾아온 친구와 석별의 정을 나누는 등의 일들이 비교적 자세하게 기록되어 있다. 닷새째는 길을 떠나며 겪은 여러 일들을 기록하고 있다. 즉 길에서 아는 사람을 만나거나, 죽령을 넘자 길이 얼음으로 덮혔다든가, 역관(驛館)을 찾아가 숙박할 집을 구하는 등의 일화가 실려 있다. 엿새째 날은 길이 얼어붙어 말이 잘 걷지 못해 단양읍에 이르러 편자를 구입하고, 어느 민가에서 숙박하게 된 일 등이 기록되어 있다. 이레째는 잠자리 속에서 아침을 먹고 일찍 나선 덕분에 서남쪽의 여러 봉우리를 넘을 수 있었으며, 얼어붙은 황강(黃江)을 건너자 열락재(悅樂齋)라는 작은 누각이 있어 거기에 걸린 기문의 내용들을 본 소감 등을 기록하고 있다. 여드레째는 아침 일찍 나서 수십 리를 걸어갔으나 촌락이 없어 애를 먹다가 몇 리를 더 가자 민가가 나타나 기숙을 하게 되었는데, 서울까지 이틀 거리라는 것을 알게 되었다는 일 등이 담겨져 있다. 아흐레째도 일찍 출발하기 위해 잠자리에서 아침을 먹고 수십 리를 가다가 친구 정상사(丁上舍)를 만나 아버지의 소식을 듣고, 이천(理川) 읍내에서 투숙하는 등의 일들이 기록되어 있다. 열흘째는 새벽에 길을 떠나 가다가 청주에 사는 한 선비를 만나 그 곳의 여러 가지 이야기를 듣고, 송파(松坡) 나루에서 강을 건너려 하는데 비바람이 몰아쳐 건너기가 어려웠으며, 모래 사장을 건너던 중에 친구를 만나 친구의 부인이 죽었다는 소식을 듣고, 해질 무렵에 아버지의 집에 도착하여 뵈려 했으나 먼 길을 온 사람은 곧장 만날 수 없다고 하여 한참 뒤에 뵐 수 있었으며, 아버지의 모습을 서술하는 등의 내용으로 되어 있다.

일기는 열하루째가 되면서 비로소 제목처럼 부친을 간병하는 내용을 담게 된다. 그리고 그 상황이 일정하기 때문에 이전과는 달리 그 내용 또한 아주 형식화되어 있다. 시간을 아침, 점심, 저녁으로 나누어 그 때에 음식으로 무엇을 드렸으며, 증세는 어떠했으며, 약은 무엇을 드렸는데 그 효과가 어떤지를 자세히 기록하고 있다. 이러한 것들은 의원이 진맥을 하고 난 뒤 약을 짓고 환자의 상태를 판단하는 데 중요한 자료로 활용되었다. 그리고 이때의 일기 중에 또 다른 중요한 내용은 누가 문병을 오고, 안부를 물어왔는가 하는 것이다. 그런데 이 사람들을 한꺼번에 기록하는 것이 아니라, 각 시간대 별로 나누어 기록하고 있다. 예를 들면 아침에 음식으로 무엇을 드리고, 어떤 약을 드시고, 증세는 어떠하다고 기록한 다음 누가 찾아오고 안부를 물어왔다고 기록하고 있다는 것이다. 그리고 특별한 사항은 환자가 저녁에 잠을 자지 못할 때 책을 읽어주거나 노래를 불러주는 등의 일이다. 이러한 형식으로 1월 19일까지의 일기가 쓰여 있다.

일기의 제2권은 제1권과 마찬가지로 맨 앞에 소장자인 박정로 씨의 글이 있다. 그 내용은 이 일기가 권만이 손수 쓴 아버지의 간병일기이며, 이것을 자신이 상하(上下)로 배접하였다는 것이다. 그리고 제2권은 같은 해 2월 7일부터 10일까지의 일기이며, 기록한 형식은 제1권의 1월 11일 이후의 것과 동일하다. 2월 10일자 일기 뒤에는 '혈록'과 '정유경행일록'이 첨부되어 있다. '혈록'은 아버지를 간병하며 느낀 안타깝고 애틋한 마음을 나타낸 것이다. 그리고 '정유경행일록'은 고향인 유곡리에서 서울로 올라가기 위한 채비를 하는 과정의 일들을 기록한 것이다. 그 글을 보면 훗날 일기를 보면서 다듬어 쓴 것이라는 것을 알 수 있다.

4. 가치 및 의의

고문헌 일기자료에는 여러 가지가 있다. 예를 들어 기행일기, 관직일기, 일상일기, 전란일기 등이 있다. 하지만 이 일기처럼 아버지의 병환을 간호하면서 기록한 간병일기는 아주 희귀하다. 비록 이 일기가 분량 면에서 얼마 되지 않는다고 하더라도, 이러한 일기류가 있다는 것 자체를 확인하는 것만으로도 상당한 가치를 가질 뿐만 아니라, 이것이 손으로 쓴 유일본이라는 점에서 더욱 큰 가치를 가질 수 있다.

이 일기를 쓴 권만은 조선 중기의 저명한 문신이자 학자인 권벌의 후손이며, 그 아버지는 당시 승문원정자(承文院正字)에 제수되어 있었다. 이러한 배경을 볼 때 이 일기는 적어도 다음과 같은 의의를 가질 수 있다. 먼저 양반가에서 집안 어른의 질병에 어떻게 대처했는가를 자세히 알게 하는 자료이다. 지금의 경우에는 병원이라는 의료기관이 있어 질병에 대한 대처가 특별한 경우가 드물다. 하지만 당시에는 질병의 관리를 대부분 집안에서 처리해야 했기 때문에 이 일기는 명문가에서 환자를 어떻게 돌보는가를 알게 하는 자료이다. 또한 그로 인해 그 집안의 생활상이나 규모를 함께 엿볼 수 있다.

그리고 이 일기를 보면 당시의 여러 관리의 이름이 등장한다. 이들은 대부분 환자를 문병오거나 안부를 물어온 사람들이다. 이러한 사람들은 권만의 아버지 권두굉과 관계된 사람들이다. 즉 권두굉이 관리로 있으면서 어떤 사람과 교류를 맺었는가를 이 일기를 통해 보여준다는 것이다.

이상에서 볼 때 영남대학교 미산문고에 소장되어 있는 이 문헌은 18세기 초 양반가의 생활에 있어 여러 가지 면모와 그 인적 교류의 일면을 자세하게 들여다 볼 수 있는 의미 있는 자료라고 할 수 있다.

하 창 환

[핵심어]

강좌친병일기, 권만, 권두굉, 일기, 간병

[참고문헌]

국립중앙도서관, 『선본해제』 13, 1970.

『영남인물고(嶺南人物考)』

한국정신문화연구원 편, 『한국민족문화대백과사전』, 1991.

거창구호라

서　　　명 : 거창구호라
편 저 자 : 未詳
판 사 항 : 筆寫本
형태사항 : 1冊(17張) : 無界, 12行 字數不定 : 23.4×20.3 cm

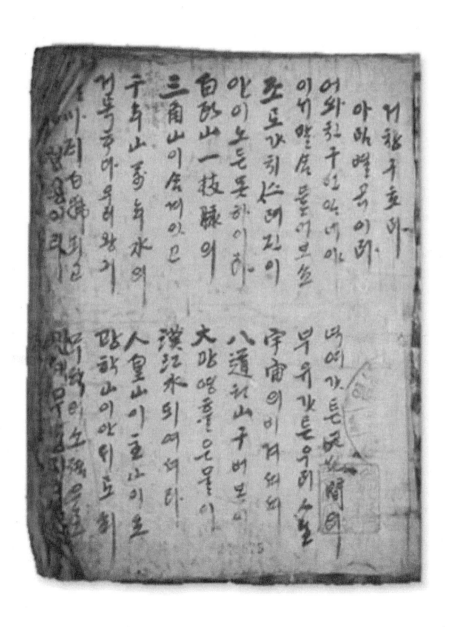

1. 개요

『거창구호라』는 현실비판가사로 널리 알려진 『거창가』의 이본이다. 작자는 거창에 거주하던 양반 지식인으로 보이며 창작 연대는 1841년 무렵으로 보인다. 본문 34면으로 되어 있는 국한문 혼용 필사본인데. 글씨는 비교적 달필로 되어 있다. 현재 영남대학교 도서관의 도남문고로 소장되어 있다. 전반부는 조선 왕조의 태평 성대를 구가하고 인생 무상을 노래하는 '태평사' 부분이고, 후반부는 19세기 중엽 거창의 수령과 아전의 탐학을 격렬한 어조로 비판하고 있는데, 제목은 후자에 따라 붙여진 것이다.

2. 저자 및 창작 경위

저자는 미상이다. 이 작품의 이본인 박순호본에 따르면 정자육(鄭子育)이 1841년에 지었다고 했으나, 이는 확실하지가 않다. 그는 본 도남문고본을 비롯하여 몇 이본에 의송(議送) 또는 의송초(議送草)를 쓴 인물로 관가에 잡혀가 고통 받은 인물로 나오고 있는 바, 작품 속에 나오는 인물이 작자라고 하기는 어렵기 때문이다. 그러나 창작 시기는 이 1841년 무렵일 것으로 보인다. 『거창군읍지(居昌郡邑誌)』에 따르면, 이 작품에서 집중 성토되고 있는 이재가(李在稼)가 1837년부터 1841년 사이에 거창 수령으로 있었다는 기록이 있기 때문이다. 뿐만 아니라 이 작품에 1837년 '적화면(赤火面)의 변'과 1841년 경시(京試) 때 수령의 '학궁(學宮) 폐단'이 나오고 있기 때문이다.

작자는 거창에 살던 이로서 어느 정도 한문에도 익숙하고 식견도 있는 양반 사대부인 것으로 보이는데, 최소한 정자육과 친분이 있는 사람일 것이다. 그는 거창 수령으로 온 이재가와 그 밑 아전들의 탐학과 학정을 고발하기 위해 이 작품을 지은 것으로 보인다. 작품 중에 '장흐도다 尹致光아/ 굿세도다 尹致光아/ 一邑弊端 막으랴고/ 年年定配 애통하다'라는 구절이 있는데, 이 윤치광이 한 일은 아마 이 작품에서 주장하는 바와 같았을 것이다. 그런데 이본 중의 하나인 이헌조본은『거창군폐장초(居昌府弊狀抄)』라는 것과 함께 수록되어 있는데, 이 이 둘 사이에 내용상 유사점이 많다. 윤치광과도 연관이 있을 것 같다.

이상으로 보아, 이 작품은 정자육이나 윤치광과 같은 거창의 지식인 속에서 나왔다고 할 수 있다. 그러나 이 작품은 그것만으로는 너무 위험하다고 생각했는지, 앞부분에『태평사』혹은『한양가』라 불리는 작품과 합쳐 하나의 작품처럼 유통되고 있다. 이『태평사』는 조선이 한양에 도읍을 정한 이래 400여 년간 문물이 흥성하고 태평성대를 구가했다는 것을 중국 사적에 비겨 노래하고(이 점『용비어천가』와 비슷하다.) 곳곳에 인생 무상을 섞어 놓고 있는 작품이어서『거창가』와 성격이 크게 다르다. 둘을 묶은 결과 이 작품은 요즘처럼 태평 성대에 거창만이 수령과 아전을 잘못 만나 고통당한다는 점이 부각되었고, 아울러 오직 잘못된 수령과 아전만 문제삼을 뿐 왕조에 반항하는 마음이 없음을 보여주는 효과를 얻고 있다. 그러나 이 작품에 나타난 항쟁의 분위기로 보거나 이본 관계에 있는『정읍군민란시여항청요』의 존재로 보건대 부패한 현실 고발을 넘어 소요를 선동하는 의도까지 엿보이는 바, 이 이본의 제목에 '구호'라는 말이 붙어 있는 것도 그런 점을 보여준다 하겠다.

3. 구성 및 내용

이 작품은 크게 둘로 나뉘는데, 앞 부분은 이른바『태평사』라는 작품과 같은 부분이고 뒷 부분은 흔히 거창 수령과 아전의 탐학을 비판하는 내용으로 되어 있다. 분량으로 보아 총 34면 중 13.5면과 20.5면으로 되어 있다.『거창가』를 논하자면 전체를 함께 보아야 이를 통합한 작자의 의도를 충실히 따르는 것이겠지만, 작품의 내용으로 보아 보통 뒷부분을 중시하므로, 여기에서는 이 후반부를 집중적으로 살펴보기로 한다.

이 후반부는 '조선 三百 二十八州/ 각골마당 太平호되/ 엇지타 울리 거창/ 뭇운이 불히호야/ 一境이 도탄되고/ 만民이 俱갈호니'로 시작된다. 이어 이재가가 부임한 후의 거창 폐단을 나열하기 시작하는데, 대체로 19세기에 주모 문제가 되었던 이른바 삼정(三政)의 문란상이 만화경처럼 제시된다.

그 중 중요한 것을 보면, 먼저 방채전(放債錢), 이포(吏逋), 결복(結卜)의 폐단, 악생포(樂生布)의 작폐, 황구첨정(黃口簽丁)과 백골징포(白骨徵布)의 참상 등 세금 관련 작폐가 나온다. 이어 적화면의 변과 관련하여 임장배(任掌輩)의 횡포로 죽은 청상과녀의 참상도 나온다. 그리고는 학정만 하는 것이 아니라 사람 목숨 함부로 하는 것을 비판하여 한유택, 정치광 등이 장하(杖下)에 죽은 일, 향회에서 통문수창(通文首唱)한 이우석의 죽음이 이어진다. 이 중 이우석의 통문 수창 부분은 수령의 탐학에 저항하는 움직임이 있었음을 보여주는 것이다.

이어 허다 공납 수쇄(收刷) 때 육방 아전의 탐학을 보여주며 '어와 世上 先輩임네/ 글공부 ㅎ지 말고/ 進士 及第 구치 마소/ 버셔녹코 아전 되면/ 千鍾祿이 거 잇ᄂᆞᆫ이'라고 야유까지 한다. 그들은 환상(還上) 분급 때 재인광대 놀이로 낮을 보내고 어두울 때 사기 쳐서 삼사십 리 면 데서 온 백성들은 종일토록 배고프다가 환상까지 잃고 우는 것이다.

이런 민간 폐단에 이어 학궁 폐단도 보여주는데, 이재가의 자식이 경시(京試) 칠 때 향교 서원의 유건과 도포를 뺏어다가 종들에게 입혀 과장에 아들을 호위하고 들어가게 한다거나, 김굉필, 정여창, 정온 등을 제향하는 도산서원에서 쓰는 제수를 빼돌려 봉물(封物) 속에 넣는 일도 서슴지 않았던 것이다. 이어 이런 폐단을 비판한 정자육과 윤치광에 대해 공감을 표시하고, 임금이 이런 사실을 알아 암행어사나 금부도사를 보내주기를 바라는 것으로 끝맺고 있다.

이상에서 보듯, 이 작품은 다소 두서없기는 하나, 4년간 반복되어 온 폐단과 특정 사건을 섞어 수령과 아전의 학정을 격렬하게 비판하고 있다. 그리하여 감정적으로 고조된 부분이 많으며 현실적으로 무력한 상황에서 유교적 지식인으로서는 어울리지 않게 여항의 평범한 사람이 하늘에 빌듯 '비나이다 비나이다'를 외치기도 하는 것이다.

4. 가치 및 의의

『거창가』는 이른바 19세기에 집중적으로 나온 현실비판가사를 대표하는 작품이다. 그런 만큼 다른 작품들에 비해 이본들이 제법 많은 편이기는 하나 아직도 10편이 안 되어, 이본 하나하나가 소중하다. 본 도남문고본은 비록 마지막 장이 낙장인 관계로 이본 중 선본으로 평가받는 『역대가사문학전집』에 수록된 이본에 비해 몇 줄이 없지만, 현존 이본들 중 결말을 갖춘 몇 안 되는 이본계열에 속한다.

그리고 이 작품은 전승 과정이 순탄하지 않아서 그런지 와전되거나 잘못 표기된 것들이 많아 정확한 해독이 어려운 상황인데, 본 이본은 국한문 혼용으로 되어 있어 한자어 재구에 도움을 줄 수 있다. 물론 이 이본의 한자어가 모두 정확한 것은 아니다. 그러나 현존 이본 중 국한문 혼용으로 된 것은 둘밖에 없기 때문에, 이 이본이 소개됨으로써 난해어구가 많은 작품의 해독에 어느 정도는 도움을 줄 수 있는 것이다.

서인석

[핵심어]

거창구호라, 거창가, 태평사, 한양가, 현실비판가사

[참고문헌]

고순희, 「19세기 현실비판사가사 연구」, 이화여자대학교 박사학위 논문, 1990.

김문기, 『서민가사연구』, 형설출판사, 1983.

임기중 편, 『역대가사문학전집』 6권, 동서문화원, 1987.

조규익, 「거창가론(1)」, 『고전문학연구』 제17집, 한국고전문학회, 2000.

진경환, 「거창가와 정읍군민란시여항청요와의 관계」, 『어문논집』 27집, 고려대학교 국어국문
학회, 1987.

稧案

서　　　명 : 1. [표제 미상] / 2. 稧案 / 3. 稧案 / 4. 同心稧

편 저 자 : 筆寫本

판 사 항 : 漢文筆寫本

발행사항 : 1842～1957

형태사항 : 4冊 ; 無界 ; 1. [표제 미상](65張) 17.0×21.0 cm / 2. 稧案(10張) 19.0×
22.0 cm / 稧案(8張) 22.0×20.0 cm / 4. 同心稧(6張) 26.0×30.0 cm

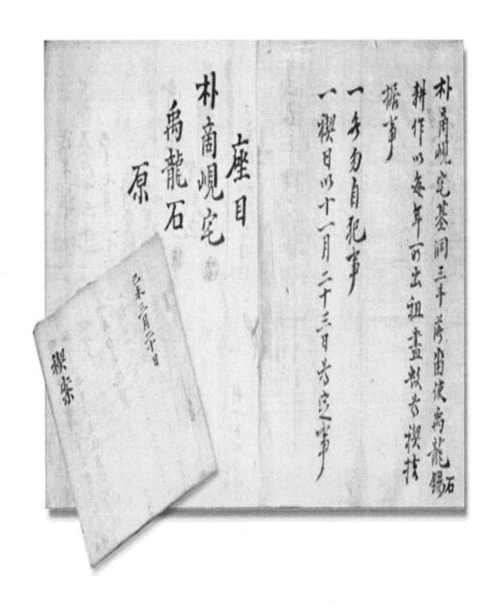

1. 개요

경상북도 예천군 용문면 대제리 맛질 일대에 세거하고 있는 함양박씨(咸陽朴氏) 일족이 작성한 계안이다. 맛질은 18세기 초반 박세주(朴世柱, 1652~1727)가 정착한 이래 함양박씨 일족이 세거지를 형성한 곳이다. 조선후기 이래 맛질의 함양박씨 일족은 자신들의 사회적 지위 유지를 위한 각종 계(契) 조직을 결성하였는데, 이들이 운영한 계 관련 자료가 현재까지 수십 종 전해지고 있다.

맛질에서 결성된 다양한 계 중 가장 특징지을 수 있는 것은 두 사람에 의해 운영되던 계이다. 다수의 계원이 참여하는 것이 아니라 단 두 사람에 의해 운영되었던 계로, 주로 자금 증식이 그 운영 목적이었다. 학자에 따라서는 두 사람이 참여하는 계라 하여 2인계(二人契)라고도 하는데, 맛질에서는 대략 19세기 중반부터 그 흔적이 보인다. 이러한 형태의 계는 맛질에 전해지고 있는 각종 계 조직 관련 자료 중 적지 않은 비중을 차지하고 있다. 맛질 함양박씨 박득녕(朴得寧, 1808~1886)의 후손이 기증한 영남대학교 중앙도서관 미산문고(味山文庫)에도 여러 편의 계 조직 관련 자료가 전해지는데, 이 중 일명 2인계와 관련하여 네 편의 자료가 전해지고 있다.

영남대학교 중앙도서관 미산문고에 소장된 네 편의 계안은 비록 2인이 결성한 계 조직이라는 공통점을 가지고 있으나, 운영 주체는 모두 다르다. 네 개의 2인계 운영 주체와 자료가 작성된 기간을 편의상 1~4책으로 나누어 살펴보면 다음과 같다.

책수	표제	좌목(座目)	기간
1책	[표제 미상]	박산양댁(朴山陽宅) 안필룡(安必龍)	1842~1904
2책	정유 12월 일 계안 (丁酉 十二月 日 稧案)	노목댁(老牧宅) 유음댁(柳陰宅)	1897~1916
3책	기미 3월 20일 계안 (己未 三月 二十日 稧案)	박상현댁(朴商峴宅) 우용석(禹龍石)	1919~1927
4책	병술년 10월 동심계 (丙戌年 十月 同心稧)	박영우(朴榮佑) 박영필(朴榮弼)	1946~1957

각 계안은 재정 관련 기록만을 수록하고 있다. 해당 계의 자금이 증식되어 가는 과정이 각 연도별로 기재되어 있어, 계의 실질적인 운영 양상이 확인 가능하다.

2. 편·저자 및 편찬 경위

네 편의 각 계안은 처음 자료를 성책한 뒤, 매 해 해당 계를 운영하는 동안의 재정 사항을 그때그때 기록한 것이다. 자료에는 먼저 계를 결성한 두 사람의 성명 또는 택호(宅號)를 기재하였으며, 운영과 관련된 조항이 있을 경우에는 서두에 수록해 놓았다. 계원 명단인 좌목에 택호를 사용한 인물은 전통시대 사족 신분이었던 함양 박씨 일족으로 생각된다. 혼인을 통해 가정을 이루자, 그 외가나 처가의 지명을 택호로 사용한 듯하다.

계의 구성원은 맛질의 함양박씨 일족과 그 인근에 사는 일반 양민으로 추정된다. 함양박씨 출신의 인사와 인근에 거주하는 일반 양민이 상호 간의 신뢰를 바탕으로 계를 결성하여 자금을 증식하였다. 그리고 특정한 날을 정하여 상호 간의 합의 하에 1년 동안의 재정을 결산한 뒤, 해당 사항을 성책된 계안에 순차적으로 기재해 나갔던 것이다.

한편, 2인으로 계를 맺은 까닭은 명확하지 않은데, 옛 경전의 구절을 표방한 듯하다. 『주역(周易)』 「계사상(繫辭上)」의 "두 사람이 마음을 같이하면 날카로움이 쇠도 자를 수 있고, 마음을 같이하는 말은 향기가 난초와 같다(二人同心 其利斷金 同心之言 其臭如蘭)"라는 구절에서 흔히 '금란(金蘭)'이라는 명칭을 많이 발췌하지만, 맛질의 2 인계는 '이인(二人)', 즉 두 사람이라는 구절에 착안한 것이다. 네 편의 계안 중 가장 후대의 것인 '동심계'의 '동심(同心)' 역시, 위의 '이인동심(二人同心)'에서 발췌한 것으로 생각된다.

3. 구성 및 내용

 네 편의 각 계안은 좌목과 재정 관련 기록으로 구성되어 있으며, 운영 조항이 수록된 경우도 있다. 재정 관련 기록은 『동심계』를 제외하고, 기본적으로 추도기(秋賭記), 봉전기(捧錢記) 또는 봉상기(捧上記), 편전기(便錢記)로 나누어 기재해 놓았다. 해당 계가 보유하고 있는 전답 소출 기록이 추도기이며, 전년도에 대부(貸付)하거나 유치(留置)한 계전(契錢)의 상환 기록이 봉전기 또는 봉상기이다. 그리고 계의 자본을 대부한 기록이 편전기로, 계안에 수록된 주요 자금 증식 방법이 전답 소출과 대부임을 알 수 있다.

 네 편의 계안 가운데 가장 오래된 것은 표제 미상의 계안으로 1842년부터 1904년까지의 재정 상황을 기록해 놓았다. 계원은 박산양댁과 안필룡 2인다. 박산양댁은 함양박씨 일족, 안필룡은 인근 동리의 양민으로 추정된다. 첫 번째 기록은 1842년 임인 10월에 2인이 각각 4석 5두씩 모두 8석 10두의 원곡(原穀)이 출자된 사실이다. 원곡의 일부는 당일 계회 때 집행하였고, 나머지는 작전(作錢)한 뒤 대부한 것으로 나타난다. 약 60년 동안의 기록에서 어느 정도 차이는 있지만, 대체로 가을에 소출된 곡식 가운데 일정량을 작전하고, 대부한 원금과 이자를 상환받은 뒤, 이 중 계회 비용과 잡다한 금액을 제한 후 다시 대부를 놓는 방식으로 재정 관리가 이루어졌다. 소출 곡식의 작전 금액과 대부한 자금의 이자 및 비고 사항은 해당 항목 아래에 부기해 놓았다.

 이상과 같이 자금의 증식이 어느 정도 이루어지면, 그것을 2인의 계원이 나누어 가졌다. 예를 들어 1868년 무진 6월 초4일의 기록에 따르면, 이전 해 소출 곡식의 작전 금액을 비롯해 모두 136냥 5전 2푼이 모였는데, 이 중 2냥 1전 5푼은 '비하(備下)'로 집행하고, 실재 잔액 134냥 3전 7푼 내 130냥을 각각 65냥씩 2인이 분용(分用)한다고 기재되어 있다.

 『정유 12월 일 계안(丁酉 十二月 日 稧案)』은 1897년부터 1916년까지의 기록으로, 계원은 노목댁(老牧宅)과 유음댁(柳陰宅)이다. 이 계의 특징은 상대적으로 매우 적은 자본으로 자금 증식을 시작했다는 점이다. 미(米) 2승(升)을 1냥 8전으로 작전한 뒤, 추가로 2인이 1전씩 추가하여 2냥을 만들었는데, 이것이 이 계의 기본 자금이었다. 곧 이은 편전기에는 2냥을 모두 대부한 것으로 나타나며, 이것을 시작으로 대부와 상환이 거듭 이루어져 관련 기록을 편전기와 봉전기에 기재하였다. 규모는 크지 않으나 소출 수입도 있었다. 비록 적은 자금으로 시작하였으나, 1911년에 이르게 되면 대부 상환 금액이 139냥 3전 3푼까지 증식되었음이 나타난다. 또한 이 계안에서 주목할 점은 증식된 자금이 송계(松契)에 납부되고 있다는 것이다. 맛질과 그 인근에서도 삼림의 보호와 이용을 목적으로 하는 송계가 운영되었는데, 노목댁과 유음댁은 계에서 형성된 자금 일부를 1899년과 1900년 두 차례 송계 계전으로 납부하고 있다.

『기미 3월 20일 계안(己未 三月 二十日 稧案)』의 계원은 박상현댁(朴商峴宅)과 우용석(禹龍石)이며, 1919년부터 1927년까지의 재정 기록을 수록해 놓았다. 특이할 점은 박상현댁과 우용석이 지주와 소작인 관계임을 자료 서두에 명시하고 있다는 것이다. 기동(基洞)에 위치한 박상현댁의 3두락답(斗落畓)을 우용석이 경작하고 매년 소출되는 것을 모두 계의 자금으로 활용한다고 하였다. 이어 함부로 계의 자금을 사용하지 말 것과 계일(稧日)은 11월 23일로 할 것이라는 조항 2개조를 수록해 놓았다.

이 계의 자금 규모는 비교적 큰 편인데, 1919년 7월 21일 443냥 1전 7푼 5리 가운데 1전 7푼 5리는 종이 값으로 지출하고, 나머지 443냥을 계의 기본 자금으로 활용하였다. 전답에서 소출하는 수익은 추도기 또는 조기(租記)에 기재해 놓았다. 소출된 곡식은 작전하여 계의 자금으로 증식하였다. 이에 따라 1925년 을축에는 증식된 1,724냥 8전 5푼으로 459평에 달하는 전답을 매입하여, 계의 자금을 지속적으로 증식시킬 수 있었다. 그런데 이 계의 경우 화폐를 대부하는 편전보다는 편도(便稻) 또는 편조(便租)라 하여, 곡식을 대부하는 경우가 더 많이 나타나는 점이 특징이다. 이러한 점은 미가(米價) 변동과 무관하지 않을 것이라 생각된다.

마지막 『병술년 10월 동심계(丙戌年 十月 同心稧)』는 해방 직후인 1946년부터 1957년까지 함양박씨 일족인 박영우(朴榮佑)와 박영필(朴榮弼)이 결성한 계로, 동심계라는 계의 명칭이 확인된다. 서두에는 운영 규정인 7개조의 조목(條目)이 국한문 혼용체로 수록되어 있다. 해당 조목 중 주목되는 것은 "일(一), 본계(本契)의 목적(目的)은 선대추모(先代追慕)에 기원(起源) 홈"이라 하여, 일찍이 맛질에서 계승되어 온 2인계의 전통에서 비롯됨을 밝히고 있다는 것이다. 이에 따라 1946년 두 사람이 각기 500원을 출자하여 자금 증식을 시작하였으며, 이듬해인 1947년에는 박대진(朴大鎭)이 새 계원으로 참여하였다. 그러나 이 계는 1951년부터는 수계(修禊)하지 못했는데, 6.25 전쟁이 원인인 듯하다. 6년 동안 중지되었던 동심계는 1956년 임시로 계회를 열어 자금 정리에 들어갔으며, 이와 관련된 용문면장 발급의 납입통지서를 말미에 첨부하였다. 이 계는 해방 이후 급격한 도시화에 따라 향촌사회 해체가 이루어지던 시기, 지역의 전통 계 조직을 계승했다는 점에서 의미를 가진다.

4. 가치 및 의의

조선시대 이래 향촌 사회를 주도하기 시작한 재지사족들은 지역 내 사회적 지위를 유지하기 위한 각종 방법을 강구해 나갔다. 그 중 하나가 상호 간의 결속력 강화와 상부상조를 위한 각종 계 조직의 결성이었다. 맛질의 함양박씨도 지역 내 지위를 유지하기 위한 각종 계 조직을 결성하였는데, 상호 간의 신뢰를 바탕으로 두 사람에 의해 조직된 2인계는 다른 지역에서 쉽게 발견되지 않는 희귀한 사례의 계이다.

네 편의 계안에서 확인되는 계의 구성원은 함양박씨 일족 2인 또는 함양박씨 일족 1인과 일반 양민으로 구성된 두 가지 경우가 확인된다. 후자의 경우 전답을 매개로 지주와 소작인의 관계로 결성된 경우도 있다. 사회적 지위를 초월해 공동의 재산을 공유한다는 것은 상호 간의 신뢰 아래 소농민의 안정을 도모하기 위한 수단으로 생각된다. 그러나 무엇보다 중점을 두었던 것은 소출과 대부 등을 통해 전통 사족으로서의 지위를 유지할 수 있는 자본의 증식이었다.

일반적으로 2인계의 기본 수익은 계 전답의 소출과 대부 이자이다. 소출된 곡식은 작전되어 대부되었으며, 여기서 증식된 자금은 다시 전답 매입비용으로 집행되기도 하였다. 꾸준히 증식된 자금은 말미에 계원들에게 분할되어 각자의 재산 증식으로 이어졌던 것이다. 이러한 재산 증식에서 주목할 점은 대부 자금 또는 곡식의 이자율이었다. 상환 시기는 일률적이지 않으나 대체로 1년 상환으로 30% 내외의 이자율이 적용되었다. 이자율도 일률적이지 않았는데, 여기에는 채무인의 형편이나 친소 관계 등이 반영되었을 것으로 생각된다. 이러한 고율의 대부는 조선후기 화폐 경제 발달에 따른 사족들의 전형적인 자본 증식 방법이다. 또한 본 자료에서 주목할 점은 전답의 매입과 소출 곡식의 작전 과정에서 확인되는 미가(米價) 변동이다. 미가 의 변동은 대부와 소출의 비중에 적지 않은 영향을 끼쳤으며, 계를 주도하던 함양박 씨 일족도 이를 충분히 감안하여 계를 운영해 나갔던 것이다.

이광우

[핵심어]

계안, 동심계, 2인계, 맛질, 용문면 대제리, 미산고택

[참고문헌]

안병직 · 이영훈 편저, 『맛질의 농민들』, 일조각, 2001.

윤해동, 『지배와 자치』, 역사비평사, 2006.

古文眞寶諺解

서　　　명：古文眞寶諺解

편 저 자：未詳

판 사 항：筆寫本

발행사항：[未詳]

형태사항：1冊：四周雙邊. 半郭：21.5×14.7 cm. 有界, 10行17字, 上下向魚尾不定 ;
　　　　　 28.6×18.8 cm

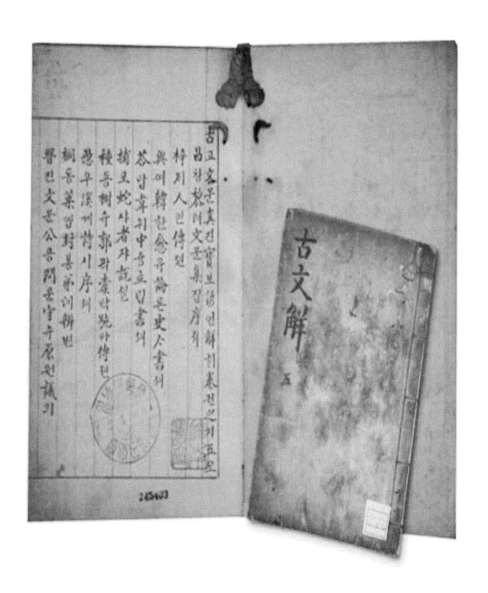

1. 개요

『고문진보언해(古文眞寶諺解)』는 송의 황견(黃堅)이 편찬한『상설고문진보대전(詳說古文眞寶大全)』을 언해한 것이다.

'『상설고문진보언해(詳說古文眞寶諺解)』'라고도 한다. 이 책은 전집 12권, 후집 10권으로 되어 있으며, 부록으로 첩산선생비점문장궤범언해(疊山先生批點文章軌範諺解)가 붙어 있다. 모두 22권으로 된 필사본이다.

현재 남아 있는 것은 전집 권3~12, 후집 권1~10, 그리고『문장궤범』으로 되어 있어 22권 중 권1·2가 없는 20권의 낙질본이다. 거기에다가 전집 권3·4, 후집 권1·3에는 한문 원문만 있고 그 언해문은 없다.

현재 고려대학교 육당문고에 전집 권2~12, 후집 권1~6의 17권 8책이, 장서각도서에 후집 권7~10의 4권과『문장궤범』이 모두 6책으로 소장되어 있다.

영남대본은 표제에 '古文解'라 필사되어 있고 작은 글자로 '五'가 필사되어 있다. 판각된 광곽 안에 필사하고 있다. 첫 장은 '古文眞寶諺解 卷之五'라는 제목과 이어서 목록이 배열되어 있다. 목록에는 '昌黎文集序, 梓人傳, 與韓愈論史書, 答韋中立書, 捕蛇者說, 種樹郭橐駝傳, 愚溪詩序, 桐葉封弟辨, 晉文公問守原議, 連州郡復乳穴記, 送薛存義序, 養竹記, 阿房宮賦, 弔古戰場文'이 실려 있다. 목록의 다음에는 첫 행에 내제와 권수를 '古文眞寶諺解 卷之五'라 표기하고 있고, 다음 행에 '昌챵黎려文문集집序셔'라는 제목과 '李니漢한'이라는 작가명이 표기되어 있다. 한문 문장을 바탕으로, 한자와 한글, 한글 구결이 배열되어 있다. 한자 다음에 해당 한자의 현실한자음이 한글로 적혀 있고, 한글 구결은 작은 글자로 한 행에 두 자씩 적혀 있다. 필사기가 없어 그 연대를 알 수 없지만, 언해에 나타난 한글표기로 추정하여 보면 18세기 말에서 19세기 초에 이루어진 것으로 보인다.

2. 편·저자 및 편찬 경위

『고문진보언해(古文眞寶諺解)』는 황견(黃堅)이 편찬한『상설고문진보대전(詳說古文眞

寶大全)』을 언해한 것이다. 언해자 및 편찬 경위를 알 수 없으며, 필사기가 없어 필사자와 필사 연대 또한 알 수 없다.

다만 『고문진보』의 유입 경위와 편찬 기록을 살펴보기로 한다. 『고문진보』가 우리나라에 유입된 경위는 자세하지 않다. 고려 말엽의 문신 전녹생(田祿生)이 중국에서 『고문진보』를 사가지고 와서 산증(刪增)을 가하여 처음으로 합포(合浦)에서 간행하였다는 기록이 『야은일고(野隱逸稿)』에 있다. 이것을 근거로 추정하면, 이미 14세기에 『고문진보』가 들어와 있음을 알 수 있다.

『고문진보』는 1420년(세종 2)에 『선본대자제유전해(善本大字諸儒箋解)』라는 명칭으로 옥천에서 간행되었다. 1452년(문종 2)에는 『상설고문진보대전(詳說古文眞寶大全)』이라는 명칭으로 동활자인 경오자로 간행되었다. 그 뒤로 복간을 거듭하여 이 대본이 널리 유포되고 사용되었다. 그리고 언해본·현토본이 간행되어 현재까지 전한다.

『고문진보』는 고려 말에 수입된 이래 조선시대 서당에서 고문의 연변(演變)과 체법(體法)을 익히기 위한 아동용교과서로서 중요한 위치를 차지하였다. 『어우야담』에는 "우리나라에서 어린이들의 배움은 대개 『십구사략』·『고문진보』를 익히는 것으로 학문에 들어서는 문으로 삼았다."라고 기록되어 있다. 『성소부부고』「성옹식소록하」에서는 "국초의 제공이 모두 『고문진보』 전후집을 읽어 문장을 지었으므로, 지금의 인사들이 처음 배울 때 이것을 중요하게 여긴다."라고 언급하였다.

김륭(金隆)의 『물암집(勿巖集)』에 보이는 「고문진보전후집강록(古文眞寶前後集講錄)」, 정자신(鄭子信)의 『매창집(梅窓集)』에 보이는 「고문진보전후집주석정오(古文眞寶前後集註釋正誤)」 등의 자료는 『고문진보』가 중요한 교과서였음을 명백히 보여준다.

3. 구성 및 내용

『고문진보』는 전국시대(戰國時代)부터 송(宋)나라에 이르기까지 시문을 전집·후집으로 나누어 수록하였다. 전집은 시(詩)로 권학문(勸學文)을 비롯하여 고시(古詩)를 주로 수록하였고, 후집은 산문체로 17체의 명문(明文)을 실었다. 그 중 권3에 서류(序類),

권4에 기류(記類), 권5에 잠(箴) · 명류(銘類), 권6에 송(頌) · 전류(傳類)가 실려 있다.

「전집」

권학문(勸學文), 오언고풍단편(五言古風短篇), 오언고풍장편(五言古風長篇),

칠언고풍단편(七言古風短篇), 칠언고풍장편(七言古風長篇), 장단구(長短句),

가류(歌類), 행류(行類), 음류(吟類), 인류(引類), 곡류(曲類), 사(辭)

전집에는 권학문 · 오언고풍 단편 · 오언고풍 장편 · 칠언고풍 단편 · 칠언고풍 장편 · 장단구 · 가류 · 행류 · 음류 · 인류 · 곡류 · 사류로 12체 242편의 시가 수록되어 있다.

「후집」

사류(辭類), 부류(賦類), 설류(說類), 해류(解類), 서류(序類), 기류(記類),

잠류(箴類), 명류(銘類), 문류(文類), 송류(頌類), 전류(傳類), 비류(碑類),

변류(辯類), 표류(表類), 논류(論類), 서류(書類)

후집에는 사(辭) · 부(賦) · 설(說) · 해(解) · 서(序) · 기(記) · 잠(箴) · 명(銘) · 문(文) · 송(頌) · 전(傳) · 비(碑) · 변(辯) · 표(表) · 원(原) · 논(論) · 서(書) · 의(議) · 계(戒) 등 20여 체 130여 편의 문장이 수록되어 있다.

『고문진보언해(古文眞寶諺解)』의 내용은 주나라 전국시대 굴원(屈原)의 초사(楚辭)로부터, 진나라 · 한나라, 그리고 육조시대(六朝時代) 및 당나라 · 송나라 등 역대의 유명한 시문을 망라하여 수록하였다.

육당문고 및 장서각본을 중심으로 하면, 전집에는 주자(朱子)의 「권학문」을 비롯하여 오언고풍단편(五言古風短篇) · 오언고풍장편 · 칠언고풍단편 · 칠언고풍장편 · 장구 · 단구 · 가(歌) · 행(行) · 음(吟) · 인(引)·곡(曲) 등 10체의 시 219수가 있고, 후집에는 부(賦) · 설(說) · 해(解) · 서(序) · 기(記) · 잠(箴) · 명(銘) · 문(文) · 송(頌) · 전

(傳)·비(碑)·변(辯)·표(表)·원(原)·논(論)·서(書) 등 17체의 67편이 들어 있다.

4. 가치 및 의의

이 책은 동양적 사고와 정신 문화의 지평을 넓혀준 한문 문장 교과서로 옛 문인들의 필독서였다. 한문 원문이 수록돼 있으며, 그 한자마다 한자음이 달려 있고, 한글 구결까지 있어 한문학 연구와 국어사 연구에 그 가치가 크다.

현재 남아 있는 것은 전집 권3~12, 후집 권1~10, 그리고 『문장궤범』으로 되어 있어 22권 중 권1·2가 없는 20권의 낙질본이다. 거기에다가 전집 권3·4, 후집 권1·3에는 한문 원문만 있고 그 언해문은 없다. 현재 고려대학교 육당문고에 전집 권2~12, 후집 권1~6의 17권 8책이, 장서각도서에 후집 권7~10의 4권과 『문장궤범』이 모두 6책으로 소장되어 있다.

영남대본 『고문진보언해』는 영본(零本)이나 자료의 희귀성으로서의 가치가 크다. 또한 필사가 매우 분명하여 근대국어 자료의 표기와 음운, 어휘 등을 파악하는 데 좋은 자료가 된다.

국어사적인 면에서 표기나 음운의 특징이 근대 후기(19세기 중엽)에 해당하며, 근대국어 전기의 혼란된 표기에서 어느 한 방향으로 통일되는 흐름을 보인다. 어두의 병서표기가 'ㅅ'계로 합류, 음절말 'ㅅ'과 'ㄷ'이 'ㅅ'으로 합류, 사잇소리의 'ㅅ'화, 모음간 'ㄹㄹ'은 주로 'ln'으로 표기되고, 분철 표기가 거의 완성되고 있다.

음운론적인 면에서는 'ㆍ'의 비음운화, 원순모음화가 완성되는 단계이며, 이중모음의 단모음화는 'ㅐ/ㅔ'만이 제2음절 이하에서 단모음화 되었고, 'ㅟㅢ', 'ㅢ ㅣ'또는 'ㅕ, ㅢㅡ'가 이루어짐을 볼 수 있다. 움라우트 역시 실현되고 있어, 'ㅏ/ㅐ', 'ㅓ/ㅔ'가 후설성에 의해 대립된다. 자음의 경우, 자음동화는 표기에 반영되지 않았다고 파악되며, 경음화가 일반적이다. 구개음화 역시 일반적으로 실현되며, ㅎ종성체언은 소멸의 과도기에 있는 양상을 보인다.

김남경

[핵심어]

고문진보, 상설고문진보대전, 고문진보언해, 상설고문진보언해, 황견, 필사본, 근대국어

[참고문헌]

김경아, 「『고문진보언해』의 국어학적 연구 -표기와 음운을 중심으로」, 단국대학교 교육대학원
　　　석사학위논문, 1993.

한국정신문화연구원, 『한국민족문화대백과사전』, 한국정신문화연구원, 1996.

홍윤표, 『국어사 문헌자료 연구』, 태학사, 1993.

教訓歌

서　　　명 : 教訓歌
편 저 자 : 崔濟愚
판 사 항 : 筆寫本
발행사항 : 未詳
형태사항 : 1冊(29張) : 無界, 8行 15-16字, 註雙行 ; 20.4×20.7 cm

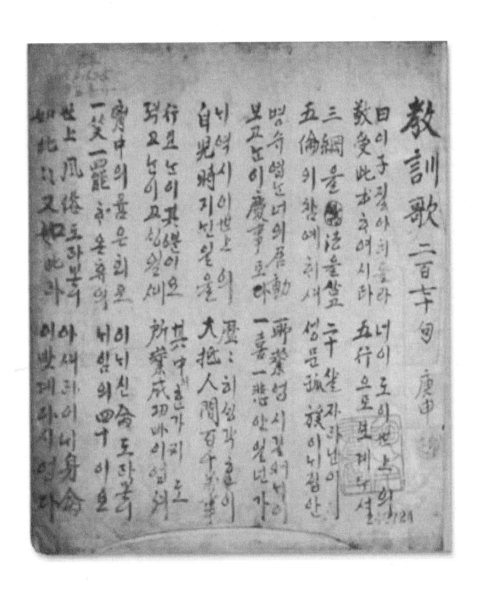

1. 개요

『교훈가(敎訓歌)』는 최초의 동학가사집인 『용담유사』에 실린 것으로, 동학에 대한 사상을 펴자는 내용을 담은 가사이다. 최제우가 1860년 「용담가(龍潭歌)」·「안심가(安心歌)」와 함께 지은 것이 「교훈가(敎訓歌)」이다.

「교훈가」가 수록된 『용담유사』는 1881년 6월 충청북도 단양에서 처음 목판본으로 간행되었고, 그 뒤 1893년과 1922년 각각 목판본으로 다시 간행된 바 있다. 이후 필사된 여러 이본들이 전한다.

영남대본은 표제에 '敎訓歌'라 적혀 있다. 내제에는 '敎訓歌'로 필사되어 있고, 아래에 '二百七十句 庚申'이 있다. '敎訓歌(7張)」 - 「安心歌(5張)」 - 「龍潭歌(2張)」 - 「夢中老少問答歌(3張)」 - 「道修歌(3張)」 - 「勸學歌(2張)」 - 「道德歌(3張)」 - 「興比歌(3장)」'의 순서로 필사되어 있다. 제목과 분량 및 창작 시기는 한자로 되어 있고, 본문은 한자와 한글이 섞여 있다. 단, 「道德歌(3張)」와 「興比歌(3장)」는 제목과 본문 모두 한글로만 필사되어 있다.

2. 편 · 저자 및 편찬 경위

「교훈가」가 실려 있는 『용담유사』는 동학의 교주인 수운 최제우가 포교를 목적으로 지은 것이다.

최제우(崔濟愚, 1824~1864)의 본관은 경주(慶州)이다. 초명은 복술(福述)·제선(濟宣), 자는 성묵(性默), 호는 수운(水雲)·수운재(水雲齋)이다. 아버지는 옥(鋈)이며, 어머니는 한씨(韓氏)이다. 7대조인 최진립(崔震立)은 임진왜란과 병자호란 때 혁혁한 공을 세워 병조판서의 벼슬과 정무공(貞武公)의 시호가 내려진 무관이었다. 그러나 벼슬에 오르지 못하자 가문이 몰락하였고, 그는 몰락한 유생 최옥의 서출로 태어났다. 일찍이 부모를 잃고 세속의 고난을 겪으며 고통받던 중, 구도를 통하여 종교 체험을 하게 되었다. 이러한 체험을 통하여 그의 종교적 신념은 결정적으로 확립되어, 1861년 포교를 시작했다. 서학(天主教)의 탄압과 함께 은둔했다. 1862년 3월 피신생활 중 동학사상을 체계적으로 이론화하였고, 「논학문(論學文)」·「안심가(安心歌)」·「교훈가」·「도수사(道修詞)」 등을 지었다. 경주에 돌아와 포교에 전념하여 교세가 크게 확장되었는데, 백성들을 현혹시킨다는 이유로 1864년 대구장대(大邱將臺)에서 41세의 나이로 참형에 처해졌다.

갑자기 처형당하게 되자 남아 있던 신도들은 그의 글들을 모아서 기본되는 가르침으로 삼게 되었는데, 한문체로 된 것을 엮어놓은 것이 『동경대전(東經大全)』이고, 가사체로 된 것을 모아 놓은 것이 『용담유사(龍潭遺詞)』이다.

「교훈가」가 실려 있는 『용담유사』는 1860년(철종 11)에서 1863년에 걸쳐 지어졌다. 19세기 조선 왕조는 외세의 영향을 받아 봉건질서가 무너져가는 사상의 일대 공백기였다. 안으로는 순조·헌종·철종 3대에 걸친 세도정치로 국정은 파탄에 이르렀다. 아울러 조선을 둘러싼 동아시아의 국제정세도 심상치 않은 시대적 추세였다. 이러한 즈음, 수운 최제우는 동학이라는 신종교를 창립하였고, 포교를 위한 동학가사집 『용담유사』를 저술한 것이다. 이 책의 수록 가사는 「용담가(龍潭歌)」·「안심가(安心歌)」·「교훈가(教訓歌)」·「몽중노소문답가(夢中老少問答歌)」·「도수사(道修詞)」·「권학가(勸學歌)」·「도덕가(道德歌)」·「흥비가(興比歌)」·「검결(劍訣)」의 9편으로 이루어져 있다. 그러나 『수운행록(水雲行錄)』에 의하면, 지금은 전해지지 않는 「처사가(處士歌)」를 포함하여 모두 10편이었던 것으로 보인다.

『용담유사』는 1881년 6월 충청북도 단양군 남면 천동 여규덕(呂圭德)의 집에서 최시형(崔時亨)에 의하여 처음 간행되었고, 그 뒤 1893년과 1922년 각각 목판본으로 다시 간행된 바 있다. 이때 「검결」은 정치적 이유로 인하여 함께 간행되지 못하였다. 이후 여러 필사본들이 전한다.

3. 구성 및 내용

영남대본 『교훈가(教訓歌)』는 『용담유사』 9편에서 「검결」을 제외한 8편을 수록하고 있다.

『용담유사』에 수록된 가사는 1860년의 「용담가(龍潭歌)」·「안심가(安心歌)」·「교훈가(教訓歌)」, 1861년의 「도수사(道修詞)」·「몽중노소문답가(夢中老少問答歌)」·「검결(劍訣)」, 1862년의 「권학가(勸學歌)」, 1863년의 「도덕가(道德歌)」·「흥비가(興比歌)」 등인데, 영남대본에는 「검결(劍訣)」만이 수록되어 있지 않으며, 다음과 같은 순서로 필사되어 있으므로, 그 순서에 따라 내용을 제시한다.

「교훈가(教訓歌)」

주위의 사람들을 상대로 입장 해명과 비방 종식을 위해 새로운 사상에 의한 교훈을 펴자는 의도로 지은 작품이다. 동학의 역사적 위치와 전망에 대한 내용이다.

「안심가(安心歌)」

가족과 주위 사람들을 안심시키기 위해 지은 것이다. 득도의 의미를 알리고 동학을 펴는 데 발생하는 장애를 극복하고자 하였으며, 사상이 구체화되었다.

「용담가(龍潭歌)」

최제우가 나고 자란 고장을 자랑하는 것으로 서두를 삼았다. 득도 초기에 자기 고장과 가계를 자랑하며 거기 의미를 부여할 때의 생각을 나타낸 작품이다.

「몽중노소문답가(夢中老少問答歌)」

득도의 경위와 의미를 밝혔다. 득도를 자기 고장과 결부시키던 단계를 넘어, 금강산에 올라가 새로운 사상을 가지게 되었다는 내용이다.

「도수사(道修詞)」

자기 고장을 떠나 유랑의 길에 오른 심정을 나타내면서, 이미 입문한 교도들이 마음이 흔들리지 않고 도를 닦는 마땅한 자세를 가질 것을 당부한 내용이다. 입도하

였다고 해서 바로 무슨 경지에 이르는 것은 아니니 꾸준히 힘쓰고 교훈을 저버리지
말 것을 여러 모로 자세하게 일렀다.

「권학가(勸學歌)」

최제우가 전라도에 가서 머무를 때 그 동안 겪은 풍상을 회고하고 고향 생각을
하며, 동학을 열심히 공부할 것을 거듭 당부하자고 지은 노래이다.

「도덕가(道德歌)」

도를 닦아야 마땅하다는 내용이다. 마지막 대목에서는 '정심수도(正心修道)'한 다
음에 잊지 말고 생각하라고 한 것으로 보아, 교도들에게 외우게 하려고 가사를 지었
음을 확인할 수 있다.

「흥비가(興比歌)」

말하고자 하는 이치를 비유해서 나타낸다는 뜻이다. 모기처럼 비방하고 헐뜯는
사람들이 있더라도, 이치도 무궁하고 나타낼 수 있는 글도 무궁하다는 말로 결말을
삼았다.

4. 가치 및 의의

「교훈가」를 포함하는 『용담유사』는 한문으로 된 국문학사적으로 최초의 동학가
사집이자, 『동경대전(東經大全)』과 더불어 동학의 기본경전이다. 근대 한국 사상의 형
성과 한국 사상의 역사적 변모를 엿볼 수 있다는 점에서 의의가 있다.

『용담유사』는 1881년 6월 충청북도 단양군에서 처음 간행되었고, 그 뒤 1893
년과 1922년 각각 목판본으로 다시 간행된 바 있다. 이후에 수차례 필사되었을 것
으로 추정된다.

영남대본은 표제에 '教訓歌'라 적혀 있다. 내제에는 '教訓歌'로 필사되어 있고,

아래에 '二百七十句 庚申'가 있다. 「教訓歌(7張)」 - 「安心歌(5張)」 - 「龍潭歌(2張)」 - 「夢中老少問答歌(3張)」 - 「道修歌(3張)」 - 「勸學歌(2張)」 - 「道德歌(3張)」 - 「興比歌(3張)」'의 순서로 필사되어 있다. 제목과 분량 및 창작 시기는 한자로 되어 있고, 본문은 한자와 한글이 섞여 있다. 다른 이본과 달리 본문에 한자어인 경우, 한자로 표기한 경우가 많아, 의미 파악에 용이하다.

언어적인 특성으로는 된소리 표기로 'ㅅ'합용병서, '또흔, 째, 뿐, ㄹ써, 써다가서'와 각자병서 '힘씨기는' 등이 나타난다. 또한 표기가 매우 혼란되어 나타난다 'ㆍ'는 'ᄒᆞ/로다/하엿ᅱᄂ' 등이 나타난다. 또한 '휴의/후의, 두고/듀고' 등에서 모음이 일관적으로 적히지 않으며, 치조음 아래의 'ㅏ, ㅓ, ㅗ, ㅜ'는 '업셔'와 같이 대체로 'ㅑ, ㅕ, ㅛ, ㅠ'로 표기하고 있다. 마지막에 수록된 「도덕가」는 다른 가사와 달리 한글로만 표기되어 있는데, 한자음 '텬디, 텬리, 신톄, 텬고' 등에서는 'ㄷ'구개음화가 실현되지 않은 채 표기되고 있다. 중철과 분철, 연철이 모두 쓰였으나 분철의 경향이 높으며 과잉 분철표기도 흔하다. 그 외에도 '잇시며, 업실손야' 등 전설모음화 표기가 보이며, 'ㄹ' 다음의 'ㄴ'이 설측화되지 않은 경향이 있다.

김 남 경

[핵심어]

교훈가, 용담유사, 최제우, 동학가사, 안심가

[참고문헌]

한국정신문화연구원, 『한국민족문화대백과사전』, 한국정신문화연구원, 1996.

나동광, 「「교훈가」에 나타난 시적 세계」, 『동학연구』 25, 한국동학학회, 2008.

오출세, 「최수운과 『용담유사』」, 『동학연구』 1, 한국동학학회, 1997.

한국정신문화연구원, 『한국민족문화대백과사전』, 한국정신문화연구원, 1996.

규듕칠우징논긔

서　　　명 : 규듕칠우징논긔

편 저 자 : 未詳

판 사 항 : 國文筆寫本

발행사항 : 1887年 筆寫

형태사항 : 1卷 1册(29張) : 無界, 11行 15-18字 ; 30.1×20.6 cm

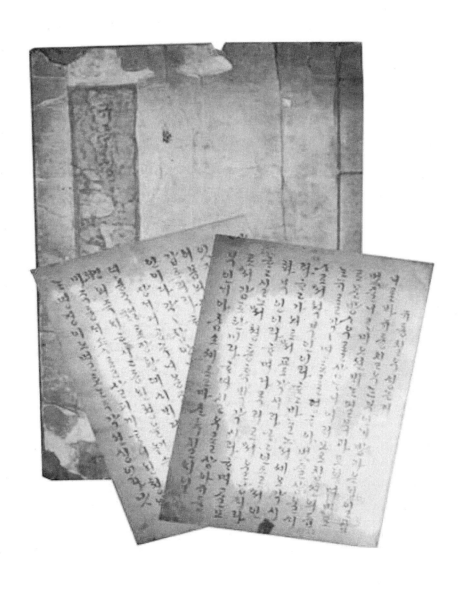

1. 개요

「규중칠우쟁론기(閨中七友爭論記)」는 바느질에 사용되는 도구인 자, 바늘, 가위, 인두, 다리미, 실, 골무 즉 칠우(七友)가 서로 자기의 공이 높다며 다투는 이야기를 담고 있으며, 사물을 의인화해서 쓴 가전(假傳)에 해당한다. 일찍이 교과서에 수록됨으로써 일반인들에게도 친숙한 작품이다. 규방의 침선문화를 다루는 작품세계나 필사기 등을 고려할 때 19세기를 전후로 여성작가에 의해 창작되고, 주로 여성독자들에 의해 향유된 작품일 것으로 추정된다.

도남문고에 소장된 『규중칠우쟁론기』는 1권 1책 완질의 국문필사본으로, 표제와 내제 모두 '규듕칠우징논긔'이다. 정성껏 잘 쓴 글씨로 한 사람이 일관되게 필사하였다. 표지의 제목 부분은 붉은 색 종이를 덧대어 그 위에 제목을 썼다. 첫 장 제목 아래 '陶南藏書'라는 장서인이 있다. 본문에는 종이를 붙여 수정한 부분이 있으며, 책을 넘기는 부분은 한 글자 정도 비워두고 필사하였다. 「규듕칠우징논긔」에 이어 가전 「장듸긔공녹녀용국평난긔」와 가사 「몽유사」, 「십이월가」, 「상국탄」이 합철되어 있다. 책의 말미에는 필사기가 있다. '정희 십이월 초구일 정부인 니씨는 셔흐느니'라는 필사기를 통해 정해년(丁亥年) 즉 1887년(고종 24) '정부인 이씨'라는 여성에 의해 필사된 것임을 알 수 있다. 「규중칠우쟁론기」는 현전하는 이본이 많지 않은데, 영남대본은 필사 시기가 밝혀진 연세대본이나 규장각본보다 앞서는 것으로, 이본으로서 연구 가치가 높은 자료이다.

2. 편·저자 및 편찬 경위

「규중칠우쟁론기」의 작자나 창작 시기를 알 수 있는 구체적인 단서는 없다. 그러나 작품세계나 필사기를 통해 작자층 또는 향유층을 유추해 볼 수는 있다.

이 작품은 연구 초기, 강한 풍자의 성격을 지녔다는 점에서 적극적이고 반항적인 남성이 창작했을 것이라는 추정이 있었다. 그러나 여성 고유의 침선문화(針線文

化)에 대한 섬세한 묘사를 고려할 때 여성 작가에 의한 창작일 가능성이 더 높다고 볼 수 있다. 선비는 필묵과 종이와 벼루로 문방사우(文房四友)를 삼는 것처럼, 부인에게는 규중칠우가 있다고 소개하고 있다. 그리고 '가는 명주, 굵은 명주, 백저포, 세승포, 청홍 능라, 자라 흑단 등' 다양한 실과 천의 종류, 옷을 만드는 과정에 대한 해박한 지식들도 이러한 점을 뒷받침해 준다.

작품의 향유 또한 여성들을 중심으로 이루어졌을 것으로 짐작된다. 영남대본의 말미에는 다음과 같은 필사기가 있다.

　　　　이 칙이 두 가지는 유리ᄒ여 아ᄒ들 볼 만ᄒ기 벗기고 십이월가는 위친ᄒ여 지은 글이기 ᄂᆡ 녁시 ᄂᆡ친지회 금음 업셔 벗겨스나 이 칙이 글 지은 즈는 유식ᄒ여 이러케 지어스나 나는 단문 졸필이라 ᄂᆡ 속의 가득ᄒᆫ 말을 시죽ᄒ면 칙이 ᄂᆡ삼 권 되련마는 못 짓고 벗기기만 ᄒ니 졀통ᄒ도다
　　　　정희 십이월 초구일 정부인 니씨는 셔ᄒ니 계셩홀 귀ᄌ가 드러와 ᄌ손니 션〃ᄒ여 이만 글ᄌ라도 공경ᄒ여 젼지ᄌ손ᄒ기 ᄇᆞ라노라

필사자는 이 책이 아이들이 보기에 이롭다고 생각해서 베낀다고 하였다. 「십이월가」는 부모님을 위하여 지은 글인데 자신도 역시 부모님과 떠난 정회를 생각하며 베꼈으며, 책을 지은 사람은 유식하여 지었으나 자신은 마음속에 가득한 말이 많아 책을 쓰면 두세 권은 되겠지만 단문졸필이라 짓지 못하고 베끼기만 하니 절통하다고 하였다.

필사 시기는 정해년 즉 1887년이며 필사자는 정부인(貞夫人) 이씨이다. 계성(繼姓)할 귀자(貴子)가 들어와 자손이 많으니 자신의 글씨를 자손에게 전하기를 바라는 마음도 표현하였다. 정부인은, 조선 시대에 정이품·종이품 문무관의 아내에게 주던 봉작인데, 숙부인의 위, 정경부인의 아래로, 1865년(고종2)부터는 이품 종친의 아내에게도 주었다. 그러므로 영남대본의 필사자는 사대부 집안의 여인이라는 것을 알 수 있다.

연세대본『규중칠우쟁론기』에도「규중칠우쟁론기」에 이어「방물전」,「봉선화가」가 합철되어 있는데 이 작품들 역시 규방 여성들이 주로 향유한 것들이다. 본문 여백에 '안동딕 칙'이라는 낙서가 있고 '임진 시월 초육일'이라는 기록이 있는 것으로 보아, 연세대본도 여성이 필사한 것이며 필사 시기는 1892년인 것으로 보인다. 규장각본『망로각수기(忘老却愁記)』소재「규중칠우쟁론기」는 필사 시기가 신해년 즉 1911년이다.

「규중칠우쟁론기」는 현전하는 이본들의 필사 시기를 고려할 때 19세기 중후반 무렵 창작된 것으로 보인다.「규중칠우쟁론기」와 유사한 구조를 지니고 있으면서 그 내용이 확대된「사성록(四誠錄)」은 궁체로 필사된 이본을 윤백영 여사가 소장하고 있었던 점으로 보아,「규중칠우쟁론기」역시 사대부 또는 궁중 여성들 사이에서 읽히고 필사된 것으로 짐작된다. 영남대본은 필사 시기가 밝혀진 연세대본, 규장각본보다 앞선 것으로 현전하는 최고본(最古本)이다.

3. 구성 및 내용

「규중칠우쟁론기」의 등장인물은 규중부인과 바느질 도구 일곱이다. 내용상 4단 구성으로 볼 수 있으며, '규중칠우에 대한 소개, 규중칠우의 공론, 규중부인의 개입과 칠우의 불평들, 규중부인의 꾸지람과 감토한미의 사과'로 이루어진다.

시작 부분은 규중부인의 일곱 벗을 소개하는 대목이다. 자는 척부인(尺婦人), 바늘은 세요(細腰)각시, 가위는 교도(交刀)각시, 인두(인도)는 인화부인, 다리미(다루리)는 울(熨)낭자, 실은 청홍흑백(靑紅黑白)각시, 골무(골모)는 감토할미(한미)로 불리며, 규중부인은 이들의 주인이다.

다음 대목은 칠우가 모여 침선의 공을 논하는 대목이다. 척부인이 먼저 나서서, 옷을 마련할 때 자신이 아니면 어떻게 가능하겠느냐며 옷을 만든 공은 자신이 으뜸이라고 말한다. 그러자 교도각시가 나서서 척부인이 아무리 마련을 잘해도 가위로 베지 않으면 안 되는 것이니 홀로 공인 것처럼 자랑하지 말라고 나무란다. 또 세요각시가 나와서 진주가 열이어도 꿰지 않으면 보배가 될 수 없는 것처럼, 척부인과 교도각시의 공도 자신이 있어야 가능한 것이라고 한다. 그러자 청홍각시가 세요각시를 나무라며 자신이 있어야 세요각시의 공이 나타날 수 있다고 말한다. 감토할미는 아기씨 손부리 아프지 않게 도와준 것은 자신의 공이라고 한다. 인화부인이 나서서 자신이 손바닥으로 한 번 문지르면 잘못된 흔적도 감출 수 있다고 하며 세요각시의 공은 자신으로 인해 광채가 난다고 하였다. 그러자 울낭자가 인화부인의 소임은 자신과 같다고 하며, 인화부인은 침선만 하지만 자신은 천만 가지 참여하지 않는 것이 없으며 자신이 아니면 세상 남녀가 옷을 입기 어려울 것이라고 말한다.

셋째 대목은 규중부인의 개입과 칠우의 불평이 이어진다. 규중부인이 잠이 깨어 칠우의 공론을 나무라며, 의복을 다스리는 것은 사람이 쓰기에 달려 있는 것이지 칠우의 공만이라고 할 수 없다고 한다. 그러고 다시 잠이 들자, 칠우가 다시 규중부인에 대한 원망과 탄식을 시작한다. 척부인과, 교도각시, 세요각시, 인화부인, 울낭자가 차례로 나서서 부인이 필요에 따라 자신들을 쓰고는 공을 몰라주는 것에 대해 푸념을 늘어놓는다.

마지막 대목은 규중부인의 꾸지람과 감토할미의 사과 부분이다. 자던 규중부인이 다시 깨어 칠우에게 자신의 허물을 너무 심하게 하는 것이 아니냐고 나무란다. 그러자 감토할미가 나서서, 젊은 것들이 망령되고 생각 없이 자신의 공만 자랑한다고 하면서 평일의 깊은 정과 작은 공을 생각하여 용서해달라고 한다. 감토할미의 말을 들은 규중부인은 자신의 손부리 성한 것은 모두 감토할미의 덕분이라고 하면서 그 은혜를 잊지 않겠다고 말한다. 감토할미는 머리를 조아리며 절하고 나머지는 참괴(慚愧)하여 물러난다.

등장인물에 대한 묘사는 이본에 따라 약간의 차이가 있어서 그 인물에 대한 해석 또한 조금씩 달라질 수 있다. 감토할미를 제외한 여섯 벗은 자신의 작은 공을 내세우며 세상이 자신을 알아주지 않는 것에 대해 불평하는 인물로 평가된다. 감토할미에 대한 평가는 좀 더 다양하게 이루어지고 있는데, '약삭빠르고 세상의 처세술에 능한 영악한 인물'로 보기도 하고, '젊은 부인들의 오만함과 실수까지도 감싸 안는

포용적인 인물'로 보기도 한다. 규중부인은 여섯 부인의 공을 무시하는 데서는 다소 이기적인 인물로, 감토할미의 공을 인정하는 데서는 일편단심을 가진 인물로 평가받는다.

영남대본의 경우, 규중부인의 개입이 상대적으로 적게 나타난다. 원작에 가까운 이본이 어느 것인지 알 수 없는 상황이지만, 규중부인의 역할이 소략할수록 칠우의 쟁론이 더 뜨거워질 수 있을 것으로 생각된다. 왜냐하면 규중부인에 대한 묘사가 추가되고 그에 대한 평가가 보태질수록 논점이 규중부인에 대한 비판으로 옮겨갈 수 있기 때문이다. 원작자의 의도가 분명히 있겠지만, 인물에 대한 평가라는 것이 시대나 상황에 따라 달라질 수 있는 것처럼 「규중칠우쟁론기」에 대한 해석 또한 다양한 가능성을 열어두고 있다 할 수 있다.

「규중칠우쟁론기」에 이어 필사된 「장티긔공녹녀용국평난긔」는 「여용국평란기(女容國平欄記)」의 이본이다. 「몽유사」는 봄밤의 꿈속에서 천하를 돌아다니며 영웅호걸을 만나는 내용을 담고 있는 가사 작품이다. 「십이월가」는 달마다 찾아오는 절기를 소개하며 함께하지 못하는 부모님에 대한 그리움을 노래하고, 「상국탄」은 국화를 예찬하는 내용의 가사이다

4. 가치 및 의의

「규중칠우쟁론기」는 규중부인과 함께 규방에서 사용되는 일곱 가지 바느질 도구 즉, 자, 바늘, 가위, 인두, 다리미, 실, 골무가 공을 논하는 내용을 담고 있는 가전이다. 각각의 인물에 대한 평가는 이본의 서술 또는 묘사 정도에 따라 조금씩 다르게 나타나는데, 이는 가치 기준에 따라 달리 해석될 수 있는 여지가 충분한 것이라고 생각된다. 20세기 초반에 필사된 이본이 현전하고 있는 것으로 보아 19세기 중후반 창작된 것으로 보이며, 작품세계 및 필사기를 통해 볼 때 작자 또는 향유층은 상층 사대부 또는 궁중 여성이었을 것으로 추정된다.

「규중칠우쟁론기」의 이본은 국문필사본 5종이 전하고 있다. 연세대본, 규장각

본, 고려대본, 김동욱본 외에 도남문고 소장 영남대본이 있다. 이 중 영남대본이 상대적으로 정확하고 논리적일 뿐만 아니라, 주제적인 측면에서 원본에 가장 가까운 이본인 것으로 보인다. 그리고 영남대본은 현전 이본 중 가장 선행본이다. 「규중칠우쟁론기」는 가전으로서 주목받는 작품일 뿐만 아니라, 국문여류수필의 흥미로운 한 예로, 그리고 조선 시대 여인들의 삶과 문화를 살펴보는 한 통로로써도 관심의 대상이 되고 있는 작품이다.

박은정

[핵심어]

규중칠우쟁론기, 도남문고, 가전(假傳), 척부인, 세요각시, 교도각시, 인화부인, 울낭자, 청홍흑백각시, 감토할미

[참고문헌]

김진숙, 「규중칠우쟁론고」, 『한국어문학연구』 15, 이화여자대학교, 1975.

김혜정, 「『규중칠우쟁론기』 이본 및 주제의식 재고」, 『우리문학연구』 32, 2011.

박은정, 「『규중칠우쟁론기』 이본 연구」, 『민족문화논총』 제54집, 영남대학교 민족문화연구소, 2013.

이병기 선해(選解), 『요로원야화기』, 을유문화사, 1949.

이은정, 「『규중칠우쟁론기』와 『사성록』 연구」, 『한국어문학연구』 16, 이화여자대학교, 1985.

정진권, 「규중칠우쟁론기 고찰」, 『국어교육』 48, 한국국어교육연구회, 1984.

金剛般若經疏論纂要助顯錄

서　　　명：金剛經疏論纂要助顯錄

편 저 자：圭峯宗密 述, 慧定 助顯

판 사 항：木板本

발행사항：[충주] : [청룡사], [1378]

형태사항：1册：上下單邊. 半郭：23×17.8 cm. 無界, 대자 5行 14-16字 중자 10행

　　　　　20자, 註雙行 ; 29×17.8 cm

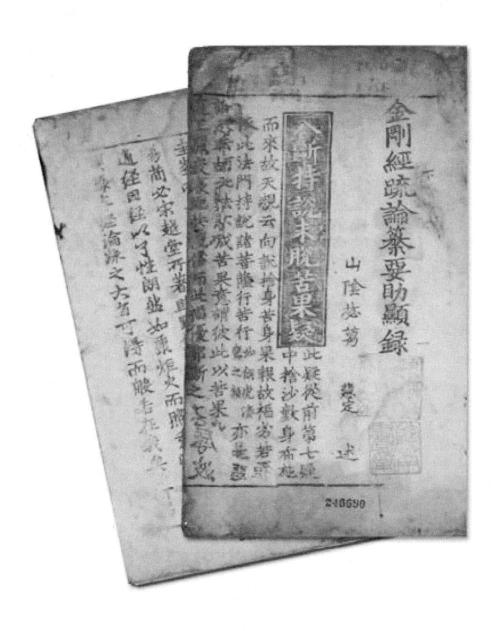

1. 개요

당나라 규봉종밀(圭峯宗密)이 술(述)한 『금강반야경소론찬요(金剛般若經疏論纂要)』에 의거 송나라의 혜정(慧定)이 논소(論疏)의 요지를 다시 조현(助顯)한 것이다. 본래 권자본(卷子本) 형식으로 판각한 것을 선장본(線裝本)으로 장책한 것이며, 상·하권 1책이나 소장본은 하권의 25장(線裝 50張)까지 있고 이후가 결락되었다. 동일한 판본으로 상·하 완질본이 보물720호로 지정되어 있어서 간행시기를 확인할 수 있다. 이에 따르면 권말에 지원오년(至元五年 1339) 한성(韓性)의 발(跋)과 선광팔년무오(宣光八年戊午 1378)에 환암비구(幻菴比丘) 무작(無作)이 연회암(宴晦庵)에서 쓴 발이 있으므로 1339년에 간행한 책을 저본으로 하여 1378년에 충주 청룡사(靑龍寺) 연회암에서 중간(重刊)한 것으로 여겨진다. 도남 소장본은 1339년의 발문까지 남아 있고 이후는 일부분만 남아 있다.

2. 편·저자 및 편찬 경위

당나라의 승려인 종밀(宗密)은 사천성(四川省) 과주(果州) 서충(西充) 출신으로 어려서부터 유교와 불교를 배우고 28세에 출가하였다. 원각경(圓覺經)에 정통하고, 징관(澄觀)의 화엄경소(華嚴經疏)를 읽고 크게 감동받아 징관에게 화엄학을 배웠고, 821년부터 종남산(終南山) 규봉(圭峰) 초당사(草堂寺)에서 저술에 전념하면서 교선일치(敎禪一致)를 제창하였다. 원각경에 대한 탁월한 연구로 원각경과문(圓覺經科文), 원각경대소(圓覺經大疏), 원각경약소(圓覺經略疏) 등을 남겼으며 선원의 사교과 중의 하나인 선원제전집도서(禪源諸詮集都序)도 저술하였다.

이 책은 상하 2권으로 구성되어 있다. 상하단변(上下單邊)에 크기는 세로 29.0cm, 가로 17.8cm이며, 반곽(半郭)의 크기는 23.0名.8cm이다. 계선이 없으며, 대자 5행 14자에서 16자, 중자 10행 20자의 형태를 보인다.

이 책의 간행기록은 동일한 판본으로 보물로 지정된 타기관 소장본으로 확인할 수 있다. 보물 720호와 720-2호로 지정된 동국대학교 도서관, 청주대학교 박물관 소장본에는 권말에 고려말의 고승 환암(幻庵)이 쓴 발문이 남아 있다. 이를 통해, 이 책은 1339년에 원나라에서 간행한 책을 원본으로 하여, 1378년(고려 우왕 4)에 충주 청룡사에서 다시 새겨 찍어낸 것임을 알 수 있다.

권말 선광(宣光) 8년 무오(戊午, 1378) 2월 상순에 환암비구(幻庵比丘) 무작(無作)이 쓴 발문과 간행참여 명록이 수록되어 있다.

이 발문에 의하면 "병진년(1376) 안거(安居)가 끝나갈 때에 환암(幻庵)의 설법을 듣고 추가적인 설명을 부탁하는 이가 있어서 이 책을 설법했는데, 청중 가운데 신사(信士) 고식기(高息機)가 감동해 이 책의 간행광포를 희망하여 간비(刊費)를 보시했으므로 제자 만회(万恢) 등에게 맡겨 판각했다"고 기록돼 있다.

환암비구 무작은 혼수보각국사(1320~1392)로 알려진 인물로 현재 충주 청룡사 터에는 조선 태조의 명으로 양촌 권근이 지은 비명이 있다. 그의 속성은 조씨(趙氏)이고, 자는 무작(無作), 호는 환암(幻庵)이며 법명이 혼수(混修)이다. 공민왕에게 불법을 전했으며, 계율을 굳게 지키고 선교(禪敎)의 모든 경전에 통달한 것으로 알려진다.

12세에 어머니의 권유로 출가하여 1341년(충혜왕 복위 2)에 선시(禪試)에 합격하고 금강산에 들어가 정진하였다. 그 후 선원사(禪源寺)의 식창감화상(息彰鑑和尙)에게 『능엄경(楞嚴經)』을 배워 진리를 터득하고, 휴휴암(休休庵)에서 3년간 수능엄경의 요지를 강론한 후 충주 청룡사 서쪽에 연회암(宴晦庵)을 짓고 머물렀다. 그는 이곳에 머물면서 여러 종류의 불서 간행을 주도한 것으로 보이는데 현재 4종 이상이 남아 있다. 1383년 4월 1일 왕이 어서·인장·법복·예폐(禮幣) 등을 연회암에 보내어 국사로 책봉하고, 대조계종사 선교도총섭 오불심종 흥자운비복국이생 묘화무궁도대선사 정편지웅존자(大曹溪宗師禪敎都總攝悟佛心宗興慈運悲福國利生妙化無窮都大禪師正遍智雄尊者)의 존호를 올렸으며, 충청북도 충주의 개천사(開天寺)에 상주하도록 하였다. 1392년(태조 1) 청룡사로 옮기고 9월 입적하였는데, 태조가 보각(普覺)이라는 시호와 정혜원융(定慧圓融)이라는 탑호(塔號)를 내렸다.

한편 충주 청룡사에서 고려말에 간행한 불서는 현재 『금강반야경소론찬요조현록』을 비롯하여 『선림보훈(禪林寶訓)』, 『호법론(護法論)』, 『선종영가집(禪宗永嘉集)』 등이 전해진다. 이 책들이 간행되기까지는 권말에 붙어 있는 발문(跋文)과 간행 기록을 통해 혼수보각국사와 밀접히 연관되어 있는 것을 볼 수 있다.

현존하는 청룡사 간행본 가운데 『선림보훈』과 『금강반야경소론찬요조현록』은 1378년(우왕 4)에 간행되었다. 『호법론』은 1379년(우왕 5), 『선종영가집』은 1381년(우왕 7)에 간행되었다. 따라서 청룡사에서 간행된 불서는 혼수 보각국사의 주관 또는 영향 하에서 이루어진 것으로 불교사, 서지학적으로도 매우 중요한 의미를 지닌다. .

호암미술관 소장의 『선림보훈』 2권 1책에는 권말에 혼수 보각국사가 쓴 발문과 '선광팔년무오이월 서우연회암 유판 충주 청룡선사(宣光八年戊午二月 書于宴晦菴 留板 忠州 靑龍禪寺)'라고 한 간행 기록이 있다.

특히 성암고서박물관 소장의 『호법론』 1권에는 이색(李穡)이 쓴 발문에 '석승준 이환암보제대선사지명 중간간 충주지청룡사(釋僧俊 以幻庵普濟大禪師之命 重刊于 忠州之靑龍寺)'라고 한 내용으로 보아 승준이 환암 보제대선사(혼수 보각국사)의 명을 받고 충주 청룡사에서 중간한 것을 알 수 있다.

또한 아단문고 소장의 『선종영가집』 2권 1책의 권말 중대광(重大匡) 낭성군(琅城君) 이방직(李邦直)이 쓴 발문에는 회암사(檜巖寺)의 나옹(懶翁) 혜근화상(惠勤和尙, 1320~1376)이 책을 입수하자 그의 제자 헌선 등이 나옹에게 책의 간행을 요청하므로 충주 청룡사에서 담여(淡如)·각눌(覺訥)·이인린(李仁隣) 등이 판각하여 간행했다는 기록이 남아 있다.

3. 구성 및 내용

조계종의 근본 경전인 『금강반야바라밀경(金剛般若波羅密經)』은 『금강반야경(金剛般若經)』 또는 『금강경(金剛經)』으로 약칭하기도 한다. '금강경'은 금강과 같이 견고하여 어떠한 번뇌와 집착도 깨뜨려버릴 수 있는 부처님의 말씀이라는 의미이며, '반야

(般若)'는 '절대적인 지혜', '바라밀[바라밀다]'은 '깨달음의 세계에 이름'을 뜻한다.

『금강반야경소론찬요조현록』은 중국 당(唐)나라의 종밀(宗密)이 지은 『금강반야경소론찬요』를 송(宋)나라의 혜정(慧定)이 알기 쉽게 설명한 것이다. 중국 요진(姚秦)시대 구마라집(鳩摩羅什)이 번역한 『금강반야바라밀경(金剛般若波羅蜜經)』을 당(唐)의 종밀(宗密)이 해석하여 『금강반야경소론찬요』로 제목을 붙인 것을 다시 혜정(慧定)이 그 찬요의 요지를 알기 쉽게 조현한 책이다.

영남대 도남문고본은 상·하권 1책이나 소장본은 하권의 25장(線裝 50張)까지 있고 이후가 결락되었다. 동일한 판본으로 상·하 완질본의 내용에 따르면 권말에 지원오년(至元五年 1339) 한성(韓性)의 발(跋)과 선광팔년무오(宣光八年戊午 1378)에 환암비구(幻菴比丘) 무작(無作)이 연회암(宴晦庵)에서 쓴 발이 있으므로 1339년에 간행한 책을 저본으로 하여 1378년에 충주 청룡사(靑龍寺) 연회암에서 중간(重刊)한 것으로 여겨진다. 도남 소장본은 1339년의 발문까지 남아 있고 이후는 일부분만 남아 있다.

4. 가치 및 의의

『금강반야경소론찬요조현록』은 간본이 적었던 탓에, 현재 희귀본으로 거의 찾아보기가 어렵다. 전본이 드문 희귀본으로 권말 뒷부분에 발문의 누락이 있으나 보물720호 지정본과 동일한 판본으로 여겨진다. 인쇄 상태 또한 매우 양호하여 자료적 가치가 높다.

이 책은 경전의 내용도 중요하지만 고려말 사찰 간행 불서 연구에도 의미를 지닌다. 청룡사 간행본의 경우처럼 당시에 같은 장소에서 여러 유형의 서적이 간행된 것은 비교적 드문 경우로 남아있는 간본 연구를 통해서 보다 체계적으로 접근할 필요가 있다. 이를 통해서 충주와 청룡사를 포함해서 한국의 불교사와 인쇄 문화 연구에 중요한 역할을 할 수 있는 자료로 여겨진다.

옥영정

[핵심어]

금강반야경소론찬요조현록, 금강경, 보각국사, 혼수, 청룡사

[참고문헌]

『양촌집(陽村集)』

『동인시화(東人詩話)』

『조선금석총람(朝鮮金石總覽)』(조선총독부, 1919)

『조선불교통사(朝鮮佛教通史)』(이능화, 신문관, 1918)

『한국민족문화대백과』, 한국학중앙연구원, 2008.

『충주시지』(충주시, 2001)

문화재청(http://www.cha.go.kr)

서울문화재(http://sca.visitseoul.net)

金蘭契案

서　　명 : 金蘭契案
편 저 자 : 朴冕鎭 序
판 사 항 : 筆寫本
발행사항 : [일제강점기]
형태사항 : 1册(8張) : 無界 ; 6.0×30.0cm

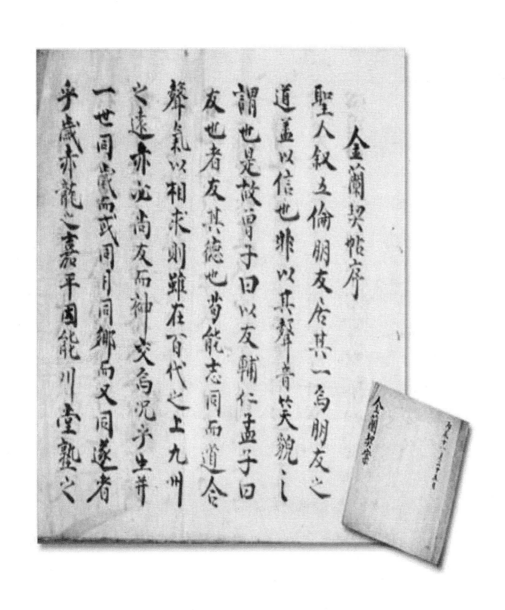

1. 개요

경상북도 예천군 용문면 일대 유림(儒林)들이 결성한 '금란계(金蘭契)'와 관련된 자료를 엮은 성책문서(成冊文書)이다.

금란계는 조선시대부터 이 지역의 재지사족이었던 함양박씨(咸陽朴氏), 예천권씨(醴泉權氏), 의성김씨(義城金氏), 월성이씨(月城李氏), 반남박씨(潘南朴氏), 나주정씨(羅州丁氏) 등 6개 가문의 인사들이 1916년 결성한 향촌사회 모임이다. '금란(金蘭)'이란 『주역(周易)』「계사상(繫辭上)」 "두 사람이 마음을 같이 하면 날카로움이 쇠도 자를 수 있고, 마음을 같이하는 말은 향기가 난초와 같다(二人同心 其利斷金 同心之言 其臭如蘭)"에서 인용한 것으로, 친구간의 우정을 의미하여 전통시대 각종 결사(結社) 또는 계 조직의 이름으로 자주 활용되어 왔다. 예천군의 금란계 역시 6개 가문의 임술년(壬戌年) 동갑 인사들이 친목도모를 위해 결성한 것이다.

표제는 '병진 11월 25일 금란계안(丙辰 十一月 二十五日 金蘭契案)'이며, 「금란계첩서(金蘭契帖序)」를 비롯하여 1916년(丙辰) 좌목(座目), 1938년(戊寅) 좌목, 1944년 「금란계문서(金蘭契文書)」 등이 수록되어 있다.

금란계와 관련된 기록으로 『저상일월(渚上日月)』이 있으나, 이는 당시 계원이었던 박면진(朴冕鎭)이 계에 참석하였다는 내용이 전부이므로 현재까지 확인된 자료 중 금란계의 결성 이유 및 계원의 명단, 재정 등과 관련된 기록은 본 자료가 유일하다.

『금란계안』은 함양박씨 후손이 소장해 왔으나, 1995년 12월 함양박씨 문중에서 소장해오던 고서(古書) 및 고문서(古文書) 등과 함께 영남대학교에 기증되어 1996년 4월부터 영남대학교 중앙도서관 미산문고(味山文庫)로 지정, 관리되고 있다.

2. 편 · 저자 및 편찬 경위

『금란계안』은 편 · 저자 및 편찬 경위, 편찬 시기 등이 기록되어 있지 않아 이를 밝히는 데 어려움이 따른다. 「금란계문서」를 제외한 나머지 개별자료 역시 기록이 소략하여 자세한 사정은 알 수 없다.

비교적 많은 내용을 담고 있는 「금란계첩서」의 경우 강원모춘하한(疆園暮春下澣)에 박면진(朴冕鎭, 1862~1929)이 작성한 것이다. 서문이 작성된 해[年]는 강원(疆園), 달[月]은 모춘(暮春), 일(日)은 하한(下澣)으로 표기되어 있다. 강원은 간지(干支) 정(丁)의 옛 이름으로, 금란계가 조직된 1916년(丙辰)에서 박면진이 죽은 1929년 사이인 1917년(丁巳)과 1927년(丁卯) 중 한 해가 된다. 계가 결성된 시기 및 자료의 내용, 박면진의 나이 등을 고려하면서 서문이 작성된 해는 1917년으로 판단된다. 모춘은 음력 3월을 달리 부르는 말이고, 하한은 한 달 가운데서 21일에서 그믐날까지의 동안으로 하순과 같다. 그러므로 「금란계첩서」가 작성된 것은 1917년 음력 3월 하순이 된다.

서문을 쓴 박진면의 본관은 함양(咸陽), 자는 성극(聖極), 호는 문파(文坡)이다. 『문파집(文坡集)』과 박한광(朴漢光) · 박득영(朴得寧) · 박주대(朴周大) · 박면진(朴冕鎭) · 박희수(朴熙洙) · 박영래(朴榮來) 등이 1834년부터 1974년에 이르기까지 140여 년간 기록한 일기문인 『저상일월(渚上日月)』 등을 남겼다.

기록에 따르면 1916년 예천 지역 유림들 중 1862년에 출생한 동갑의 인사들이 친목을 위해 약간의 자금을 내어 계를 결성하였고, 계원의 이름과 자(字), 생월일(生月日) 등을 기록한 『금란계첩(金蘭契帖)』을 작성하였다고 한다. 서문에 등장하는 『금란계첩』은 본 자료와 별개의 것으로 파악되며, 현재 좌목은 전해지지 않는다.

한편, 『금란계안』에는 이를 엮은이와 시기 및 과정 등이 기록되어 있지 않지만, 1916년 좌목과 1938년의 좌목을 한 면에 연결하여 수록하고 있는 점, 책의 마지막 면에 1944년(甲申) 정월 30일 「금란계문서(金蘭契文書)」가 부착되어 있는 것 등으로 미루어 보아, 결성 당시의 좌목과 1938년 계원의 숫자가 늘어난 뒤의 좌목을 함께 엮은 것으로 판단되며, 1940년 전후한 어느 시기에 편찬한 것으로 추정할 수 있다.

3. 구성 및 내용

『금란계안』은 1책 8장 필사본(筆寫本)이다. 서문과 좌목으로 구성되어 있으며, 책의 마지막 면에 1944년(甲申) 정월 30일 「금란계문서」(17.0㎝, 5㎝)가 부착되어 있다.

「금란계첩서」에는 금란계 결성 이유 및 과정 등이 간략히 언급되어 있다. 서문 첫머리에 오륜(五倫)의 '붕우지신(朋友之信)', 『논어(論語)』의 '벗으로서 인을 돕는다(以友輔仁)', 『맹자(孟子)』의 '벗한다는 것은 그 덕을 벗한 것이다(友也者 友其德也)'등을 인용하여, 용문면에 살고 있는 인사들의 친목을 위해 계가 결성되었음을 밝히고 있다. 1916년 능천당숙의 모임에서 녹안(錄案)을 열람하고, 동갑의 12인이 각각 세의 전(歲儀錢)을 모금하여 금란계를 결성하였는데, 그들이 첫 모임을 가지고 계를 결성한 장소인 능천당숙은 예천군 용문면 능천리에 있었던 능천서당(能川書堂)을 지칭하는 것으로 보인다. 이곳은 조선시대 용문면의 사족들이 강학 및 향촌 사회 활동을 전개하던 곳으로 금란계가 어떠한 성격의 모임인지 짐작게 해 준다. 결성 당시 모금된 자금을 바탕으로 1920년(庚申)까지 이자를 불려, 계회(契會)의 판공(辦公) 밑천으로 활용할 계획까지 기록되어 있다. 이 밖에 금란계가 '과실상규(過失相規)'와 '예속상교(禮俗相交)'를 지향하고 있으며, 이는 옛 남전(藍田)의 규약, 즉 향약(鄕約)과 다름없는 것이므로 계원끼리 권면(勸勉)할 것을 당부하고 있다.

좌목은 1916년(丙辰) 11월 25일 명단(이후 병진좌목이라 한다)과 1938년(戊寅) 11월 5일 명단(이후 무인좌목이라 한다)을 엮은 것이다.

병진좌목은 금란계 결성 당시 계원의 명단으로 여겨진다. 성명 아래에 자(字)와 출생 간지(干支), 본관(本貫)을 차례대로 기입하고 있다. 「금란계첩서」를 쓴 박면진을 시작으로 모두 11명을 수록하였다. 처음 계가 결성될 때 동갑 친구 12명이 결의했다는 「금란계첩서」의 기록과 달리 병진좌목은 11명만을 기록하고 있는데, 그 까닭에 대해서는 별다른 언급은 없다. 계원을 성관(姓貫)별로 나열하면 예천권씨(醴泉權氏) 3명, 의성김씨(義城金氏) 3명, 함양박씨(咸陽朴氏) 2명, 월성이씨(月城李氏) 1명, 나주정씨(羅州丁氏) 1명, 반남박씨(潘南朴氏) 1명 순이다. 예천권씨와 의성김씨가 각각 3명으로 높은 비중을 차지한다.

성명	자(字)	출생년	본관
박면진(朴冕鎭)	성극(聖極)	임술(壬戌)[1862]	함양인(咸陽人)
정주섭(丁珠燮)	기언(璣彦)	임술(壬戌)[1862]	나주인(羅州人)
권병원(權柄遠)	덕겸(德謙)	임술(壬戌)[1862]	예천인(醴泉人)
이화영(李華榮)	화서(華瑞)	임술(壬戌)[1862]	월성인(月城人)
김순화(金舜和)	성소(聖韶)	임술(壬戌)[1862]	의성인(義城人)
박주정(朴周楨)	제언(濟彦)	임술(壬戌)[1862]	함양인(咸陽人)
김정식(金庭植)	경칠(景七)	임술(壬戌)[1862]	의성인(義城人)
권갑환(權甲煥)	진경(震卿)	임술(壬戌)[1862]	예천인(醴泉人)
박승걸(朴勝杰)	성활(聖活)	임술(壬戌)[1862]	반남인(潘南人)
김벽수(金璧洙)	성서(聖瑞)	임술(壬戌)[1862]	의성인(義城人)
권홍원(權弘遠)	성홍(聖洪)	임술(壬戌)[1862]	예천인(醴泉人)

[표-1] 1916년 11월 25일 좌목

무인좌목은 금란계가 결성된 뒤 22년이 지난 1938년 계원의 명단이다. 병진좌목과 동일 인물이 없다. 1938년이면 병진좌목에 등재된 계원의 경우 76세가 되므로 친목 활동을 하기엔 어려웠을 것으로 판단되며, 그들의 후손들이 모임을 이어받아 운영한 것으로 보인다. 실제 병진좌목의 등재자와 무인좌목의 등재자 중 박면주와 박희수(朴熙洙), 김벽수(金璧洙)와 김태화(金泰和)·김진화(金震和) 등은 부자관계이다.

무인좌목의 기입내용과 방식은 병진좌목과 동일하며, 다만 이때의 계원들은 동갑인사로 구성된 것이 아니었으므로 나이순으로 나열하였다. 반남박씨 박규서(朴規緒)를 시작으로 모두 19명이 수록되어 있다. 계원을 성관별로 나열하면, 예천권씨가 7명으로 가장 많고 그 뒤로 의성김씨 6명, 함양박씨 3명, 월성이씨 2명, 반남박씨 1명 순이다. 1916년의 좌목과 마찬가지로 예천권씨와 의성김씨의 비중이 높다.

성명	자(字)	출생년	본관
박면진(朴冕鎭)	성극(聖極)	임술(壬戌)[1862]	함양인(咸陽人)
정주섭(丁珠燮)	기언(璣彦)	임술(壬戌)[1862]	나주인(羅州人)
권병원(權柄遠)	덕겸(德謙)	임술(壬戌)[1862]	예천인(醴泉人)
이화영(李華榮)	화서(華瑞)	임술(壬戌)[1862]	월성인(月城人)
김순화(金舜和)	성소(聖韶)	임술(壬戌)[1862]	의성인(義城人)
박주정(朴周楨)	제언(濟彦)	임술(壬戌)[1862]	함양인(咸陽人)
김정식(金庭植)	경칠(景七)	임술(壬戌)[1862]	의성인(義城人)
권갑환(權甲煥)	진경(震卿)	임술(壬戌)[1862]	예천인(醴泉人)

박승걸(朴勝杰)	성활(聖活)	임술(壬戌)[1862]	반남인(潘南人)
김벽수(金璧洙)	성서(聖瑞)	임술(壬戌)[1862]	의성인(義城人)
권홍원(權弘遠)	성홍(聖洪)	임술(壬戌)[1862]	예천인(醴泉人)

[표-2] 1916년 11월 25일 좌목

무인좌목 마지막 면에는 1944년(甲申) 정월 30일 「금란계문서」(17.0吉.5㎝)가 부착되어 있다. 『금란계안』 성책 이후 작성되어 부착된 것으로 보인다. 이 문서에는 당시 금란계가 보유하고 있던 재정 현황을 기록하고 있다. 이에 따르면 금란계는 여재전(餘在錢) 7원 3전과 용두답(龍頭畓) 230원 등 모두 237원 3전을 보유하고 있었으며, 이를 다시 편성하여 110원은 전답 11부(負)를 매입하는 것에 사용하고 84원은 그대로 두며, 43원 3전은 이자를 놓았다고 한다. 이 밖에 병진좌목에 등재된 권갑환(權甲煥) 등에게 37냥을 나누어 준 사실이 기록되어 있다.

4. 가치 및 의의

금란계는 1916년 경상북도 예천군 용문면 유림들이 친목도모를 위해 결성한 향촌사회 모임이다. 결성 당시 좌목과 그들의 자세들이 등재된 좌목이 만들어진 것으로 보아 적어도 두 세대에 걸쳐 운영되었음을 알 수 있다.

모임의 자금은 결성 당시 계원들의 모금을 바탕으로 전답의 소작 및 대부(貸付) 등을 통해 증식하여 적지 않은 규모의 자금이 운영된 것으로 보인다. 다만 결성 당시 계원이던 권갑환에게 37냥을 나누어 준 사실 외에 기록이 없어 운영양상은 알 수 없다. 조선시대 일반적인 동갑계의 경우처럼 경조사 때의 상부상조와 구성원 간의 결속력 강화를 위한 각종 계회의 비용으로 집행되었을 것으로 짐작된다.

『금란계안』은 비교적 시기가 늦은 일제강점기 때 작성된 자료이다. 하지만 금란계가 조선시대 계(契) 조직의 전통을 계승하고 있다는 것과, 이 자료를 소장하고 있던 함양박씨 가문이 조선시대 이래 예천군 용문면 일대에 세거하며 금란계와 비슷한 각종 계를 조직하고 운영하고 있었고, 그와 관련된 자료를 현재까지 보관해 오고 있다는 점은 눈여겨봐야 할 것이다. 즉, 『금란계안』이 비록 늦은 시기의 자료이긴 하나 해당 가문이 보유하고 있는 다른 계 조직 관련 자료와의 비교 검토 및 종합적인 분석을 통해 일제강점기 전통 계 조직의 전승 상황과 재지사족의 향촌사회 활동 실태를 파악할 수 있다는 점에서 역사적 가치를 가진다고 하겠다.

백 지 국

[핵심어]

계 조직, 금란계, 함양박씨, 박면진, 능천서당, 대제리, 예천군 용문면, 금란계문서, 금란계첩, 금란계첩서

[참고문헌]

안병직 · 이영훈 편저, 『맛질의 농민들』, 일조각, 2001.

오세창 외, 『영남향약자료집성』, 영남대학교 출판부, 1986.

향촌사회사연구회, 『조선후기향약연구』, 민음사, 1990.

김진옥젼 단

서　　명 : 김진옥젼 단
편 저 자 : 未詳
판 사 항 : 國文筆寫本
발행사항 : 1909年 筆寫
형태사항 : 1卷 1册(43張) : 有界, 12行 20-27字 ; 29.2×23.5 cm

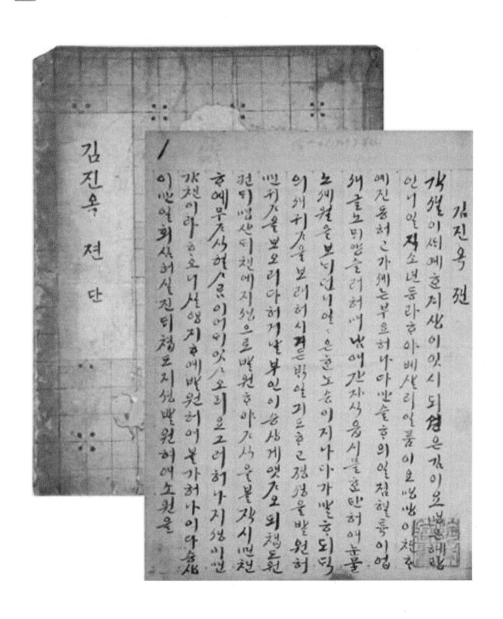

1. 개요

『김진옥전』은 작자 및 창작 연대 미상의 국문 영웅소설이다. 남성주인공 김진옥과 여성주인공 옥낭자의 결연담과 몇 차례에 걸친 전쟁담을 토대로 가족의 이합집산, 가문과 국가의 위기 및 회복을 다루고 있다. 영웅소설의 다양한 화소들을 망라하여 영웅소설의 후대적 면모를 잘 보여주는 작품이다. 50여 종이 넘는 필사본과 10여 종의 국문활자본이 전하고 있어 상당한 인기를 끌었던 작품임을 알 수 있다. 방각본은 전하지 않는 점과 영웅소설 후기적 특징을 지니고 있다는 점 등을 고려할 때 19세기 중반 이후에 창작되어 20세기 초까지 널리 읽힌 작품인 것으로 추정된다.

영남대본은 도남문고에 소장되어 있다. 표제는 '김진옥 젼 단'이고 내제는 '김진옥 젼'이다. 총 86면의 국문필사본으로, 연필로 선을 그어 두고 거기에 맞춰 한 사람이 일관되게 정제된 글씨로 필사하였다. 본문 왼쪽 상단에 아라비아 숫자로 페이지를 표시하였으며 책 넘기는 부분은 비워 두었다. 제목 아랫부분에 '陶南藏書'라는 장서인이 찍혀 있다. 보관상태도 매우 좋아 『김진옥전』 이본 연구에 가치가 있는 자료이다. 책 말미의 필사기에는 '隆熙三年四月'이라는 날짜가 적혀 있어 '융희 3년' 즉 1909년에 필사한 것임을 알 수 있다. 뒤표지 안쪽에는 '册主 仁港 龍洞 林衡相 宅'이라는 기록도 있어, 책 주인이 인천 용동의 '임형상댁'이라는 것도 확인된다.

2. 편 · 저자 및 편찬 경위

『김진옥전』은 작자와 창작 연대를 알 수 없는 작품이다. 주인공 김진옥의 삶은 영웅의 일생 구조에 충실하게 전개되고, 기존 영웅소설의 다양한 화소들을 수용하고 있는 점을 감안할 때 『김진옥전』의 작자는 영웅소설을 두루 섭렵한 인물이었을 것으로 생각된다. 영웅소설은 남성 독자뿐만 아니라 여성 독자도 적지 않았는데, 『김진옥전』 역시 마찬가지이다.

영남대본 말미에는 다음과 같은 필사기가 첨부되어 있다.

그 지반 일을 싱각허면 아실〃헌 씩도 만쏘 또 긔가 막힐 일도 만쏘

쏘 고싱홀 씩도 만쏘 쏘 조흔 씩도 만쏘 허무밍낭헌 씩도 만쏘 쏘 허〃우

슘 우실 일도 만터라 그러나 이 췩니 뒤꿋치 직미ㄱ 젹ᄉ온니 보시는 쳠군

ᄌ는 그런 쥴 아시고 보압소셔 융히 삼연 사월이십오일 죵 册主 仁港 龍洞

林衡相宅

영남대본의 책 주인은 인천 용동 임형상댁이라고 되어 있다. '임형상'이라는 사람의 소유라는 뜻인지, '임형상'의 아내의 것이라는 뜻인지 의미가 다소 모호하다. 한중연본은 '김낭자', 노상진 소장본은 '박부인 영희댁'이 책 주인인 것으로 기록되어 있어 필사자 또는 소유자가 여성임을 알 수 있다. 필사자의 성별이나 취향에 따라 군담, 여성 수난담, 늑혼 갈등 등이 확대 또는 축소되었을 것으로 보인다. 현전하는 이본들의 필사기를 통해 밝혀진 필사 연대가 대부분 19세기 말 또는 20세기 초인 것으로 보아 19세 중반 이후에 창작되어 널리 읽히다가 20세기 들어 국문활자본으로도 출간된 것으로 추정된다.

3. 구성 및 내용

『김진옥전』은 이본이 많은 만큼 이본에 따른 차이도 적지 않다. 핵심 사건이 크게 다르지는 않지만 등장인물의 이름, 세부적인 서술 및 묘사 등은 상당한 차이를 보인다. 영남대본에는 공주 일파가 태자를 죽이고 역모를 꾀하려는 내용은 없고, 진옥 부부의 죽음도 기술되지 않는다. 주요 인물인 김진옥의 부친, 아내, 아들은 각각 김혜랑, 옥낭자, 애윤으로 표기된다. 구활자본이나 분량이 긴 필사본에 비하면 다소 축약된 형태라고 할 수 있다. 『김진옥전』에는 주인공 진옥을 돕는 현몽과 조력자가 끊임없이 등장하고, 모든 것을 팔자소관으로 돌리는 운명론적 세계관도 짙게 드러난다.

영남대본의 줄거리는 다음과 같다.

김혜랑 부부는 늦도록 자식이 없어 슬퍼하다 한 노승의 말을 듣고 명산에 올라가 지성으로 발원한다. 꿈에 한 쌍의 선녀로부터 귀자를 점지 받고 이후 일개 옥동자를 낳아 이름을 진옥이라 한다. 오륙 세 된 진옥은 호산 화초암의 설동도사를 찾아가 수학한다. 진옥의 부친은 남선우의 침입을 물리치려다 간신에게 잡혀 무인절도에 원찬되고, 모친은 진옥을 찾아가다 노승을 만나 삭발위승하고 세월을 보낸다.

화초암에서 공부하던 진옥은 화산도사를 만나 다시 학업에 힘쓰다 도사를 하직하고 부모를 찾아간다. 한 도사를 만나 여복을 받고, 삼장사 청의동자, 행남산 노고, 용보사 화주승, 장릉땅 문복인 등을 만나고 부남땅 제선군 환갑잔치에도 가게 된다. 태산에서 백발노인을 만나 팔자는 도망하기 어렵다는 말을 듣고 다시 고향으로 발길을 돌린다. 주점에서 꿈을 꾸고 꿈속에서 미색의 낭자를 만난다. 다음 날 꿈속에서 보았던 곳을 찾아가 옥승상 댁에 이른다. 진옥은 여복을 입고 옥승상의 딸 향금을 만나 한 방에 있다가 자신이 남자인 것을 밝히고 운우지정을 나눈다. 진옥은 옥낭자와 이별한 후 고향에 들렀다가 황성에 가서 과거를 보고 장원급제한다.

황제의 딸 황금공주가 진옥을 보고 반하여 청혼하나 진옥은 옥낭자와 결혼했다 하고 거절한다. 진옥은 옥승상댁에 들러 인사를 하고 간다. 옥낭자는 배승상의 아들과 정혼하고 진옥이 급제 후 왔다 간 일도 알게 된다. 옥승상은 옥낭자가 진옥과 성혼했다는 사실을 알고 낙담한다. 옥낭자는 청조에게 편지를 부치고 진옥이 편지를 받아본다. 황제는 옥승상을 불러 진옥과의 정혼 사실을 물으나 옥승상은 그런 일이 없다 하고 진옥은 사실을 말한다. 승상은 집으로 돌아와 딸을 죽이려 들고, 옥낭자가 자결하려 하자 부인이 중재하여 결국 진옥과의 혼사를 정하고 황제도 허락한다.

남선우가 동돌공으로 선봉을 삼아 쳐들어오고, 진옥이 대원수를 맡아 출정하여 승리를 거둔다. 돌아오는 길에 태풍을 만나 길을 잃은 진옥은 한 섬에 이르러 부친을 만나게 된다. 고국으로 향하던 중 수국을 범한 동국 대병을 물리쳐 달라는 용왕의 부탁을 받는다. 중국에서는 진옥이 사라진 것을 알게 되고, 공주는 진옥과 성혼하지 못한 것을 불쾌하게 여겨 옥승상과 옥낭자, 그리고 진옥의 아들 애윤을 모해한다. 수국에서 적병을 물리친 진옥의 꿈에 화산도사가 나타나 급히 가서 옥낭자를 구하라고 일러준다. 용궁에서 비단, 진주, 야광주, 부채 등을 얻어 돌아온다.

황명으로 한수물에 던져진 애윤은 통판에게 구조된다. 진옥은 꿈을 통해 옥낭자의 목숨이 경각에 놓인 것을 알게 되고, 용궁에서 얻은 물건들의 도움을 받아 장안을 향하던 중 아들 애윤을 만난다. 황제를 만난 진옥은 그간의 사정을 알려주는 용왕의 편지를 보고 진옥이 도망한 것이 아님을 알게 된다. 진옥 일가를 모해하던 증동한은 죽임을 당하고 공주는 용서받는다. 화산도사가 진옥의 모친 있는 곳을 알려주고 온 가족이 재회한다. 애윤은 장원급제하고 한림학사를 제수받는다. 진옥 일가는 화산도사의 은혜에 감사한다.

4. 가치 및 의의

『김진옥전』은 필사본과 활자본을 합하면 60여 종이 넘는 이본이 전하고 있어 상당히 인기 있었던 작품임을 짐작할 수 있다. 영웅소설의 자장 속에 있으면서 주인공의 수난을 통한 감상성과 운명론적 세계관이 강화된 작품으로, 고전소설 말기 작품의 한 단면을 보여준다.

『김진옥전』의 이본은 국문필사본 51종, 국문활자본 13종이 전하고 있으며 방각본은 없다. 표제는 대체로 '김진옥전' 또는 '진옥전'이다. 연세대·고려대·단국대 도서관 등에 다수의 이본이 소장되어 있으며, 『필사본고소설자료총서』에도 여러 이본이 실려 있다. 대부분이 단권의 형태인데 세책본으로 알려진 동양문고본은 4권 4책이다. 영남대 도서관 도남문고에는 필사본 외에 1914년에 발간한 덕흥서림본 국문활자본 『김진옥전』도 소장되어 있다.

영남대 도남문고본 『김진옥전』은 1권 1책 완본의 국문필사본으로, 필사자와 필사시기가 밝혀져 있고 필사 및 보관상태가 매우 좋다. 이본 연구의 대상으로도 아직 거론되지 않아 『김진옥전』 이본 연구에 필요한 중요한 자료이다.

박은정

[핵심어]

김진옥전, 도남문고, 영웅소설, 인천 용동 임형상, 김진옥, 옥낭자, 애윤

[참고문헌]

김경숙, 「『김진옥전』 연구」, 『연세어문학』 21, 연세대학교 국어국문학과, 1988.

노상진, 「『김진옥전』의 이본 양상과 서사구조」, 서남대 교육대학원 석사학위논문, 1999.

조희웅, 『고전소설 이본목록』, 집문당, 1999.

內訓

서　　명：內訓

편 저 자：昭惠王后

판 사 항：金屬活字本(戊申字)

발행사항：未詳

형태사항：1冊[零本](全3卷3冊)：四周單邊. 半廓：24.7同.8 cm. 有界, 10行 17字,
　　　　　注雙行, 上下內向四瓣黑魚尾；34.7向.1 cm

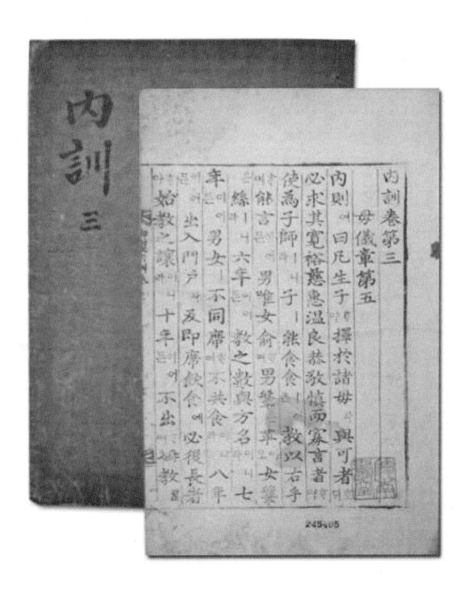

1. 개요

『내훈(內訓)』은 왕실 여성과 사대부 여성들을 위한 유교적 교육서이다. 1475년 (성종 6)성종의 어머니인 소혜왕후(昭惠王后)가 중국의 『소학(小學)』, 『열녀전(烈女傳)』, 『女敎』, 『明鑑』에서 훈육에 요긴한 것을 뽑아 언해한 것이다. 3권 3책이다.

원간본은 1475년(성종 6)에 간행된 것으로 추정되나, 현전하지 않는다. 16세기 이후의 간본을 비롯한 약간의 중간본이 전하고 있다. 1573년(선조 6)의 내사본으로 봉좌문고(蓬左文庫)에 소장된 것이 있다. 1611년(광해군 2)에 훈련도감자로 간행된 3 권 3책의 중간본과 1656년(효종 7)에 목판으로 간행된 3권 3책의 중간본이 전한다. 그리고 1736년(영조 13) 『내훈』을 여조의 명으로 다시 언해하여 간행한 책으로 『어 제내훈(御製內訓)』이 있다. 무신자(戊申字)로 간행된 3권 3책의 책으로, 어휘와 문체 등에서도 이전 이본과 큰 차이를 보인다.

영남대본은 판심제가 '어제내훈'이며, 표제에는 '內訓'이라 필사되어 있다. 표지 내지에는 '쌍이루는증졔일부유시'라 필사되어 있다. 권두 서명은 '內訓 卷第三'이 다. 책의 말미에 '成化乙未(1475)孟冬十月十有五日 尙儀臣曹氏敬跋'이라 찍혀 있다. 무신자 금속활자본인데, 활자의 마모도가 높고 금속활자의 보자가 다소 나타나므로 무신자 후기인 영조 연간 1736년(영조 13) 간행한 것으로 파악할 수 있다.

2. 편 · 저자 및 편찬 경위

『내훈(內訓)』은 1475년(성종 6) 소혜왕후가 『소학』, 『열녀전』, 『여교』, 『명감』에서 여성 교육에 요긴한 부분을 가려 내어 언해한 것이다.

소혜왕후(昭惠王后, 1437~1504)는 조선 제7대왕 세조의 장남인 덕종의 비(妃)이다. 본관은 청주(淸州)이고 서원부원군 한확(韓確)의 6녀이며, 좌리공신(佐理功臣) 치인(致 仁)의 누이동생이다. 어려서부터 유교 교육을 받으며 성장하였다. 두 고모는 명나라 황제의 후궁이 되었고, 아버지는 명나라에서 벼슬을 지내기도 하는 등 지위 높은 가문이었다.

1455년(세조 1) 세자빈에 간택되어 수빈(粹嬪)에 책봉되었으나 세자가 횡사하고 아들인 자을산군이 1470년(성종 1) 성종에 즉위하였다. 세자로서 죽은 남편을 덕종으로 추존하자 덕종비가 되었으며, 이어서 인수대비(仁粹大妃)로 책봉되었다. 성종 10년에는 회간왕비라고 하였다. 따라서 소혜왕후는 수빈에서 인수왕비, 인수대비, 인수왕대비, 덕종비, 회간왕비 등 다양한 이름으로 후세에 알려지게 되었다.

총명하고 학식이 깊어 정치에도 많은 자문을 하였다. 불경에 조예가 깊어 불경을 언해하기도 하였다. 인수왕대비로 책봉된 1475년(성종 6) 부녀자가 지켜야 할 도리에 대한 내용을 담은 『내훈(內訓)』을 간행하였다. 이는 후세에 귀중한 연구 자료가 되고 있다.

연산군이 생모 윤비(尹妃)가 모함에 의하여 폐위, 사사되었다는 사실을 알고 박해를 가하려 하자, 병상에 있던 대비가 이를 꾸짖으니 연산군은 머리로 대비를 받아 얼마 후 대비가 절명하였다. 능은 경릉(敬陵)으로 경기도 고양시 신도면 서오릉(西五陵)에 덕종과 합장되어 있다.

『내훈(內訓)』의 편찬 동기는 서문에서 나타난다.

"한나라 정치의 치란과 흥망은 비록 남자 대장부의 어질고 우매함에 달려 있다고는 하지만 역시 부인의 선악에도 달려 있는 것이다. 그러니 부인도 가르치지 않으면 안 된다…(중략)…덕행의 높음을 알지 못하기 때문에 이것이 바로 내가 날마다 한스럽게 여기는 것이다."는 내용이 있다. 당시 소혜왕후의 나이는 39세였고, 궁중에는 시어머니 정희왕후와 세조의 후궁, 예종비 안순왕후와 예종의 후궁, 덕종의 후궁뿐만 아니라 아들 성종의 후궁 등 많은 여성들이 있었다. 또 이때는 성종의 첫 번째 부인인 공혜왕후가 죽고 누가 왕비가 되느냐 하는 아주 중대한 문제가 남아 있었다. 따라서 소혜왕후는 성종의 후궁들 즉, 자신의 며느리들을 훈육하고 기강을 잡을 필요가 있었다.

그녀는 옥심지부(玉心之婦), 즉 며느리들을 교육하기 위해 『내훈』을 집필한 것이다. 이러한 점 역시 서문에 잘 나타나 있다. "나는 홀어미인지라 옥 같은 마음의 며느리를 보고 싶구나. 이 때문에 『소학』, 『열녀』, 『여교』, 『명감』 등이 지극히 적절하고 명백한 책이었으나 권수가 많고 복잡하여 쉽게 알아볼 수가 없었으므로, 이에 네 권의 책 가운데에서도 중요하다고 여겨지는 가르침을 취합하여 일곱 장으로 만들어 너희에게 주는 것이다. 한 몸에 대한 가르침이 모두 여기에 있다."라 하여 궁중 여성들의 위계질서를 확립하고 왕가 여인들의 부덕을 가르치기 위해 이 책을 마련하였음을 알 수 있다. 당시에는 여성 교훈서라 할 만한 것이 없었기 때문에 그 필요성이 더욱 컸다. 궁중 여성들에게 부덕을 가르치고 위계질서를 확립하며, 나아가 종친 및 사대부 여성에 이르기까지 유교적 질서에 따르는 여성의 역할을 교육하고자 하였다.

3. 구성 및 내용

책의 서두에 소혜왕후의 「내훈서(內訓序)」와 「목록」, 책 끝에는 상의 조씨(尙儀曹氏)의 「발문」이 있다. 「권1」에는 언행・효친・혼례, 「권2」에는 부부(夫婦), 「권3」에는 모의(母儀)・돈목(敦睦)・염검(廉儉) 등 전체가 7장으로 구성되어 있다.

또한 각 장마다 『여교』・『예기(禮記)』, 공자・사마온공(司馬溫公) 등 40여 종의 경전과 제가설(諸家說)을 인용하였고, 문왕(文王)의 어머니 태임(太任) 등 50여 명의 행장을 인용하여 여성 행실의 실제와 경계할 내용을 밝히고 있다.

「제1장」 언행

부녀자의 말과 행실에서 주의할 점을 서술하였다. 말은 인간관계를 친밀하게도 하고 멀어지게도 하며, 크게는 한 나라를 망치게 하는 것이므로 반드시 입을 조심하여야 함을 강조하였다.

행실에 대하여는 음식 먹을 때, 남녀가 함께 있을 때, 남의 방에 들어갈 때의 행동 등을 자세히 밝히고 있다. 특히 현모양처의 교육적 인간상을 그리면서 부덕(婦

116

德)·부언(婦言)·부용(婦容)·부공(婦功)의 여유사행(女有四行)이 있음을 밝혔다.

「제2장」효친

어버이에 대한 올바른 효도 방법을 밝혔다. 친가의 부모뿐 아니라 시가 부모를 모시는 법, 부모가 살아 있을 때와 죽은 뒤의 효도법을 상세히 다루고 있다.

「제3장」혼례

혼례의 뜻과 혼수감에 대한 기본자세, 혼인 뒤의 마음가짐 등을 설명하였다.

「제4장」부부

부부 사이에 지켜야 할 도리를 밝힌 부분으로, 부부의 도를 음양의 이치로써 설명하고, 남편에 대한 예의와 마음가짐 등을 정의한 뒤 역사적인 사실을 특별히 많이 인용하여 아내의 도리를 강조하고 있다.

「제5장」모의

어머니로서의 예의범절을 밝힌 부분이다. 유모의 선택에서부터 자식의 연령에 따른 교육방법, 시어머니로서의 마음가짐과 며느리에 대한 교육 등을 설명하였다.

「제6장」돈목

정애(情愛)와 화목에 대한 것으로서 동서 또는 친척들과 화목하게 지내는 방법을 밝혔다.

「제7장」염검

청렴과 검소의 정신으로 어떻게 생활하고 손님을 대접하며, 관직에 있는 남편을 어떻게 보필할 것인가 등을 밝히고 있다.

4. 가치 및 의의

『내훈(內訓)』은 소혜왕후가 왕실 여성들을 훈육하기 위해 편찬한 여성 교육서이며, 사회적으로 풍속을 정화하고 교화하려는 데 목적이 있었다. 그런데 나아가 조선시대 여성 이념 형성에 큰 역할을 하였고, 여성의 손에 의해 여성을 위해 만들어진 우리나라 최초의 여성교육서가 되었다. 이 책은 궁중용어를 비롯한 다양한 어휘 등으로 독특한 국어사 자료가 되며, 옛날 여성들의 생활규범을 알려주어 오늘날의 여성에게 교훈이 된다는 점에서 현대적 가치가 있다.

1475년에 간행된 원간본은 전하지 않으나 16세기 이후의 간본을 비롯한 약간의 중간본이 알려져 있다. 호사문고[蓬左文庫]에 소장된 을해자본(乙亥字本)은 내사기에 의해 1573년의 것으로 확인된다. 국내본으로는 1611년(광해군 2)에 훈련도감자본, 1656년(효종 7)에 목판본이 전한다. 언어적 특성은 1611년판이 오히려 원간본의 모습에 가깝다. 1656년판은 1611년판을 답습한 것이다. 1736년(영조 13)에는 『어제내훈(御製內訓)』이 무신자(戊申字)로 간행되었다. 최근 16세기 중간본으로 보이는 권1 제1책의 영본(零本)이 국내에서 발견되었다.

1573년판은 1969년 연세대학교 인문과학연구소에서, 1611년판은 1974년 아세아문화사에서 영인본으로 출판되어 널리 이용되고 있다.

영남대본은 무신자 금속활자본인데, 활자의 마모도가 높고 금속활자의 보자가 다소 나타나므로 무신자 후기인 영조 연간 1736년(영조 13) 간행한 것으로 파악할 수 있다. 영남대 도남문고의 무신자본으로는 『내훈』을 비롯하여 청의 장겸의가 찬한 『사서광주』 20책, 『근사록』 4책, 이이의 『성학집요』 7책이 있다.

언어학 측면에서 볼 때 『내훈』은 목록과 발문을 제외한 모든 한문에 구결을 달고 번역을 하였으며, 간혹 번역문 안에 주석을 넣어서 이해하기 쉽도록 하였다.

1611년과 1656년 간행본은 목록과 발문을 제외한 모든 한문에 구결을 달고 언해하였으며, 1737년 간행본은 소지(小識)와 발문도 한문과 언해를 함께 실었다. 1611년 · 1656년 · 1737년 간행본은 한자음 표기와 어휘 · 문체 등에서 국어사적인 변화를 보여주는 중요한 자료가 된다. 예를 들어, 1611년판의 "襃(봉)似숭의 榮

웡寵통과 驪링姬깅의 우룸과 飛빙燕현의 하리예 니르러"라는 대목이 1656년판에는 "褒포姒ᄉ의 榮영寵통과 驪려姬희의 우름과 飛비燕연의 하리예 니르러"라고 되어 있고, 1737년판에서는 "褒포姒ᄉ의 고임과 驪려姬희의 우름과 飛비燕연의 하리에 니르러"로 변했다. 1611년판과 1656년판은 얼핏 동일한 판본으로 보이지만, 1656년판에서는 동국정운식(東國正韻式) 한자음 표기가 지양되고 있음을 알 수 있다. 紂(뜡 / 듀), 惑(훽 / 혹), 妲(닳 / 달), 罰(뻟 / 벌), 炮(뽛 / 포) 등이 그러한 예이다.

또한 1737년 간행된 『내훈』의 궁중어로는 관직(관원, 군신, 닉슈, 닉신, 안신하, 시신, 신하, 어쟈, 귀인, 궁인 궁쳡, 동녈, 비즈 시녀, 졔귀인), 인륜(군왕, 님금, 대군, 대왕, 뎨, 뎨왕, 듀상, 부마, 셩왕, 션왕, 오라비, 태즈, 폐하, 가, 대비, 비, 비빈, 빈, 쇼군, 후궁, 희, 후, 젼하), 의복(관뎌, 구, 위뎍), 음식(슈라, 어챤, 어션, 탕), 신체(셩톄), 집(건쳥궁, 궁금, 궁, 궐, 남궁, 니궁, 당츄궁, 듕궁, 륙궁, 봉션뎐, 어부, 익뎡, 태묘, 태즈궁, 후뎐, 즘져, 종묘, 홍문각), 못(운몽유), 원(궁듕, 뎐뎡, 원유, 탁룡, 원, 후원), 문(탁룡문), 마을(궁졍ᄉ), 자리(궁위), 장식品(환패, 보요, 왕젹슈, 이, 즘), 수레(왕쳥개거, 이거, 안거), 기구(져), 벼슬(관녀후, 광록경, 교위, 대축, 됴후, 듄뎐낭중, 복파, 봉례, 사도, 시쟝, 알쟈, 위위, 황문, 호분듕랑쟝, 녀ᄉ, 직인), 말(간, 계옥, 셩언), 정신(셩명, 셩심), 의례(비알, 봉쟉, 봉, 봉후), 가족(옥엽) 등이 있다.

김남경

[핵심어]

내훈, 어제내훈, 금속활자본, 무신자, 소혜왕후, 최초 여성 훈육서

[참고문헌]

방향옥, 「『어제내훈』의 궁중어 연구」, 『새국어교육』 76, 한국국어교육학회, 2007.

이성연, 「『내훈』과 『어제내훈』 비교 연구」, 『인문학연구』 24, 조선대학교 인문학연구원, 2000.

한국정신문화연구원, 『한국민족문화대백과사전』, 한국정신문화연구원, 1996.

한희숙, 「조선초기 소혜왕후의 생애와 『내훈』」, 『한국사상과 문화』 27, 한국사상문화학회, 2005.

農家集成

서　　　명：農家集成
편 저 자：신속(申洬, 1600-1661)
판 사 항：金屬活字本(顯宗實錄字本)
발행사항：1678년(숙종 40)
형태사항：1冊：四周單邊, 半廓 25.8吋.1 cm, 有界, 10行 20字, 注雙行, 上下內向四
　　　　　瓣黑魚尾 ; 33.3×19.1 cm

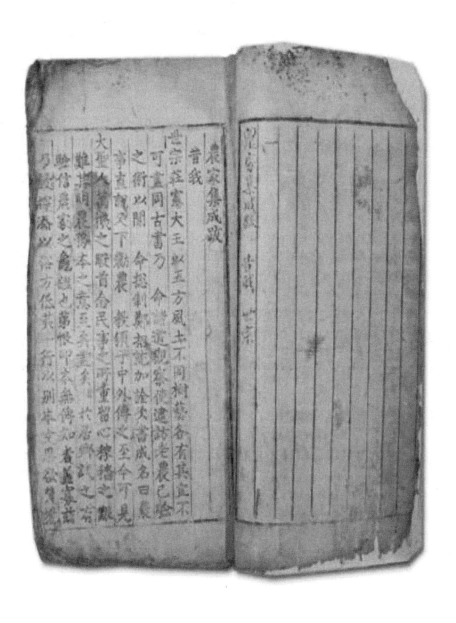

1. 개요

『농가집성(農家集成)』은 다양한 농서를 수집 정리한 것으로, 농업을 권하고 농업 기술을 설명한 책이다. 1655년(효종 6) 신속(申洬)이 조선전기에 간행되었던 「농사직설(農事直說)」과 강희맹의 저술인 「금양잡록(衿陽雜錄)」을 개수·합편하고 「사시찬요초(四時纂要抄)」와 함께 엮은 것이다. 1권 1책의 목판본이다.

이 책의 이본으로는 1655년의 초간본, 1656년 지방 간행본, 1678년 현종실록 자본, 1686년 본, 19세기까지 이어지는 각종 필사본들이 전한다. 조선 전기에 출간되었던 『농사직설(農事直說)』·『금양잡록(衿陽雜錄)』·『사시찬요초(四時纂要抄)』의 세 농서를 기본으로 세종의 「권농문(勸農文)」과 주자(朱子)의 「권농문(勸農文)」 등을 보충·증보한 것이나, 이본에 따라 「사시찬요초」와 「금양잡록」으로만 구성되어 있거나, 「금양잡록」만 있는 영본도 있다. 또한 부록으로 편자인 신속의 「구황촬요」를 부록으로 실은 것도 있다.

영남대본은 표제에 '勸農'이라 필사되어 있다. 첫 장에는 1행에 '勸農 敎文'이 있고, '世宗大王卽位二十六年'이라 판각되어 있다. 이어 '農家集成跋'이 실려 있다. '勸農敎文 - 農家集成 - 農事直說 - 衿陽雜錄 - 四時纂要抄'로 구성되어 있다. 영남대본은 금속활자본인 현종실록자(『현종실록』을 인출하기 위하여 만든 동활자(銅活字))로 간행된 것으로 1678년의 것으로 파악된다.

2. 편·저자 및 편찬 경위

『농가집성(農家集成)』은 1655년(효종 6) 신속(申洬)이 『농사직설』, 『금양잡록』, 『사시찬요초』의 세 농서를 기본으로 세종의 「권농문」과 주자의 「권농문」 등을 보충·증보한 것이다.

신속(申洬, 1600~1661)은 조선시대 문신이다. 본관은 고령(高靈)이고. 자는 호중(浩仲), 호는 이지(二知)이다. 군수 석정(碩汀)의 증손으로, 할아버지는 서윤(庶尹) 단

122

(潚)이고, 아버지는 승지 경락(景洛)이다. 어머니는 파평 윤씨(坡平尹氏)로 기묘(起畝)의 딸이다.

1624년(인조 2) 명경시(明經試)에 응시하여 합격하지 못했으나, 시험관의 천거로 별제(別提)에 제수되었다. 이어 충훈부도사(忠勳府都事)·호조낭관·옥천현감 등을 역임했고, 1644년 20년의 노력 끝에 과거에 급제하여, 춘추관편수관, 사헌부의 지평, 장령, 세자시강원 필선 등을 역임하였다. 그런데 외숙인 김자점이 역모에 연루되어, 연안 현감으로 좌천되었고, 양주 목사, 청주 목사, 공주 목사 등 지방관으로 지내면서 실무에 힘쓰고 개혁을 하되 급격히 하지 않아 힘들이지 않고 많은 일을 했다.

7대조 신숙주(申叔舟)의 문집인 『보한재집(保閑齋集)』을 1644년에 개간, 보급하였다. 1655년(효종 6) 공주목사로 있을 때 『농사직설(農事直說)』의 간행본을 구하기 어려운 것을 한하며, 당시의 달라진 농업기술을 첨가하는 한편, 『권농문(勸農文)』·『금양잡록(衿陽雜錄)』·『사시찬요(四時纂要)』 등을 함께 묶어 『농가집성(農家集成)』을 편찬하였다. 이 책은 그의 대표적인 업적이며, 17세기 농업기술을 연구하는 데 요긴한 자료이다.

『농가집성』의 간행에 대하여는 1655년(효종 6), 신속이 공주 목사로 재직 시 농서를 편찬하여 목판에 새긴 다음 200질을 인쇄하여 진상하였고, 조정에서는 상을 내렸다. 그러고는 이를 나누어 각 지방(경기, 황해, 강원, 함경, 평안, 전라, 경상도)으로 보냈다.

신속이 『농가집성』을 편찬할 당시에는 농업 문제로 골몰하던 때였다. 임진왜란과 병자호란 등으로 국가적으로 전후복구체제였고, 기후 또한 저온현상, 장기지속적 가뭄현상, 일시 집중 홍수현상 등으로 흉년이 지속되고 있었다. 이러한 상황에서 『농가집성』은 주곡을 다루고 있으면서, 실질적이고 효율적인 농업 기술에 대한 정보를 다루고 있었다. 『농가집성』은 매우 유용한 서적으로 효종과 조정의 적극적인 후원을 받았다.

그 후 신속의 『농가집성』은 지속적으로 간행되었다. 영조 때에도 농사를 권면하는 지시를 내리고, 『농가집성』 8질을 인출하여 8도에 보내고 다시 인쇄하여 널리 알리라 하였다. 이어 정조 때에도 『농가집성』을 참고하여 농서를 만들어야 함을 거론하였다.

이후 19세기인 1806년(순조 6) 전라도 태인의 출판업자인 전이채(田以采)와 박치유(朴致維)에 의해 『농가집성』이 방각본으로 간행되면서, 상업적인 출판물로 제작되어 유통되었다.

3. 구성 및 내용

『농가집성(農家集成)』은 신속(申洬)이 『농사직설(農事直說)』, 『금양잡록(衿陽雜錄)』, 『사시찬요초(四時纂要抄)』의 세 농서를 기본으로 세종의 「권농문(勸農文)」과 주자(朱子)의 「(권농문)勸農文」 등을 보충·증보한 것이다.

책의 구성 순서는 「서문」-『권농교문』-『농사직설』-『권농문』-『금양잡록』-『사시찬요초』-「발문」과 같다.

책에는 송시열의 서문이 있고, 『권농교문』이 이어진다.

『농사직설』에서는 15세기의 『농사직설』을 증보한 내용으로 「조도앙기(早稻秧基)」라는 항목을 증설하여 올벼의 이앙을 장려하였으며 「화누법(火耨法)」의 조항에서는 잡초와 병충해 제거를 위해 논에 불을 질러 화근(禍根)을 제거하는 방법을 소개하였다.

『금양잡록』은 경기도 안양 근방의 농법을 소개하였던 것인데, 「농가(農家) 곡품(穀品)」, 「농담(農談)」, 「농자대(農者對)」, 「제풍변(諸風辨)」, 「종곡의(種穀宜)」, 「농구(農謳)」의 6부문으로 나누어져 있다. 「농가 곡품」에서는 곡식 작물의 품종별로 이삭과 열매의 형상·색깔, 환경에 대한 적응성, 수확기 등의 내용이 설명되어 있는데, 곡식 작물의 이름 80여 가지에 대해 한자명과 아울러 이두식 표기가 실려 있고, 60여 개의 한글 표기가 나타난다.

『사시찬요초』는 중국의 『사시찬요』와 달리 조선의 실정에 맞게 변형되었는데,

이는 조선의 실정에 맞는 월령 농서의 성격을 가지며, 곡류보다는 채소류와 목면·마·홍화·람초 등 상업성 작물을 중점적으로 소개하였다. 특히 목면과 같이 상업성이 강한 작물의 전업(專業) 농업이 소개되었다는 점에서 『농가집성』의 성격을 짐작할 수 있다. 목면의 재배 방법으로 목면의 적지와 기후 조건, 파종과 시비법 등을 자세하게 설명하였다.

4. 가치 및 의의

17세기 당시의 농업 환경과 농업 기술 수준, 농업의 중요성 등을 파악할 수 있다. 또한 당시의 기후를 짐작할 수 있는 정보도 담겨 있다.

15세기 『농사직설』을 주된 서적으로 삼아, 조선 전기의 농서를 기본으로 하였으나 17세기 농업 환경의 실정에 맞게 새로운 농업 기술을 추가하였으므로 농법의 변화상을 알 수 있다. 이앙법의 적극적인 보급을 주도하였고, 상업적 농업(農業)의 길을 소개하였으며, 관개(灌漑)와 함께 훼손된 수리 시설의 부족 문제를 해결하는 문제가 고려된 점 등 농업사적인 의의가 크다. 또한 17세기 전반에 걸쳐 나타난 온도 저하 현상에 따른 농법 대책이 반영되어 있어, 당시의 기후를 추정할 수 있다.

이 책의 이본으로는 1655년의 초간본, 1656년 지방 간행본, 1678년 현종실록자본, 1686년 본, 19세기까지 이어지는 각종 방각본과 필사본들이 전한다.

영남대본은 금속활자본인 현종실록자(『현종실록』을 인출하기 위하여 만든 동활자(銅活字))로 간행된 것으로 1678년의 것으로 파악된다.

김남경

[핵심어]

농서, 신숙, 농사직설, 권농, 금양잡록, 사시찬요초

[참고문헌]

노기춘, 송일기, 「조선조 농서의 서지학적 연구」, 『한국정보관리학회 학술대회 논문집』, 한국
　　　정보관리학회, 1995.

디지털 한글박물관(http://www.hangeulmuseum.org).

박근필, 「기후와 농업의 미시분석을 통해 본 『농가집성』 편찬의 배경」, 『농업사연구』 4, 한국
　　　농업사학회, 2005.

서울대학교 규장각한국학연구원(http://kyujanggak.snu.ac.kr)

이선아, 소순열, 「조선시대 농서의 지역적 간행의 의의」, 『농업사연구』 5, 한국농업사학
　　　회, 2006.

한국정신문화연구원, 『한국민족문화대백과사전』, 한국정신문화연구원, 1996.

同居稧案

서　　　명 : 同居稧案
편 저 자 : 筆寫本
발행사항 : [일제강점기]
형태사항 : 1册(4張) : 無界 ; 22.0×20.0 cm

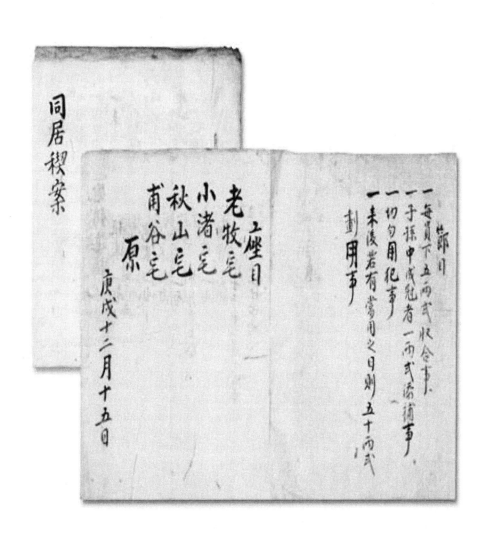

1. 개요

경상북도 예천군 용문면 대제리 일대에 거주하던 함양박씨(咸陽朴氏) 일족(一族)이 결성한 '동거계(同居稧)' 관련 자료를 엮은 성책문서(成册文書)이다.

함양박씨 가문이 예천 지역에 거주하기 시작한 것은 박종린(朴從鱗, 1496~1553)이 말년에 벼슬을 그만두고 처향(妻鄕)을 따라 예천군 용문면 상금곡리에 우거(寓居)하면서부터이다. 이후 박종린의 6세손 박세주(朴世柱, 1652~1727)가 용문면 대제리로 이거하면서 이곳에서 대를 이어 거주하면서 함양박씨 집성촌이 형성되었다.

'동거계'는 대제리에 정착한 함양박씨 일족들이 결성한 모임으로, 소략한 자료로 인해 어떠한 모임이었는지 구체적으로 밝힐 수 없다. 다만, 조선시대 이래 함양박씨 가문은 향촌사회에서 경제적 기반을 확충하기 위해 여러 결사(結社) 및 계(契) 조직을 결성하였는데, 동거계 역시 그 중 하나로 짐작된다. 결성시기 또한 기록이 없어 정확히 알 수 없으나, 본 자료의 내용으로 미루어 보아 1910년경으로 추정된다.

자료의 표제는 『동거계안(同居稧案)』이며, 계원으로 참여한 집안의 명단인 좌목(座目)과 동거계 운영과 관련된 재정사항 등이 수록되어 있다. 현재까지 확인된 자료 중 '동거계'와 관련된 기록은 본 자료가 유일하다.

『동거계안』은 함양박씨 후손이 소장해 왔으나, 1995년 12월 함양박씨 문중에서 소장해오던 고서(古書) 및 고문서(古文書) 등과 함께 영남대학교에 기증되어 1996년 4월부터 영남대학교가 중앙도서관 미산문고(味山文庫)로 지정, 관리하고 있다.

2. 편·저자 및 편찬 목적

『동거계안』은 편·저자 및 편찬 경위 등이 기록되어 있지 않아 이를 밝히는 데 어려움이 따른다. 편찬 시기 또한 동거계의 운영과 관련한 중요 사안을 그때그때 기록하기 위해 성책(成册)한 것이라 각기 문건마다 그 시기가 다르다.

3. 구성 및 내용

『동거계안』은 1책 4장 필사본(筆寫本)이다. 절목(節目), 좌목(座目), 관전추보기(冠錢追補記), 편전기(便錢記)로 구성되어 있으며, 각 문건은 시간 순서대로 수록되어 있다.

서두에 수록된 절목(節目)은 동거계의 기본 운영 지침에 관한 자료이다. 총 4개의 조항으로 그 내용은 아래와 같다.

하나, 매원(每員) 5냥씩 내어 수합할 것

하나, 자손 중 관례를 행하는 자는 1냥씩 더 보충할 것

하나, 절대로 용범(用犯)하지 말 것

하나, 내후(來後)에 만약 상용(常用)하는 날이 있으면, 50냥씩 획용(劃用)할 것

4개의 절목은 모두 금전과 관계된 내용으로 동거계의 운영 목적이 자금 형성에 있었음을 짐작게 한다. 절목에 표기된 매원(每員)은 1인이 아닌 1택(宅) 즉, 한 가구(家口) 단위로 설정하였다. 계원의 자손 중 관례(冠禮)를 행하는 자가 있을 경우 1냥을 추가 징수하는 절목이 있는 것으로 보아 성인이 된 계원의 자손은 자신의 의사와 상관없이 동거계에 포함된 것으로 추정된다.

두 번째 문건인 좌목은 1910년(庚戌) 12월 15일에 작성된 것이다. 동거계가 결성될 당시 계원의 명단으로 보인다. 계원은 성명이 아니라 택호(宅號)로 기재해 놓았는데, 노목댁(老牧宅)·소제댁(小渚宅)·추산댁(秋山宅)·보곡댁(甫谷宅) 총 4가구가 수록되어 있다. 노목·소제·추산·보곡 등은 예천군과 인근 문경시에 소재한 지명으로, 함양박씨 가문과 혼인관계를 맺은 가문의 소재지로 짐작된다. 즉, 동거계의 구성원인 4개의 가구는 모두 혼인 등을 통해 맺어진 함양박씨 가문의 일족으로, 이들을 구분하기 위해 각 집안의 처가(妻家)나 외가(外家)가 위치한 곳을 택호로 사용하여 좌목을 작성한 것으로 보인다.

세 번째 문건인 관전추보기(冠錢追補記)는 말 그대로 관전, 즉 일종의 '갓돈'을 추가로 납부한 기록이다. 절목에서 관례를 행하는 자손이 있는 집안은 1냥씩 추가 납

부한다는 규정을 따르고 있다. 관전은 세 시기에 걸쳐 기록되었는데, 그 내역은 다음과 같다.

1910년 12월 15일	1912년 12월 15일	1927년 12월 13일
근수(根洙) 1냥 긍수(肯洙) 1냥 만수(晩洙) 1냥 홍수(弘洙) 1냥 희수(熙洙) 1냥	인수(仁洙) 1냥 혜수(蕙洙) 1냥	용수(容洙) 20전 재수(載洙) 20전 기수(紀洙) 20전 정수(挺洙) 20전 연수(淵洙) 20전 흠수(欽洙) 20전 영조(榮祖) 20전 영규(榮奎) 20전
합계 5냥	합계 2냥	1원 60전

1910년 12월 15일의 관전 납부는 처음 좌목이 작성되었을 당시 이제 갓 관례를 행하는 자손들에게 부여된 것으로, 절목대로 1냥씩 납부하였다. 1912년에는 2명이 추가되어 2냥이 추가 납부되었다. 이로 인해 1912년까지 계를 구성하고 있는 네 집안이 각기 5냥씩 납부한 것과 관전 7냥을 합하여 모두 27냥이 모여진 것으로 나타난다. 이어 1927년에는 모두 8명의 자손에게 관전을 납부받았는데, 이때는 일제강점기 때 통용된 새로운 화폐 단위를 적용하여 장부를 작성하였다. 이로 인해 8명이 각기 20전씩 납부하여 1원 60전의 관전이 모였으며, 동거계의 자금이 도합 10원 40전이 되었다고 말미에 기재해 놓았다. 모여진 자금의 액수로 보아 동거계가 결성된 지 17년이 흐르는 동안 어느 정도 자금의 증식과 활용이 이루어졌던 것을 알 수 있다. 다만, 해당 기간 사이의 재정 관련 기록은 별도로 확인되지 않는다.

네 번째 문건인 편전기(便錢記)는 1927년까지 동거계가 모은 자금 10원 40전을 대부(貸付)한 것에 대한 기록이다. 아래와 같이 기재되어 있다.

이계동(李桂同) 8원 80전 이(利) 3원 52전
광원댁(廣院宅) 1원 60전 이(利) 48전

채무자, 원금, 이자를 명기하고 있는데 상환기간은 명기되어 있지 않다. 다음에 수록된 1928년의 편전 기록으로 보아 상환기간은 1년으로 추정된다. 채무자는 이계동과 광원댁으로, 이계동의 출처는 불분명하나 광원댁은 함양박씨 일족으로 택호를 사용한 듯하다. 따라서 대부는 같은 동리나 인근 지역에 거주하는 일족이나, 일반인들을 대상으로 이루어진 것으로 짐작된다. 이자율은 약 38.5%로 10원 40전의 자금으로 4원의 이자수익을 올리고자 하였다.

마지막에 수록된 문건은 1928년(戊辰) 11월 25일 편전기록이다. 1927년 채무자 광원댁이 원금과 이자 일부를 상환하자, 이것에 대한 집행 계획을 기재한 것이다. 1927년 편전기를 보면 광원댁이 상환할 금액은 원금과 이자를 합하여 2원 8전이다. 하지만 광원댁은 1원 56전만 상환하였다. 상환된 자금은 모두 촌댁(村宅)으로 출송(出送)하였고, 미수금액 52전은 정수(挺洙)와 영조(榮祖)에게 각각 26전씩 할당되었다. 정수와 영조는 동거계의 계원으로, 1927년에 각각 관전 20전을 납부했던 인사들이다.

4. 가치 및 의의

동거계는 1910년 경상북도 예천군 용문면 대제리 일대에 거주하였던 함양박씨 일족들이 결성한 향촌사회 모임이다. 함양박씨 가문은 조선시대 이래 예천지역에 세거하면서 경제적 기반을 확충하기 위해 여러 결사(結社) 및 계(契) 조직을 결성하였는데, 동거계 역시 그 중 하나로 짐작된다.

『동거계안』은 비교적 시기가 늦은 일제강점기 때 작성된 것이다. 하지만 동거계가 결성된 지역의 범위와 자금의 증식 상황을 기록하고 있는 유일한 자료라는 점은 눈여겨볼 만하다. 함양박씨 일족은 200여 년간 예천군 용문면 대제리 일대에서 세거하며 이 지역 향촌사회를 주도해 왔다. 그들이 재지사족으로서의 지위를 유지한 것은 충분한 경제적 기반이 확립되어 있었기 때문이다. 물론 이들의 경제적 기반 중 가장 큰 비중을 차지하는 것은 당연히 전답의 소출일 것이지만, 조선후기 화폐 유통의 활성화에 따라 이를 이용한 재산 증식도 적지 않은 비중을 차지하고 있었다. 『동거계안』은 재지사족의 재산증식과 관련하여 중요한 자료라 하겠다. 즉, 조선후기 이래 재지사족은 대부(貸付)를 통해 재산을 증식하여 왔는데, 동거계 역시 이러한 전통을 계승하여 계원에게 자금을 갹출, 모여진 자금을 대부를 통해 증식시키는 방식으로 운영하였다. 이자율 또한 조선후기 재지사족들이 소작인이나 지역의 일반 양민에게 적용하던 고리대와 큰 차이를 보이지 않는다. 당시(일제강점기) 은행을 통한 조선인의 대출 이자율은 보통 10% 내외였지만, 일반인 간의 이자율은 30% 이상이었다. 동거계는 이보다 높은 40%에 육박하는 고이자율을 적용하여 자금을 증식하고 있었다. 비록 늦은 시기에 결성된 동거계지만 그 운영 방식은 조선후기 재지사족과 동일하며 그 실태는 『동거계안』에 고스란히 담겨져 있는 것이다. 그러므로 본 자료는 조선후기를 거쳐 일제강점기 때까지 재지사족의 경제적 기반을 살펴보는 데 있어 중요한 역사적 가치를 지닌다 하겠다.

백 지 국

[핵심어]

관전, 계 조직, 동거계, 편전, 대제리, 맛질, 동거계안

[참고문헌]

노영택, 「일제하 농민의 계와 조합운동연구」, 『한국사연구』 42, 한국사연구회, 1983.

안병직 · 이영훈 편저, 『맛질의 농민들』, 일조각, 2001.

향촌사회사연구회, 『조선후기향약연구』, 민음사, 1990.

東京誌

서　　　명：東京誌

편 저 자：崔浚, [鄭寅普 편집, 崔南善 교정으로 추정]

판 사 항：筆寫本

발행사항：[筆寫地未詳]：崔浚 [1910-1930]

형태사항：15冊：(일부) 四周單邊 半廓 20.4×16.6 cm, 有界, 10行20序 ； 32.3× 32.3 cm 그 외는 無邊無界, 책 크기는 일정치 않으나 유사

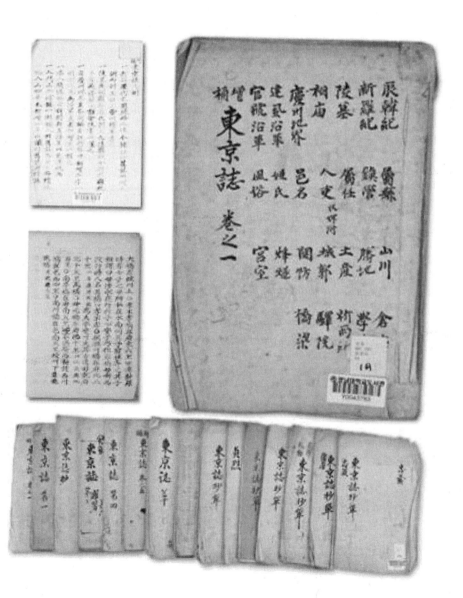

1. 개요

문파문고 고서 중의 『동경지(東京誌)』는 1933년 간행된 『동경통지(東京通誌)』의 원고본이 된 것으로 보이며 그 책의 편·찬자인 정인보와 최남선이 교정하고 첨삭 표시를 한 것으로 추정되는 수정고본(手定稿本) 경주(慶州)의 읍지(邑誌) 필사본이다.

이 책은 표지 서명이 『증보(增補)동경지』인 것 2책, 『동경지』 4책, 『동경지초(東京誌抄)』 7책, 표지 서명이 없는 2책으로 전부 15책으로 필사본인데, 초고본(草稿本) 형태 그대로인 것과 초고본 형태에서 주서(朱書) 혹은 남서(藍書)로 수정과 가필 또는 별첨을 추가하였거나 삭제 표시의 흔적을 고스란히 간직한 교정본 상태이다. 책의 내용과 책 수는 권수의 범례와 경주의 역사, 지리, 행정 등등에 관련한 기초적인 정보를 담은 읍지의 전반부에 해당하는 4책과 읍지의 후반부에 해당하는 경주의 인물 관련 조목 편인 11책으로 크게 구분된다. 이 책은 경주의 마지막 최부자인 문파(汶坡) 최준(崔浚, 1884~1970) 선생이 가장서책 전부를 기증하여 설치된 문파문고 안에 있는데, 이 문파문고의 필사본『동경지』전체를 이 글에서는 고본(稿本)『동경지』라 이른다.

이 고본『동경지』가 작성된 연대는 대략 1930년 전후로 추정된다. 왜냐하면 1933년 간행된『동경통지』를 간행하기 위해 쓰여진 원고본으로 추정하기 때문이다. 또 이 고본『동경지』의 편찬자는『동경통지』와 마찬가지로 정인보로 볼 수 있으며, 문파 최준은『동경통지』가 간행계획 단계에서부터 이 원고본이 쓰여질 때는 물론 간행되기까지의 전 과정을 책임진 역할을 한 것으로 보인다.

조선조는 16세기에 이르러 지리지 편찬 양식이 전국지에서 읍지로 전환하면서 지방의 수령이 중심이 되어 관찬본인 읍지가 각 출현하게 되었다. 신라의 수도인 경주부에서는 인조연간(1623~1649)에 읍지가 있었다는 기록이 있지만, 1669년 민주면이 간행한『동경잡기』의 개간본이 1933년 정인보가 편집한『동경통지』가 나오기 전까지 경주 읍지의 근간이 된 것으로 보인다. 이 고본『동경지』는 새로운 읍지의 필요와 염원으로 경주 최부자인 문파 최준이 중심으로『동경잡기』를 토대로 새로운 읍지 발간을 준비하기 위하여 쓴 원고본으로『동경통지』의 원고본일 가능성이 높은

것이다. 그럴 경우 이 고본 『동경지』의 교정 흔적은 정인보와 최남선의 육필일 가능
성이 있는 것이다. 추후에 필체를 감정해 볼 일이다.

2. 편찬자 및 편찬 경위

『동경통지』 이전에 경주의 읍지로 『동경지』가 인조연간(仁祖年間, 1623~1647)에
간행되었다는 조사도 있지만 경주의 읍지로 근간이 되었고 실재하는 것으로는 『동
경잡기(東京雜記)』이다. 이 『동경잡기』는 경주부사 민주면(閔周冕)이 간행한 것으로,
1711년 경주부윤 남지훈(南至熏)에 의해 중간되었고 1845년 경주부윤 성원묵(成原
黙)에 의해 증보한 개간본(改刊本)이 간행되었다. 고본 『동경지』는 이 개간본을 저본
으로 처음에 등사한 것으로 보인다. 고본 『동경지』의 책 중에 표지 서명이 「(증보)
동경지」인 것이 그 예이다.

아마 『동경잡기』를 단순히 증보할 목적이 있었을 가능성도 있다. 그러나 고본 『동
경지』는 『동경통지』와 더 밀접한 관계가 있는 것으로 보인다. 다음은 『동경통지』의
서문이다.

> '경주를 기록한 것으로는 『東京通誌』와 『東京雜記』가 있고 또 이것을 바
> 로잡은 『東京雜記刊誤』도 있다. 『東京雜記』는 세간에 실전되고 오래되어서
> 참으로 (여러 책으로) 무성해져 계통을 잡는 것이 절박하다 하지 않을 수 없
> 었다. (그래서) 옛것에 대해 넓게 두루 모으고 상세하게 순서를 정하고자 한
> 것이 이 『東京通誌』를 짓게 된 까닭이다. 처음에 경주의 원로들의 공론이 한
> 책으로 모으고자 한 바가 있었는데, 최준이 개연히 자기의 임무로 삼아서는
> 찾아와 네 번 부탁하고 편집(輯綴)을 여러 번 하였다. 그래서 내가 전적(前籍)
> 을 바로잡는 것을 좋아하고 논의해보고 문파의 근면에 감동하여 문필상조의
> 일을 허락하였으니 그 맡은 일이 이미 큰 일이 되어 소홀히 할 수 없어서 서
> 울 사람을 더 참가시켰다. 그러나 일이 급했지만 나날이 지체되었는데 문파

는 나의 마음을 헤아려 재촉하지 않고 오직 박화준 군을 시켜 서울 나의 처소에 자주 왕래케 한 것이 이와 같았고 또 세월이 지났다.'(1933년 정인보)

　이어진 최남선의 서문은, '[경주지(慶州志)는,] 수정해야 할 읍지 혹은 그 읍지를 모두 수정하는 것은 어렵지만 경주의 원로들이 두루 세밀하게 수집하여 훌륭한 역사서로 만들기로 계획하였다. 그래서 최준이 실재 임무를 맡아 드디어 고금의 책을 가져와 유현잠덕이 저술하지 못한 것을 찾아내고 또 전해지는 이야기와 통치체제, 교육, 산업의 변천을 채집하고, 정인보에게 배찬(排纂)을 부탁하여 마침내 끝내게 되었다. 내가 역사 일에 서툰 재주가 있고 또 일찍이 경주에 왕래하여 내용의 추가와 교정을 부탁받았으니 최준의 뜻이 어찌 수고롭고 근면하다 하지 않겠는가?'(1933년 최남선)

이와 같이, 특히 위 서문 중 밑줄 친 부분의 반영이나 결과가 이 고본『동경지』로 봐야 하는 개연성을 높이기 때문이다.

『동경통지』 간행과정에서 문파 최준의 역할은 간행 전반을 책임지는 것으로 보인다. 이전 경주부윤이나 부사가 하던 역할이 문파 최준의 역할과 거의 같았을 것이다. 따라서 이전의 읍지 간행본이 관찬(官撰)이었다면 이 고본『동경지』부터 사찬(私撰)이라 구분할 수 있을 것이다. 간행에 따른 행정 · 재정적 책임을 맡은 문파 최준의 가장서책에 이 고본『동경지』가 있는 것은 그런 연유가 있기 때문일 것이다.

이 책 고본『동경지』가 편찬된 시기는, 인물조 우거편(寓居篇) (V11C)의 '盧泳敬' 항목에 '戊申(1908) 新皇帝(高宗)南巡視 [盧泳敬]承命陛見奉送車架于大邱, 而還杜門 以終 號欽齋有遺稿'이라 내용이 있으니 이 책이 쓰여진 때는 1908년 이후 노영경이 은거했다가 타계한 다음『흠재유고(欽齋遺稿)』가 나온 이후가 되니 대략 1910년이 상한이다. 그러나 위의 두 서문의 내용이나 목차에 의한 내용의 분석으로 보면, 1933년 간행된『동경통지』의 원고본으로 추정이 가능하다. 따라서 이 고본『동경지』의 하한선은 1933년으로 볼 수 있지만,『동경통지』의 원고본으로 좁혀 본다면

이 만들어진 시기는 1930년 전후로 보면 무방할 것이다.

3. 구성 및 내용

고본 『동경지』는 앞서 개요에서 밝혔듯이, 읍지의 전반부인 총론부에 해당하는 각기 독립된 4종의 책이 있는데, 그 책의 목차는 다음의 표와 같다. 이 표에서 「(증보) 동경지」의 목차는 『동경잡기』의 목차와 완전히 같은데, 이것은 고본 『동경지』가 처음에는 『동경잡기』를 단순히 증보하려는 목적으로 계획한 것일 수 있다. '증보'를 소자(小子)로 붙인 표지 서명이 「(增補) 東京誌」를 보면, 이 권책의 본문은 『동경잡기』의 본문을 등사해 놓고 여기에 '[補]'를 한 다음에 추가할 내용을 적어 놓았거나, 간혹 별첨지를 붙혀 놓은 것뿐이다. '증보'라고 한 이유가 되는 것이다.

「동경지(東京誌)초(抄)」와 「동경지」의 목차는 『동경잡기』의 목차와 큰 차이가 나지 않지만 본문의 내용이 완전히 달라진다. 본문이 전부 새로 써졌고 내용이 훨씬 많아졌는데, 특히 「동경지(초)」는 단지 처음부터 권2 「新羅紀(下)」까지를 내용으로 한 것이 거의 『동경지』 전체의 기록량과 맞먹을 정도이다. 그 수록된 내용도 『동경통지』에 훨씬 가깝다.

書 名	「(增補) 東京誌」	「東京誌(抄)」	「東京誌」
張 數	64張, 無欄無界, 10行20字 V1A. 관리번호 Y43783	104張. 無欄無界, 10行20字 V1B. 관리번호 Y43782	83張. 四周單邊, 10行20字 V1C. 관리번호 Y43777
目 次	凡例　　　　　　卷1 辰韓紀 新羅紀 陵墓	凡例　　　　　　卷1 辰韓紀 新羅紀 陵墓 祠廟 建置沿革 官號研沿	凡例　　　　　　卷1 辰韓紀 新羅紀(上) 新羅紀(下)　　　卷2 古今沿革　　　　卷3 郡名-(屬郡/屬縣/鎭管) 地界-(山川/坊同/面里/ 　　　道路/橋梁/堤堰/

目次	祠廟 慶州地界　　　　卷2 建置沿革 官號研沿 屬縣/鎭營/屬任/人吏 邑名/姓氏/風俗/ 山川/勝地/土産 /城郭/關防/烽燧/宮室 /倉庫/學校/祈雨所/ 驛院/橋梁	地勢 位置/面積/郡界 邑名/氣候./姓氏/ 戶口/制度- (官制/兵制/土地制度/ 制/刑制) 交通-(道路/鐵道/橋梁)/ 官公署/風俗/坊里/ 山川/堤堰/土産/學校 倉庫/學校/祠廟/陵墓 祈雨所//城郭/佛宇/ 樓臺/勝地/古蹟/藪	林藪 官制-(屬任/戶口/田結/賦稅 /市) 軍制-(軍額)　　　　卷4 軍案-(姓氏/名宦) 學宮-(鄕校/院祠-旌閭) 勝地-(樓臺/亭堂) 古蹟-　　　　卷5 　辰韓六部/宮殿-公署 　廟社/陵墓/祈雨所/佛宇 　倉庫/城郭/驛院/關防/ 　烽燧/古物-軍器) 雜記-風俗/音樂/土産　卷6 /書籍/技藝/異聞 雜著
형태상 특징	半精書本	精書本	邊欄界線 精書本

　「동경지(초)」와 「동경지」를 서로 비교하면, 「동경지(초)」에 비하여 「동경지」는 간행을 염두에 둔 판각용(板刻用) 정서고본(淨書稿本) 형태이고, 「동경지」를 텍스트로 삼아 「동경지(초)」 내용을 필요에 따라 「동경지」 본문에 추가한 듯하다. 「(증보) 동경지」와 「동경지(초)」가 일반적인 필사본처럼 계선이 없이 대소자 구분 없이 필사한 것임에 비하여, 사주단변의 판식 안에 대소자 구분이 분명하고, 인용한 내용의 출처를 분명히 밝혀주고 있다. 또 사건발생 연대의 간지(干支)를 확인하고 확정한 흔적을 보여주고 있다. 그래서 쓰여진 순서는 「(증보) 동경지」 「동경지(초)」 「동경지」 순이 되리라 본다.

다음은 고본 『동경지』의 후반부인 각 책의 인물조의 목차이다.

서 명	목 차	형태상특징	관리번호
東京誌 (58張)	古蹟: 辰韓六部/宮殿(附公署)/廟祠/陵 墓/祈雨所/佛宇/倉庫/城郭/驛院/關防/ 烽燧/古物(附軍器) 雜記: 風光/音樂/土産/書籍/技藝/異聞 雜著	邊欄界線 精書本	V2C Y43780 "전반부 책"
東京誌 (15張)	人物: 卷4 列傳/忠義/孝友/貞烈	邊欄界線 精書本	V3C Y1657370
增補 東京誌 (45張)	忠義/貞烈/技藝/書籍/題詠/雜著(附補 遺)/異聞	精書本	V4A Y43784
東京誌(新) (41張)	忠義/孝行/孝友/貞烈	精書本	V4B Y43799
(50張)	忠義/孝行/孝友/貞烈	邊欄界線	V4C Y43781
東京誌抄 (12張)	忠義	半精書本	V5C Y43788
東京誌抄 (6張)	孝友	半精書本	V6C Y1657364
(11張)	貞烈	半精書本	V7C Y1657366
東京誌抄 (12張)	貞烈	精書本	V8C Y1657367
東京誌抄 (12張)	蔭仕/科目文武/ 附祠宇	精書本	V9C Y1657368
東京誌抄 (12張)	文學/人物	半精書本	V10C Y1657365
東京誌抄 (3張)	寓居	半精書本	V11C Y1657363

고본 『동경지』의 인물조는 수록 범위를 넓혀 대개 조선의 인물뿐만 아니라 신라
고려조의 인물까지 확장하였다. 또 새로운 인물을 수록하거나 인물에 대한 기존의
서술 부분을 늘렸는데 그 내용은 당시 밝혀 낸 사실과 최신의 정보를 추가한 것이

다. 다만 여기에서도 마찬가지로 위 표의 세 번째 난의 「증보 동경지」의 본문은 『동경잡기』의 인물조 주제항목과 내용을 그대로 옮긴 것에다 약간의 수정을 가했을 뿐이다. 그리고 인물조의 주제항목간 인물이 이동이 있는 것으로 보인다. 결과적으로 인물조의 수록 체계와 내용이 『동경통지』에 근접하고 있다.

4. 가치 및 의의

이 고본 『동경지』가 만들어지게 된 것은 『동경통지』가 쓰여진 목적과 마찬가지로 이전의 읍지가 오래되고 틀림이 많아서 고칠 필요가 있었기 때문이었겠지만, 읍지의 특성이 당시에 채집된 생생한 기록을 수록하는 것이라는 면에서, 이 고본 『동경지』는 가치가 높다 할 것이다. 더구나 『동경통지』와 또 달리 취사선택된 간행본 이전의 초고상태의 원고본이므로 1차 사료로서의 가치가 더 하다 할 것이다. 이와 같은 자료는 향토사나 사회경제사 등의 연구에 귀중한 자료로 쓰일 수 있을 뿐만 아니라 경주의 문화와 역사를 연구하는 데 유일무이한 정보를 제공할 수 있을 것이다. 또한 이 고본 『동경지』의 교정 흔적은 정인보와 최남선의 육필일 가능성이 있는 것이다. 추후에 필체를 감정해 볼 일이다.

권 순 박

[핵심어]

동경지 필사본, 동경통지 원고본, 최준 간행, 정인보 편집

[참고문헌]

東京雜記 / 閔周冕 刊行. 改刊 1845.

東京通志 / 鄭寅普 編輯. 1933

國譯 東京通志 / 黃在炫 飜譯 (慶州 : 慶州文化院, 1990)

서미림, 「조선후기 충청도 회덕읍지의 체재구성과 기록학적 특성」, 『충청문화연구』 제6집,

2011.

양보경, 「18세기 지리서·지도의 제작과 국가의 지방지배」, 『응용지리(應用地理)』 제20호,

1977.

東國詩話

서　　　명 : 東國詩話
판 사 항 : 漢文筆寫本
발행사항 : 未詳
형태사항 : 1册(52張) : 無界, 12行24字 ; 27.8×20.4 cm

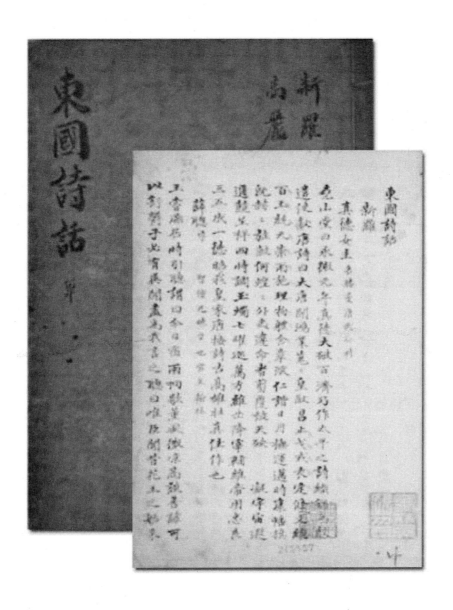

1. 개요

영남대학교에 소장된 『동국시화(東國詩話)』는 1책으로, 신라부터 고려말에 이르는 92인과 조선시대 임금 태조(太祖), 태종(太宗), 세종(世宗) 3인을 포함하여 총 95인의 인적사항과 이들의 시·일화 등과 관련된 시화가 소개되어 있다. 서문이나 발문이 따로 존재하지 않아 『동국시화』가 언제 누구에 의해 편찬되었는지 자세하지 않다. 책 표지에 '동국시화'라는 제목과 함께 '신라(新羅)·고려(高麗)'라는 글씨가 부기되어 있어, 조선시대 임금 3명을 수록하고 있다고 하지만 핵심 대상은 신라와 고려라고 할 수 있다. 『동국시화』는 내용을 검토해본 결과 홍중인(洪重寅, 1677~1752)이 편찬한 『동국시화휘성(東國詩話彙成)』을 축약, 정리, 보충한 것으로 판단된다. 『동국시화휘성』은 단군(檀君)부터 조선 영조(英祖)까지의 인물들을 시대별, 신분별로 나누어 각각 인적 사항을 밝히고 그들이 지은 시 또는 그들에 관련된 타인의 시나 기사(記事) 혹은 일화 등을 모아 엮은 시화집(詩話集)이다. 분량 역시 총 22권 7책의 거질로 한국학중앙연구원·규장각 등에 필사본의 형태로 남아 있다. 현재 서울대 가람문고에는 영남대에 소장된 『동국시화』와 같은 제목의 책이 한 책 전하고 있다. 그런데 서울대 소장 『동국시화』는 조선시대의 임금과 문인들의 시만이 수록된 것으로, 영남대본과 같은 체재로 필사체 역시 흡사하다. 또한 영남대본과 서울대본에는 모두 김찬희인(金贊熙印)이라는 같은 장서인이 찍혀 있어 이 둘이 한 세트였던 것으로 보인다.

2. 편찬자 및 편찬 경위

시화란 시 창작과 관련된 다양한 담론이나 일화, 평가, 우열을 매긴 것으로 중국 송나라에서 발달하여 문학 비평의 중요한 장르가 되어 왔다. 우리나라의 경우는 고려 무신집권기 때 이인로의 『파한집(破閑集)』·이규보의 『백운소설(白雲小說)』·최자의 『보한집(補閑集)』·이제현의 『역옹패설(櫟翁稗說)』 등이 등장하면서, 비평이 발생하고 발전하였다. 하지만 당시는 일화(說話), 사화(史話), 문화(文話) 등이 혼재되어 순연한 시화로 보기 힘든 점이 있었다. 이후 조선이 건국되면서 특히 15~16세기에 필기, 잡록 및 선집의 발달을 비롯하여 시화가 두드러지게 창작되었다. 이를테면 서거정(徐居正)의 『동인시화(東人詩話)』, 성현(成俔)의 『용재총화(慵齋叢話)』, 남효온(南孝溫)의 『추강냉화(秋江冷話)』, 조신(曺伸)의 『소문쇄록(謏聞瑣錄)』 등이 있는데, 고려시대 혼재된 시화의 특성을 벗어나 순수한 시화 중심으로 바뀌게 되었다. 이후 16세기 후반기부터 17세기에 오면 그야말로 시화의 전성시기라고 해도 과언이 아니다. 당시 허균(許筠)의 『성수시화(惺叟詩話)』, 양경우(梁慶遇)의 『제호시화(霽湖詩話)』, 이수광(李睟光)의 『지봉유설(芝峯類說)』, 신흠(申欽)의 『청창연담(晴窓軟談)』, 김득신(金得臣)의 『종남총지(終南叢志)』 등이 편찬되었고, 무엇보다도 고려시대 시화부터 당대에 이르는 24종의 시화를 모은 홍만종(洪萬宗, 1643~1725)의 『시화총림(詩話叢林)』이 등장하였다. 뿐만 아니라 홍중인(1677~1752)이 단군(檀君)시대부터 조선 영조(英祖) 때까지의 인물들을 시대별, 신분별로 나누어 각각 인적 사항을 밝히고 그들이 지은 시 또는 그들에 관련된 타인의 시나 기사, 일화 등을 모아 『동국시화휘성』을 편찬하였다. 『동국시화휘성』은 홍만종이 엮은 『시화총림』과 함께 그 이전까지 나온 역대 시화들을 총정리했다는 점에서 평가를 받는 책이다. 『동국시화휘성』은 『시화휘성(詩話彙成)』이란 제목으로도 남아 전하는데, 『시화휘성』은 홍중인이 역대 임금을 따로 배치하고 왕조별, 시인별로 재편하여 편찬한 것이 특징이다. 이 책이 워낙 방대하다 보니, 후대 축약본이 출현하게 되었는데 바로 『동국시화』가 이에 해당한다. 신라·고려 부분을 다룬 부분을 토대로 그 개황을 살펴보면 다음과 같다.

책수	『동국시화휘성』 수록 인물 (밑줄 친 부분은 『동국시화』 수록 인물임. 단 음영으로 처리된 김인존과 교일, 원감은 『동국시화』에는 등장하지만 『동국시화휘성』에는 등장하지 않음)
권1	檀君 箕子 麗玉
권2	新羅의 赫居世 儒理王 朴堤上 百結先生 花郎 眞平王 金后稷 金庾信 善德女王 眞德女王 黃昌郎 神文王 薛聰 景德王 玉寶高 金可記 憲康王 崔致遠 隱者王巨仁 景哀王 敬順王 東京老人 無名人 金生

권3	高句麗의 東明皇, 乙支文德, 安市城主, 百濟의 義慈王
권4	高麗人 13名(崔承老 崔沖 姜邯贊 吳珣 文宗 朴寅亮 金富儀 金富軾 鄭知常 金黃元 睿宗 郭璵 顯宗). *『동국시화』에는 현종을 최충 앞에 둠
권5	高麗人 27名(姜日用, 鄭襲明, 李之氐, 鄭與齡 崔惟淸 李資玄 崔瀹 金禮卿 權適 李資諒 印份 任濡 毅宗 皇甫倬 林椿 安置民 鄭敍 金莘尹 文克謙 明宗 李仁老 吳世才 金坵 李奎報 金仁鏡 陳澕 韓惟漢).
권6	高麗人 29名(崔滋 金克己 李藏用 李淳牧 趙沖 琴儀 金之岱 兪升旦 安裕 辛蔵 金台鉉 李齊賢 張鎰 權漢功 崔瀣 韓宗愈 忠宣王 李嵒 安軸 洪侃 忠肅王 (金仁存) 李達衷 鄭誧 恭愍王 文益漸 鄭樞 金九容 李穡 鄭夢周 李崇仁)
권7	高麗人 14名(李存吾 元松壽 元天錫 李集 吉再 趙云仡 朴信 柳淑 李仁復 李堅幹 金湊 田祿生 崔瑩 徐甄 高麗宗室).
권8	高麗 僧釋 6名(僧禪坦 僧惠文 僧足庵 (寥一 圓鑑) 僧圓鏡 僧正思 魏元凱).
권9	高麗 娼流 2名(動人紅 于咄).
권10	高麗補遺門 4名(崔鴻賓, 朴公襲, 曺綏方, 無名氏)

『동국시화』에 서문(序文)이나 발문(跋文)이 없어 편자(編者)와 편년(編年)을 알 수 없지만, 영조 이후에 필사된 것으로 보인다. 또한 뒷부분에 이르러 필사체가 바뀐 곳도 눈에 띤다.

위의 표에 나타나듯이, 『동국시화』는 『동국시화휘성』을 토대로 축약, 수정, 첨가를 하였다. 대부분 『동국시화휘성』을 토대로 인물을 발췌하고 시를 재구성하였지만, 일부 순서를 바꾸거나 음영으로 처리된 김인존과 교일, 원감처럼 동국시화에는 등장하지만 『동국시화휘성』에는 등장하지 않는 인물도 있다. 이는 『동국시화』가 『동국시화휘성』 외에 『시화휘성』 등 다른 시화류 작품도 참조했음을 시사하는 것이다.

영남대본에는 '도남진장(陶南珍藏)'이라는 장서인과 함께 '김찬희인(金贊熙印)'이라는 인장이 찍혀 있다. 김찬희(金贊熙, 1857~?)라는 인물을 검색해 본 결과, 본관이 월성(月城: 慶州)으로 경기도 과천에 세거했던 인물로 판단된다. 그는 1880년(고종 17)에 진사(進士)로 합격하여 감찰에 오르기도 했으나 혁혁히 문학 방면이나 정치 방면에서 활약했던 인물은 아니었다. 서울대 소장본에도 '김찬희인(金贊熙印)'이라는 장서인이 있어, 영남대본과 서울대본이 한 세트였던 것이다. 단 곧 영남대본이 신라 ·

고려의 시화를 정리한 것이라면, 서울대본은 조선시대 시화를 정리한 것으로 이 둘은 원래 한 사람의 손에서 작업이 이루어졌던 것으로 보인다. 실제 내용을 보면『동국시화』는『동국시화휘성』의 체재를 따르고 축약을 한 부분이 많지만, 다르게 수정한 부분도 적지 않다. 또한『동국시화휘성』에 수록되지 않은 인물도 있어, 편찬자가 방대한『동국시화휘성』을 간략하게 축약하되 자신의 견해도 다소 첨부했음을 알 수 있다. 하지만 김찬희의 장서인을 가지고,『동국시화』의 편찬자로 단정할 수는 없을 듯하다.

3. 구성 및 내용

『동국시화』는『동국시화휘성』을 근간으로 하여 인물들을 선정하고, 축약·개정하였다.『동국시화휘성』은 현재 한국학중앙연구원 장서각에 완질이 전하고, 국립중앙도서관에 이를 복사한 마이크로필름이 존재한다. 아울러 낙질 상태로 규장각에 전하고 있다. 영남대 소장『동국시화』(신라·고려)의 구성을 제시하면 다음과 같다.

〈新羅〉
1. 眞德女主 2. 薛聰 3. 景德王 4. 金可紀 5. 崔致遠

〈高句麗〉
6. 乙支文德 7. 安市城主

〈高麗〉
8. 顯宗 9. 崔冲 10. 姜邯贊 11. 鄭知常 12. 金富軾 13. 高兆基 14. 睿宗 15. 姜日用 16. 鄭襲明 17. 李之氐 18. 鄭與齡 19. 崔惟淸 20. 李資玄 21. 崔瀹 22. 金禮卿 23. 權適 24. 李資諒 25. 印份 26. 任濡 27. 毅宗 28. 皇甫倬 29. 林椿 30. 安置民 31. 金莘尹 32. 文克謙 33. 明宗 34. 李仁老 35. 吳世才 36. 金坵 37. 李奎報 38. 金仁鏡 39. 任克忠 40. 陳澕 41. 韓惟漢 42. 崔滋 43. 金克己 44. 李藏用 45. 李淳牧 46. 趙冲 47. 琴儀 48. 金之岱 49. 俞升旦 50. 安裕 51. 辛藏 52. 金台鉉 53. 李齊賢 54. 張鎰 55. 權漢功 56. 崔瀣 57. 韓宗愈 58. 忠宣王 59. 李嵒 60. 安軸 61. 洪

侃 62. 忠肅王 63. 金仁存 64. 李達衷 65. 鄭誧 66. 恭愍王 67. 鄭樞 68. 金九容 69. 李穡 70. 鄭
夢周 71. 李崇仁 72. 李存吾 73. 元天錫 74. 李集 75. 吉再 76. 趙云仡 77. 朴信 78. 柳淑 79. 李
仁復 80. 李堅幹81. 田祿生 82. 崔瑩 83. 徐甄

84. 〈高麗宗室〉

〈僧流〉
85. 禪坦 86. 惠文 87. 足菴 88. 寥一 89. 圓鏡 90. 圓鑑

〈娼流〉
91. 動人紅 92. 于咄

〈本朝〉
93. 太祖大王 94. 太宗大王 95. 世宗大王

　　목록을 보면 〈신라(新羅)〉·〈고구려(高句麗)〉·〈고려(高麗)〉·〈고려종실(高麗宗
室)〉·〈승려(僧流)〉·〈창류(娼流)〉·〈본조(本朝)〉로 구성되어, 인물을 중심으로 인명
아래 그 약력을 간단히 기술한 후 관련 시화나 일화 등을 기술해두었다. 『동국시화
휘성』을 참고하였고, 일부 견문을 수록하기도 하였다. 모든 인물이 전부 저자의 약
력이 있는 것이 아니고, 일부 인물의 경우 약력이 생략되어 있기도 하다. 『동국시화
』에 수록된 약력은 대부분 『동국시화휘성』을 축약하였고, 일부 보완하거나 수정하
기도 하였다. 내용 역시 『동국시화휘성』을 그대로 축약한 것도 있고, 경덕왕(景德王)
경우처럼 전혀 다른 내용을 수록하기도 하였다. 또한 신라에서 고려까지는 책 중
간 중간에 초록색 비점(批點)을 찍어 두었고, 조선 부분에는 붉은색 비점(批點)이 찍
혀 있다. 앞서 밝혔듯이 여기 수록된 인물들은 대부분 『동국시화휘성』에서 발췌한
인물이지만, 고려의 김인존(金仁存), 승려 교일(寥一)·원감(圓鑑)은 『동국시화휘성』
에 누락된 인물이다. 이 가운데 교일과 같은 인물은 홍중인의 『시화휘성(詩話彙成)』
에 전하고 있어, 동국시화 편찬자가 『동국시화휘성』뿐만 아니라 이를 재편한 『시화
휘성』도 참고했음을 알 수 있다.

4. 가치 및 의의

20세기 한문학 결산 시대에 『대동시선』과 같은 역대 시선집들이 출현하였지만, 우리 문학사에서 17세기 후반 18세기 초반은 시화의 집대성 시기라고 해도 과언이 아니다. 홍만종의 『시화총림』을 비롯하여 홍중인의 『동국시화휘성』·『시화휘성』 등이 그 대표적 저서들이다. 영남대 소장본 『동국시화』는 18세기 초반에 출현한 『동국시화휘성』과 『시화휘성』 등을 참고하여, 신라에서 고려까지의 시인의 약력과 시를 축약·수정·보완한 것이다. 신라·고려의 핵심 인물을 선정하여 체계적으로 재배치함으로써, 우리나라 시화 가운데 고려 이전의 중요 작가와 이력, 관련 시화·일화 등을 한눈에 보기 쉽게 편찬하였다. 원래 2책으로 구성되어 있었던 듯한데, 나머지 한 책인 조선시대를 다룬 『동국시화』는 현재 서울대 가람문고에 남아 있다. 비록 조선시대까지 전부 수록된 완질의 형태는 아니나, 조선후기에 『동국시화휘성』이 어떻게 문인들에게 읽히고 정리되었는지를 살펴볼 수 있는 중요 자료이다.

정은진

[핵심어]

동국시화, 동국시화휘성, 홍중인, 신라, 고려, 김찬희

[참고문헌]

김영진, 『동국시화휘성(東國詩話彙成)』·『시화휘성(詩話彙成)』 해제, 서울대학교 규장각 한국학연구원(http://e-kyujanggak.snu.ac.kr).

東國稗史

서　　　명 : 東國稗史
편 저 자 : 未詳
판 사 항 : 漢文筆寫本
형태사항 : 1册(101張) : 無界, 10行 20字 : 25.4×17.3 cm

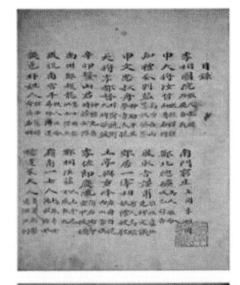

1. 개요

『東國稗史』는 영남대학교 도서관 도남문고에 소장되어 있는 책으로, 목차(3면)를 포함한 본문은 201면으로 되어 있고, 글씨는 한문 필사이되 알아보기 쉬운 정자로 되어 있다. 속 표지에 '奇異小說'이라는 글씨가 제목처럼 씌어 있다. 목록상으로는 모두 80편의 이야기가 수록된 것으로 되어 있으나, 실제 내용은 42편으로 되어 있다. 본문에는 특별한 제목이 없지만 목록에는 각 편의 첫 처음 부분을 중심으로 인물을 내세워 4~5자씩으로 된 제목을 제시하고 있다. 내용은 '패사'라는 제목이 보여주듯 조선 시대 역사적 인물들을 중심으로 한 야사 혹은 야담적 이야기를 모은 것이다.

2. 저자 및 창작 경위

책의 서문이나 발문이 없어 저자 및 창작 경위에 대해서는 알 수가 없다. 그러나 『대동야승』에 수록된 조선 초·중기 야승 혹은 패설집의 전통을 이으며 조선 후기 『천예록』 이후 새롭게 등장한 야담의 영향 아래 어느 지식인이 흥미로운 이야기를 모아 편집한 것으로 보인다. 이 책의 편찬 과정에 대해서는, 원래 80편으로 되었던 원본이 있었는데 그 중 절반 남짓한 이야기를 필사한 2차본인지, 아니면 어떤 사정으로 처음 80편으로 구상되었던 계획과는 달리 42편만으로 완성한 것인지 알기는 어렵다. 각 이야기의 제목은 〈李相國浣〉과 같이 인물 중심으로 4-5자로 붙이고, 이어 작은 글씨로 '試人氣魄殮屍昏夜'와 같이 행적을 요약하여 덧붙이고 있다.

3. 구성 및 내용

목록상의 80편과는 달리 실제는 42편으로 되어 있는 가운데, 목록상 1편부터 36편까지는 본문 순서와 일치하고 있으나, 그 뒤는 37번째 이야기부터는 목록 순서와도 일치하지 않는다. 즉 37번부터 42번까지의 이야기는 목록 순서로 보아 46번, 45번, 44번, 43번, 42번, 40번 이야기 순으로 기재되어 있는 것이다.

수록된 이야기의 각 편 제목은 다음과 같다. 〈李相國浣〉, 〈南門窮生〉, 〈申大將汝哲〉, 〈鄭北窓磏〉, 〈知禮金別監〉, 〈成承旨謹甫〉, 〈申文忠叔舟〉, 〈郊居一宰相〉, 〈天將李都督〉, 〈土亭與重峰〉, 〈辛卯鰲山君〉, 〈李佐郎慶流〉, 〈尙州鄭起龍〉, 〈鄭桐溪蘊〉, 〈咸悅南宮斗〉, 〈嶺南一士人〉, 〈畿邑朴姓人〉, 〈楊蓬萊大人〉, 〈朴醉琴彭年〉, 〈呂州許姓班〉, 〈順興黃姓人〉, 〈京中金窮生〉, 〈尹進士潔〉, 〈盧玉溪禎〉, 〈安東權姓人〉, 〈嶺南一巨擘〉, 〈李延原光庭〉, 〈宗室麟平孫〉, 〈高陽洪公脩〉, 〈淸風金氏子〉, 〈一松沈相國〉, 〈昔有關西伯〉, 〈昔有一文士〉, 〈英廟一宰相〉, 〈俞斯文明舜〉, 〈京中一窮生〉, 〈昔有二文士〉, 〈昏朝兩名士〉, 〈金倡義千鎰〉, 〈李相國浣〉, 〈崇禎後皇朝〉, 〈海豊鄭孝俊〉. 이들 인물을 보면 이완, 성삼문, 이여송, 이지함과 조헌, 정기룡, 정온, 남궁두, 이광정, 김천일 등 유명 인물들도 있지만, 무명 인물 혹은 익명 인물들도 있어 그 제목에서부터 차이를 보여주고 있다.

이 책에 실려 있는 이야기들은 여기저기 문헌을 통해 유포되던 것을 모은 것들이다. 따라서 다른 책에 있는 것들과 대부분 중복이 된다.

예를 들어 첫 번째 이야기인 〈李相國浣〉은 이완이 신여철에게 친척 집에 상이 났는데 가서 염을 해줄 용기가 있느냐고 했다. 이에 신여철이 그 집에 가서 염을 해주려 하는데 시신이 벌떡 일어나 웃길래 보니 이완이었다는 내용이다. 이 이야기는 조선 후기의 여러 야담집, 즉 『계서야담(溪西野談)』 181화 〈申大將汝哲〉, 『기문총화(記聞叢話)』 276화 〈申大將汝哲〉, 『동패낙송(東稗洛誦)』 177화 〈大將申汝哲蹴殺訓局軍〉, 『청야담수(靑野談藪)』 40화 〈大將申汝哲蹴殺訓局軍〉에 실려 있는 이야기 중 이완이 신여철의 곤란한 상황을 모면케 해주었다는 전반부를 뺀 후반부와 거의 같다. 그런데 이 전반부 이야기는 이 책의 세 번째 이야기인 〈申大將汝哲〉과 같다. 즉 하나의 이야기를 둘로 나누어 실은 것이다.

반면 4번째 이야기인 〈鄭北窓磏〉는 북창 정렴의 친구가 자기 운명을 점쳐 달라고 하여 아무 때에 만리현에 나가 삿갓 쓰고 지나가는 노인을 만나거든 수명을 연장해달라고 부탁하라 했고 그 친구는 수명을 연장받았는데 그 몫이 바로 북창의 것이었음에도 불구하고 북창은 태연했다는 내용이다. 이 이야기는 『동패낙송(東稗洛誦)』 제9화 〈北窓鄭磏減壽與士友〉와 똑같다. 그리고 14번째 이야기인 〈鄭桐溪蘊〉은 정온이 회시를 보러 가다가 한 계집종을 만났는데 그녀의 부탁으로 상전의 아내와 놀아나는 간부를 죽이고 여종을 데려와 부실로 삼고 잘 살았다는 내용인데, 『기문총화』 295화인 〈鄭桐溪蘊〉과 거의 같다. 이런 점은 24번째 이야기인 〈盧玉溪禎〉도 마찬가지여서, 이 이야기는 『계서야담』 89화, 『청구야담(靑丘野談)』 176화, 『동야휘집(東野彙輯)』 193화, 『기문총화』 302화와 거의 같다. 이처럼 이 책은 기존 이야기를 자기식의 개변을 통해 변형시키거나 그대로 수록해서 이루어진 것이다.

이 책에 실린 이야기들의 제목에 드러나는 인물들의 이름을 보면 알 수 있듯이 이 책은 조선 초·중기에 집중되어 있는 유명 인사나 기이한 인물의 일화나 행적을 중심으로 한 일화집에 가깝다. 그러나 무명 혹은 익명적 인물에 대한 이야기 중에는 야담에 접근하고 있는 것들도 있는데, 〈呂州許姓班〉, 〈京中金窮生〉과 같은 것이 그런 것들이다. 이들은 야담집에서 가장 흔한 '치부담(致富談)'인 바, 이 책의 성격이 단일하지 않음을 보여준다. 이러한 양면성은 표제인 『동국패사』와 속제목인 '기이소설'의 공존에서도 드러나는 것이다.

4. 가치 및 의의

이 책의 가치는 무엇보다도 아직까지 학계에 소개되어 있지 않은 '패사' 혹은 '야담'집이라는 데 있다. 조선 후기 패설 혹은 야담에 대한 연구가 상당히 이루어졌음에도 불구하고 이 책에 대해서는 연구가 전혀 이루어지지 못하였다. 물론 여기에 실린 이야기들은 다른 야담집에 실린 것들이 대부분이다. 그러나 약간의 변형 등이 있어 조선 후기 야담 패설들의 생산과 유통 과정을 연구하는 데 도움이 될 것이다.

서인석

[핵심어]

동국시화, 동국시화휘성, 홍중인, 신라, 고려, 김찬희

[참고문헌]

서대석 편저, 『조선조문헌설화집요』(1), (2), 집문당, 1991-1992.

이강옥, 『조선시대 일화 연구』, 태학사, 1998.

이우성, 임형택 편역, 『이조한문단편집』(상,중,하), 일조각, 1973-1978.

童蒙先習

서　　　명 : 童蒙先習
편 저 자 : 朴世茂(1487-1554)
판 사 항 : 木版本
형태사항 : 1冊 : 四周雙邊. 半郭 : 25.7×18.7 cm. 有界, 7行15字. 上下內向三葉花紋
　　　　　黑魚尾 ; 33.5×22 cm

1. 개요

『동몽선습(童蒙先習)』은 조선시대 대표적인 어린이용 한문 교재이다. 1797년(정조 21) 박세무(朴世茂, 1487~1554)가 오륜 등의 윤리와 우리나라 역사를 담아 지은 것이다. 1권 1책의 목판본이다. 『동몽선습』의 이본 평양계묘본 윤인서의 발문에 근거하여 저자가 민제인(閔齊仁)이라는 설도 있으나, 실록의 기록 등으로 박세무(朴世茂)가 지은 것으로 널리 알려져 있다. 내용은 오륜(五倫), 총론(總論), 역대요의(歷代要義)의 세 부분으로 되어 있다.

『동몽선습』의 판본은 1543년의 평양계묘본(고 안춘근), 1699년 이전의 것으로 추정되는 경주본(고려대 소장), 1714년의 완산갑오본(규장각 외), 1742년의 예관임술본(규장각 외), 1819년의 춘방기묘본(규장각 외), 1847년의 유동정미본(고려대 외), 1856년의 화산병진본(한국학중앙연구원 외), 1857년의 정사중간본(이화여대 외), 1859년의 석고기미본(고 안춘근), 1891년의 신묘중간본(한국학중앙연구원 외), 1896년의 함창병신본(고려대 외) 등이 있다. 표제지에 "己卯新刊 春坊藏板"이라는 기록이 보이므로 1819년의 춘방기묘본(규장각 외)으로 파악된다.

영남대본은 표제에 '童蒙先習'이라 필사되어 있다. 내지에는 '乙卯新刊 春坊藏板'이라는 기록이 있다. 서문이 3장에 걸쳐 있고, 내제는 '童蒙先習'이다. 한문 원문 사이에 한자로 된 음독구결이 달려 있다. 책의 말미에 '崇禎紀元之商橫閣茂陽月日 恩津 宋時烈謹跋'이라는 송시열의 발문이 있다.

2. 편 · 저자 및 편찬 경위

『동몽선습』은 실록에 따르면, 저자가 박세무(朴世茂, 1487~1554)임에 틀림없다. 민제인(閔齊仁), 김안국(金安國), 어숙권(魚叔權)이 편찬하였다는 설도 있다.

1981년 안춘근(安春根)에 의해 평양 계묘본(癸卯本)이 발견되었고, 윤인서(尹仁恕)의 발문을 근거로 하여, 『동몽선습』의 저자는 박세무가 아니라 민제인이라는 주장이 제기되었다. 윤인서의 발문에는 "(민제인이…)마침내 동지와 함께 한 권의 책을 지었는데, 오륜을 조목조목 담아 경전의 말씀으로 질정하고, 역대의 역사를 모두 서술하여 우리나라 역사까지 미쳤다. 이름 하여 '동몽선습'이라 하고 가훈으로 삼았다." 라는 내용이 있어, 저자가 박세무의 단독 저술이 아니라 민제인과의 공저로 해석하기도 하였다.

그러나 실록에 따라 박세무가 저자인 것으로 널리 판단하고 있다.

박세무는 조선 중기 문신으로, 1487년(성종 18)에 태어나서 1564년(명종 19)에 졸하였다. 본관은 함양(咸陽)이고, 자는 경번(景蕃)이며, 호는 소요당(逍遙堂)이다. 할아버지는 신동(信童)이고, 아버지는 성균생원 중검(仲儉)이며, 어머니는 부사 이관식(李寬植)의 딸이다.

1516년(중종 11) 사마시에 합격하고, 1531년 식년문과에 병과로 급제하였다.

승문원에 들어가 헌납을 거쳐 사관(史官)이 되어 직필(直筆)로 당시의 세도가인 김안로(金安老)의 미움을 사게 되어 1539년 마전군수로 좌천되었다가 관직에서 물러났다. 1544년 전적(典籍)·참교(參校)로 복직되었고, 이듬해 사복시정이 되었다가 안변부사로 나갔으며 그 뒤 내자시정·내섬시정·군자감정을 역임하였다.

당시 국정을 전달하던 이기(李芑)가 불렀을 때 만나보지 않고 『동몽선습』을 지어 자제들을 가르치는 것을 기쁨으로 삼았다. 예조판서에 추증되고, 괴산의 화암서원(華巖書院)에 제향되었다.

『동몽선습』을 편찬할 시기의 초학 교재의 활용 양상을 살펴보면, 그 당시 서당에서는 『천자문(千字文)』이나 『유합(類合)』 등으로 기초 한자를 익히고 다음 단계로 『계몽편(啓蒙篇)』이나 『명심보감(明心寶鑑)』, 『소학(小學)』 등을 익혔다. 그런데 특히 『소학』은 분량이 많고 수준도 높아 어린 아이에게 적합하지 않았다. 그리하여 최세진도 『소학』에서 어린이에게 모범이 될 만한 글을 간추려 엮어서 '소학편몽(小學便蒙)'이라 이름 붙여 중종께 올리니, 중종은 술과 안구(鞍具)와 말을 하사하였다.

박세무는 『소학』에서 좋은 문구를 추려 오륜을 밝히고, 중국과 우리나라 역사의 대강을 곁들여, 어린이들이 우선 익혀야 할 책이란 뜻으로, '동몽선습'이라 이름하였다. 처음에는 자기 집안 아이들의 교육용으로 엮은 것인데 이것이 세상에 나오자 전국으로 퍼지고 왕실에서도 왕세자의 교육용 교재로 채택하기에 이르러 '국가통신지서(國家通信之書)'가 되었다고 한다.

3. 구성 및 내용

『동몽선습』은 ① 오륜(五輪), ② 총론(總論), ③ 역대요의(歷代要義)의 세 부분으로 구성되어 있다.

책의 구성에 따라 다음과 같은 내용이 실려 있다.

① 오륜(五輪)

「부자유친(父子有親)」, 「군신유의(君臣有義)」, 「부부유별(夫婦有別)」, 「장유유서(長幼有序)」, 「붕우유신(朋友有信)」으로 구성되어 있다.

그 내용은 사람은 오륜과 오상(五常)을 알아야 금수와 구별된다고 하며, 오륜을 차례로 풀이한다. 각각 그 의의를 설명하고 그 내용에 알맞은 역사적 사례 하나씩을 곁들이고, 마무리에서는 공자(孔子)나 자사(子思) 또는 맹자(孟子)의 말을 인용한다.

② 총론(總論)

오품 중에 백행의 근원인 효에 대해 실천 강령을 구체적으로 들고, 이를 군신(君臣), 부부(夫婦), 장유(長幼), 붕우(朋友)에게 적용하여 넓혀 나가면 아무 어려움이 없을 것이라는 내용을 담았다. 그러나 이는 학문에 의해 알 수 있으며, 학문의 본질은 고금을 통하고 사리에 달통하여 이를 마음에 간직하고 몸에 익히는 것이라 하였다.

③ 역대요의(歷代要義)

역대요의부에서는 중 첫머리에 음양오행과 이기에 따라 사람과 만물이 생성하여 붙어 나감을 언급하고, 국의 삼황오제(三皇五帝)에서부터 명나라까지의 역대사실

과 우리나라의 단군에서부터 조선왕조까지의 역사를 간략히 서술하고 국가의 흥망
도 인륜에 의해 좌우됨을 강조하였다. 또 우리나라는 입지 조건이 불리하지만 문물
교화가 중국과 겨룰 만하니 어린이들은 이를 보고 깨달아 떨쳐 일어날 것이라고 맺
고 있다.

4. 가치 및 의의

『동몽선습』은 아이들의 초학 교재로, 쉽게 배우고 이해할 수 있도록 쉬운 자체
(字體)와 간명한 문구(文句)로 이루어져 있으며, 내용을 이해하기 쉽도록 한문 원문에
한자 정자(正字)로 구결을 함께 인쇄하여 놓았다. 중종조에 간행된 『여씨향약』, 『이
륜행실도』에도 한자의 정자 구결이 있다.

또한 『동몽선습』이 등장하기 전, 초학자들은 천자문을 배우고 나서 경서에 들어
가기 전에 『통감』과 『사략』을 읽는 등 역사교육의 중심이 중국 역사였다. 그러나 이
책의 등장으로 『동몽선습』이 초학자의 교재로 널리 보급되면서 조선의 역사가 교육
과정에 포함되었다는 데 역사적으로 의의가 크다.

『동몽선습』의 판본은 1543년의 평양계묘본(고 안춘근), 1699년 이전의 것으로 추
정되는 경주본(고려대 소장), 1714년의 완산갑오본(규장각 외), 1742년의 예관임술본
(규장각 외), 1819년의 춘방기묘본(규장각 외), 1847년의 유동정미본(고려대 외), 1856
년의 화산병진본(한국학중앙연구원 외), 1857년의 정사중간본(이화여대 외), 1859년의
석고기미본(고 안춘근), 1891년의 신묘중간본(한국학중앙연구원 외), 1896년의 함창병신
본(고려대 외) 등이 있다. 크게 9행 16자본과 7행 15자본이 있으며, 한자로 된 음독
구결이 소자(小字)로 달려 있다.

영남대본은 표제지 1장, 어제서 3장, 본문 17장, 송시열 발문 2장으로 되어 있
다. 어제서와 본문에는 한자의 정자를 이용하여 소자로 구결이 인쇄되어 있다. 표제
지에 "己卯新刊 春坊藏板"이라는 기록이 보이므로 1819년의 춘방기묘본(규장각 외)
으로 파악된다. 16장 앞면 4행 난상주에 "北京新羅時設行殿於原州謂之北京"라 판

각되어 있다. 표지와 내지 모두 깨끗하게 보존되고 있다. 한자로 된 구결로는 '可 (가), 巨(거), 古(고), 果(과), 那(나), 奴(노 / 로), 尼(니), 飛(ㄴ), 多(다), 大(대), 加(더), 底(뎌), 哉(뎌), 等(든), 斗(두), 代(딕), 羅(라), 驢(러), 里(리), 彌(며), 面(면), 叱(ㅅ), 沙 (사), 舍(샤), 時(시), 申(신), 阿(아), 厓(애), 也(야), 於(어), 亦(여), 五(오), 臥(와), 隱 (은), 乙(을 / 늘), 矣(의), 是(이), 伊(이), 印(인), 乎(호), 屎(히), 爲(ᄒ)'등을 찾아볼 수 있다. 비교적 보존 상태가 좋고, 글자가 선명하여 자료로서 가치가 높다.

김 남 경

[핵심어]

동몽선습, 박세무, 한자교재, 오륜, 을묘

[참고문헌]

김경미, 「『동몽선습』의 역사교육적 의미」, 『한국교육사학』 25권 2호, 한국교육사학회, 2003.

디지털 한글박물관(http://www.hangeulmuseum.org).

류부현, 「『동몽선습』의 저자에 관한 연구」, 『한국도서관 · 정보학회지』 40, 한국도서관 정보학
　　회, 2009.

안소진, 「『동몽선습언해』의 서지와 언어」, 『관악어문연구』 30, 서울대학교 국어국문학과,
　　1996.

한국정신문화연구원, 『한국민족문화대백과사전』, 한국정신문화연구원, 1996.

둑겁젼 단

서　　　명 : 두껍젼 단

편 저 자 : 未詳

판 사 항 : 國文筆寫本

발행사항 : 1903年 筆寫

형태사항 : 1册(54張) : 無界, 9行 24–26字 ; 34×21.6 cm

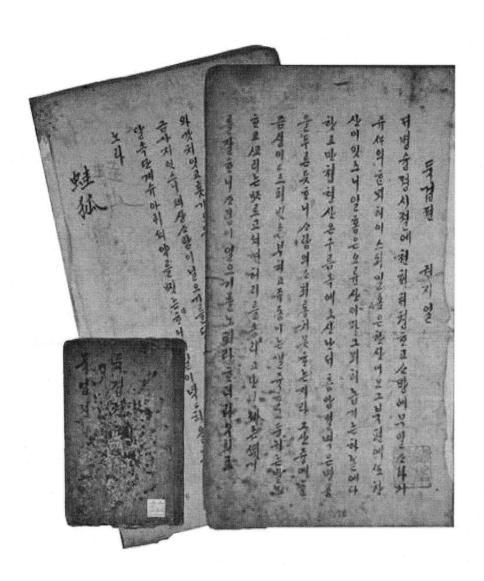

1. 개요

『두껍전』은 작자 및 창작 연대 미상의 국문소설이며, 동물을 의인화한 우화소설이다. 불전 설화에서 전승되어 온 쟁장설화(爭長說話)를 소설화한 것으로, 노루의 잔치에 초대된 동물들이 서로 상좌에 앉으려고 다툼을 벌이는 과정을 보여준다. 쟁장형과 적강형 두 가지로 전승되는데, 둘을 합쳐서 국문필사본 70여 종, 국문활자본 10여 종, 그리고 한문필사본도 2종이 전한다. 다양한 유통 형태와 현전하는 이본의 수를 감안할 때 19세기 중엽부터 20세기 초에 이르기까지 상당히 널리 읽힌 작품임을 알 수 있다.

영남대본은 1책의 국문필사본으로 도남문고에 소장되어 있다. 표제는 '둑겁젼단'이고 내제는 '둑겁젼 권지일'이다. 첫 장 제목 아래 '陶南藏書'라는 장서인이 있다. 글씨는 한 사람이 정성들여 일관되게 쓴 것이다. 책 넘기는 부분 두 줄은 한두 글자를 비워두고 필사하였다. 본문 상단에 한자로 페이지를 표기하였다. 본문 7장의 이면에 광무 7년 4월의 기록이 있어 1903년에 필사된 것임을 알 수 있다. 이면지 일부에는 마부 월급, 잡비 등의 금액이 원 단위로 기록되어 있다. 영남대본은 필사 및 보관상태가 아주 좋아 해독이 용이하다. 내용적으로는 쟁장형에 속하는 이본으로, 후반부 백호산군 퇴치 및 두꺼비 승천 장면 등은 없으며, 서술과 묘사에 있어서는 다소 축약된 형태이다. 영남대본은 『두껍전』 이본 연구에 중요하게 다루어져야 하는 가치 있는 자료이다.

2. 편·저자 및 편찬 경위

『두껍전』은 작자 및 창작 연대를 알 수 없는 작품이다. 그러나 근원 설화 및 유사 계통 작품들과의 관계 등에 대한 연구는 이루어진 바 있어서 작품 형성 과정에 대해서 어느 정도 유추할 수 있다.

『두껍전』의 근원이 되고 있는 쟁장 설화는 원래 인도의 민간 설화이다. 이 설화들이 불경에 수록되었다가 중국으로 건너와 한역되고, 이것들의 국내 수입과 더불어 국내의 불경 간행이 이루어졌다. 그리고 이 설화들은 불교의 전파와 함께 민간에도 전해져 국내설화로 정착되었을 것으로 본다. 불경설화는 민간에 광범위하게 유통·전승되고 문헌에 수록되기도 하다가 조선 후기에 이르러서는 『두껍전』, 『토끼전』 등의 우화소설에 이용되었다.

『두껍전』의 초기 형태로 추정되는 『노섬상좌기』는 노루, 토끼, 여우, 두꺼비 간의 상좌 다툼이 핵심인데, 『두껍전』에 이르면 상좌 다툼의 내용이 확대되고 군담 등 다양한 화소 등이 추가된다. 두꺼비가 늘어놓는 진술들은 당시 사람들이 쉽게 접할 수 있었던 책으로부터 터득한 지식이거나 입으로 전승되는 상식이었다 할 수 있다. 두꺼비는 당시 세간에 알려져 있던 공간들을 망라하고 그와 관련된 정보와 지식을 자기가 두루 갖고 있다는 점을 과시한다. 『두껍전』의 이러한 특징은 사족으로서의 활동 공간과 기회를 상실한 몰락사족의 현실과 무관하지 않을 것이며, 작자층 또한 이 계층과 밀접한 관련이 있을 것으로 생각된다. 그들은 간접적인 견문이나 책을 통하여 확보한 상식이나 지식은 많지만 그것들은 정작 경험 현실과는 동떨어진 것이다. 이러한 실상을 통해 현실과 유리된 지식에 대한 조롱과 경계심을 나타낸 것이라 할 수 있다. 그리고 두꺼비가 도둑을 물리치면서 영웅적 활약을 펼치는 부분이 추가된 이본들은 통속 군담소설의 영향을 받았을 것으로 본다. 이본에 따라 판소리적 요소를 지니는 것도 있어, 군담소설뿐만 아니라 판소리계 소설과의 상호 교섭 또한 이루어졌을 것으로 생각된다.

3. 구성 및 내용

『두껍전』은 상좌를 향한 언술적 다툼을 형상화한 쟁장형과, 두꺼비로 변하여 인간세계에 내려온 선관이 다시 하늘로 승천하기까지의 과정을 형상화한 적강형이 있다. 영남대본은 쟁장형에 속하는 이본이다.

『두껍전』 이본군에 등장하는 모티프들을 거의 다 망라하고 있다고 평가되는 정해본(丁亥本)에 비해 사건과 묘사 및 서술이 다소 축약된 이본이라고 할 수 있다. 마지막에 두꺼비가 백호산군을 퇴치하는 대목은 나타나지 않으며, 두꺼비가 하늘로 올라가긴 하지만 승천 장면이 구체적으로 묘사되지도 않는다. 본문 중반 정도, 두꺼비가 여우에게 천문지리와 육도삼략 및 의약복서를 설명하는 대목이 일단락되는 지점에 '츠쳥하회ᄒ라'라는 표현이 나오고, 이어서 '둑겁젼 권지이 죵'이라는 기록이 있다. 필사의 흐름으로 볼 때 '권지일 죵'이라고 해야 맞을 것 같다. '권지이'의 시작 표시가 없어서 2권 1책으로 보기에 모호한 점이 있긴 하나, 시작 부분에 '권지일'이 있으니 아마 2권 1책으로 구성한 것으로 생각된다. 그리고 이어지는 일부 설명 내용들은 '텬동법', '부귀 되는 법', '틱 슬오는 법' 등 내용의 핵심을 제목으로 제시하고 있다.

영남대본 『두껍전』의 줄거리는 다음과 같다.

대명 숭정 시절, 기주 땅 오륜산에 노루가 살고 있다. 산중 주속들이 그를 존경하여 장선생이라 불렀다. 장선생의 대부인 환갑을 맞아 날짐승과 길짐승들을 청하여 잔치를 연다. 장선생의 맏손자가 백호산군을 청하지 않아도 되겠느냐고 한다. 장선생은 백호산군이 자기 아들을 쫓아와 위험에 빠졌던 일 때문에 의절하였으며, 백호산군이 오면 각처 손님이 황겁하여 하나도 오지 않을 것이니 청하지 않는 것이 마땅하다고 한다.

갑자 춘삼월 호시절, 잔치를 배설하니 각색 손님들이 모여 든다. 서로 상좌에 앉으려 다투느라 자리를 정하지 못하자 토끼가 나서서 연치(年齒)로 좌를 정하자고 제안한다. 노루가 나이 많아 허리가 굽었다고 하자, 여우는 나이가 많아 수염이 세었다고 한다. 다시 여우가 천지개벽하고 황하수 치던 시절을 얘기하자, 노루가 천지개벽하고 하늘에 별 박을 때 자신이 별자리를 마련했다고 한다. 두꺼비가 나서며 자신이 소년 때 나무 세 주를 심었는데 하나는 하늘에 별을 박을 때 방망잇감으로 쓰고, 또 하나는 황하수 칠 때에 쓰고 한 주만 남아 있다고 한다. 이렇게 거짓말 대결에서 이긴 두꺼비가 상좌에 앉게 된다.

여우가 두꺼비에게 나이가 많으면 구경한 곳도 많을 것이니 구경한 곳을 말해 달라고 한다. 두꺼비가 자신이 구경한 바는 측량하기 어려우니 여우의 구경을 먼저 말해 보라고 한다. 여우가 나서서 중국의 오악, 오초 동남, 중원의 여러 사적지를 둘러 본 것을 얘기하고, 이어 조선의 압록강, 평양, 대동강, 송도, 한양, 관악산 등을 본 것과 일본 구경한 것을 말한다. 그러자 두꺼비가 여우는 구경만 하였을 뿐이지 그 근본 출처를 알지 못한다 하면서 자신의 구경담을 늘어놓는다. 방장 봉래 영주산과 삼신산, 일월 돋는 부상과 일월 지는 함지를 시작으로 구주 구택과 십이제국, 오악의 형성, 강남의 풍류, 채석강과 이태백, 적벽강과 소동파 등 중국의 사적과 고사를 열거한다. 그리고 조선이 평양에 도읍한 것과 신라왕의 탄강, 진시황과 얽힌 일본의 근본을 알려주며 여우의 얕은 구경은 수박 겉핥기라고 나무란다.

여우가 다시 하늘 구경을 묻자 두꺼비가 또 여우에게 먼저 말해보라고 한다. 여우는 천상 백옥경, 견우와 직녀의 사랑이 서린 직녀성, 광한전, 양귀비의 사랑, 극락과 지옥 구경, 그리고 마지막으로 백발노인 처의 병을 고쳐주고 붉은 구슬 얻은 사연을 이야기한다. 두꺼비가 그때 그곳에서 신선과 바둑을 두다 여우 쫓은 일을 말하자 좌중이 박장대소한다. 화난 여우가 두꺼비를 희롱하려다가 맹상군의 호백구 이야기에 도리어 당한다.

여우가 다시 천문지리와 육도삼략, 의약복서를 묻자 두꺼비가 음양오행의 이치와 변화, 천동법, 부귀 되는 법, 태 사르는 법, 우물 파는 법, 집에 여인 들이는 법, 옷 마르는 법, 삼강오륜, 의약하는 법, 송엽주법, 점치는 법, 상 보는 법 등을 말한다. 그리고 여우가 상처하기 쉬운 관상이라 하자 여우가 마침 아내가 아프다며 약을 처방해 달라고 한다. 여우가 사례하고 이어 글에 대해 묻자 두꺼비가 풍월을 읊고, 노래도 하고, 음식 만드는 법도 이야기한다. 여우는 더 이상 물을 것이 없자 두꺼비에게 온몸에 두툴두툴한 것은 왜 고치지 않는지, 턱 밑이 벌떡벌떡 하는 것은 왜 그런지 묻자 그 연유를 말한다. 날이 저물어 잔치를 파하고 모두 집으로 돌아간다.

이때 흉년이 들어 도적이 침범하여 의복과 병부를 가져가고 광릉원이 두꺼비에게 대책을 의논한다. 두꺼비가 진언으로 도적을 잡았으나, 그들이 도적이 된 사연을 안타깝게 여겨 돌려보낸다. 본관이 두꺼비에게 인형(人形)이 되어 임금을 충성으로 섬기면 어떻겠느냐고 하자 변신은 천의를 기망하는 것이고 자신은 본디 환로에 뜻이 없다 말하고 돌아간다. 이후 또 도적이 일어나 좌장군 이정이 출정하나 패배하고, 두꺼비가 나가서 도적을 잡아 지옥에 가둔다. 천자가 두꺼비의 공을 치하하고 소원을 묻자, 고향인 동정호에 가서 여년을 보내고 싶다고 한다. 천명이 다하여 토끼를 타고 구름을 멍에 하여 천상에 올라간다.

4. 가치 및 의의

『두껍전』은 조선 후기 우화소설의 대표적인 작품으로, 국문필사본, 국문활자본, 한문필사본 등을 포함하여 90여 종에 가까운 이본이 전하고 있어 상당히 인기 있었던 작품임을 알 수 있다. 설화에 연원을 두고 형성되었으나 적강소설, 군담소설, 판소리계 소설 등 다른 소설 유형들과도 교섭하였다. 또한 사건이 축소되고 등장인물의 말이 확장된 형태를 보이고 있어서, 다른 소설 유형들과의 영향관계 및 말하기, 화법 등 다양한 방향의 연구가 진행되고 있다.

영남대 도남문고본은 1책 완본의 국문필사본으로 쟁장형에 속하는 이본이다. 필사 및 보관상태가 매우 좋아 해독이 용이하고 필사 시기도 확인되어 『두껍전』 이본 연구에서 중요하게 다루어져야 할 자료이다.

박은정

[핵심어]

두껍전, 도남문고, 쟁장설화, 우화소설, 쟁장형, 노섬상좌기, 두꺼비, 여우

[참고문헌]

소인호, 「『두껍전』 이본군의 양상과 사회적 의미」, 고려대 석사학위논문, 1991.

윤해옥, 『조선시대 우언 우화소설 연구』, 박이정, 1997.

이강옥, 「『두껍전』의 말하기 전략과 그 의미」, 『고전문학연구』 22, 한국고전문학회, 2002.

조희웅, 『고전소설 이본목록』, 집문당, 1999.

戊申年倡義時日記

서　　명：倡義所日記
편 저 자：未詳
판 사 항：筆寫本
발행사항：未詳
형태사항：1冊(16張)：無界, 行字數不定 ; 18.0×22.2 cm

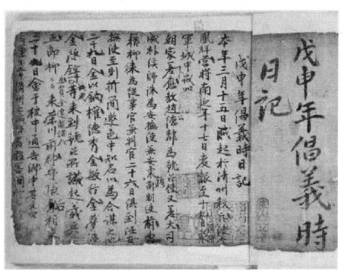

1. 개요

『무신년창의시일기(戊申年倡義時日記)』는 1728년(영조 4)의 무신란, 즉 이인좌(李麟佐)의 난에 영남지역에서 의병을 일으킨 기록으로 표지에 "창의소일기(倡義所日記)"라고 되어 있다. 1728년 3월 15일부터 4월 7일까지 이인좌의 반란을 진압하기 위하여 의병을 조직하였던 과정과 의병조직에 참여를 호소하는 통문과 격문, 군량 지원 등과 '창의소절목(倡義所節目)'을 적고 있다. 편찬 시기와 편저자는 알 수 없지만 전주류씨 수곡문중에 소장된 『창의록(倡義錄)』과 구성 및 내용이 일치하는 것으로 보아서 그 초고본으로 짐작된다. 1874년 간행된 『무신창의록』과 비교해 보면 『무신창의록』이 처음 편간되었던 1778년 이전에 작성된 것으로 짐작된다.

2. 편 · 저자 및 편찬 경위

『무신년창의시일기』는 경상북도 예천군 용문면 금당곡 대저리(큰맛질)의 함양박씨(咸陽朴氏) 미산고택(味山古宅)에 보관되어 오던 것으로 표제는 『창의소일기(倡義所日記)』이다. 이 자료의 저자와 관련하여 박종린의 15대손 문고(文皐) 박정로(朴庭魯, 1944~1993)가 부기(附記)한 것에 의하면 "이 일기는 무신년 이인좌의 난 때의 영남 창의소일기로서 언제 집안에 전래되어 왔는지 알지 못한다"고 했다. 이처럼 정확한 작성 시기와 저자를 알 수는 없지만 이 일기가 편찬된 사유에 대해서는 『창의록(倡義錄)』을 통해 짐작이 가능하다.

안동 전주류씨 수곡파 문중에 소장되어 오던 『창의록』의 내제는 「무신창의소일기(戊申倡義所日記)」라고 되어 있다. 이 자료는 권덕수가 노론측에 의해 무신란에 연루되었다고 의심을 받자 이를 변무(辨誣)하기 위해 권덕수(權德秀) 후손가에서 작성한 것이다. 『창의록』의 구성과 내용은 미산문고 소장 『창의소일기』와 거의 동일하다. 다만 형태면에서 『창의록』이 궤선 내에 해서체로 깔끔히 기재되어 있는 데 반해 미산문고본은 궤선이 없고 행 · 초서체로 작성하였으며, 문장의 첨삭과 글자 수정의 흔적이 많다. 또한『창의록』에 없는 내용들이『창의소일기』에는 보다 상세히 서술되어 있는 것으로 보아서『창의록』을 작성하면서 만들어진 초고본(草稿本)으로 짐작된다.

『창의소일기』가 함양박씨 가문에 전래된 경위와 저자는 알 수 없다. 하지만, 무신란 이후 집권한 노론 측은 '무신란의 여얼(餘孼)', '역적의 도당'이라 주장하면서 안동지역 남인 세력들을 계속해서 압박하고 있었으며, 이에 안동사족들은 살아남기 위해서라도 자신들의 혐의를 풀어야 했다. 결국 안동남인들은 이러한 혐의를 벗어나기 위해『무신창의록(戊申倡義錄)』,『경상도무신창의사적(慶尙道戊申倡義事蹟)』등을 제작하거나, 역당의 직접적 혐의를 받은 자들은『무신록(戊申錄)』(權榘),『황원일기(黃猿日記)』(權德秀)의 개인일기를 통해 혐의를 부인하였다.

그러나 무신란의 여당이란 혐의는 이들 사후에도 계속해서 제기되어 그들 후손들을 중심으로 이를 적극적으로 해명해 나갈 수밖에 없었다. 특히, 안동권씨의 경우 안동 내 신출노론들의 직접적 공세를 받고 있었기에 그들 조상의 무고를 증명하는 한편, 지역 내 남인가문들의 협조를 요청하지 않을 수 없었다. 그렇게 만들어진 것이『창의록』이었다. 또한 무신란 당시 다른 사족들에 비하여 안동권씨들의 적극적인 참여가 있었던 것도 이러한 혐의와 무관하지 않았다.

『창의소일기』를 소장한 예천의 함양박씨 가문은 박눌(朴訥)의 막내아들 박종린(朴從鱗, 1496~1553)이 상주의 함창에서 예천 금당곡으로 이주한 이래로 원주변씨(原州邊氏), 예천권씨(醴泉權氏), 의성김씨(義城金氏), 안동권씨(安東權氏) 등과 같이 예천과 안동의 사족들과 중첩적 혼인관계를 맺어왔다. 이처럼 오랫동안 혈연적 유대를 가지고 정치적 동반자로서 지내왔기 때문에 이 일기가 함양박씨가에 전래된 방법과 이유는 알 수 없지만 안동권씨가에서 전해졌을 개연성은 높다고 보인다. 실제 미산(味山) 박득영(朴得寧, 1808~1886)의 5대조 박세주(朴世柱)는 무신란 의병 창의 당시 모량도감(募糧都監)을 맡은 권태경(權泰經)의 사위가 된다.

3. 구성 및 내용

『창의소일기』는 1728년 이인좌(李麟佐)와 정희량(鄭希良)이 영조와 노론을 제거하고 밀풍군(密豊君) 탄(坦)을 추대하고자 일으킨 반란을 평정하기 위해 의병을 일으켜 난을 막는 과정을 기록한 것이다. 이 일기의 형태서지는 계선이 없고 행·초서체로 작성된 필사본으로서 모두 16장으로 되어 있다. 이 일기는 예천 금당실의 함양박씨 미산고택에 소장하고 있던 것으로 1995년 12월 영남대학교 중앙도서관에 기증된 것이다. 표제는 '창의소일기'라 되어 있고, 속지에는 '무신년창의시일기(戊申年倡義時日記)'라고 쓰여 있다. 이 일기의 저자와 편찬과정에 대해서는 알 수 없다.

일기는 1728년 3월 15일부터 4월 7일까지 약 20여 일간에 있었던 안동 및 인근 지역 사족들의 창의과정에 대한 기록이다. 일기의 내용은 일자별로 발생하였던 상황과 각 지역 의병소와 주고받은 통문(通文), 소모사·안무사 및 의병대장의 격문(檄文), 창의소절목(倡義所節目), 의병진 좌목(座目) 등과 기사의 말미에 영조의 비망기(備忘記)가 적혀 있다.

이런 구성은 1874년에 편찬된 『무신창의록』과는 구성 체계와 내용이 같지 않지만, 전주류씨 수곡문중에서 소장하고 있는 『창의록』과는 구성 체계와 내용이 거의 같다. 또한 영남대 소장 『창의소일기』는 문장의 첨삭과 인명·단어의 수정이 많은 것으로 보아서 초고본으로 보이며, 이렇게 수정된 내용은 『창의록』에 그대로 반영되어 있다. 결국 영남대본은 『창의록』을 편찬하는 과정에서 작성된 것이라고 보인다.

영남대본 『창의소일기』는 1728년 3월 15일 청주에서 이인좌가 봉기하여 병사(兵使) 이봉상(李鳳祥), 영장 남연년(南延年)을 살해했다는 내용으로 시작한다. 17일에 변란의 소식이 안동에 전해졌으며, 19일에 군사를 모으고 성중(城中)에 계엄(戒嚴)이 내려졌으며, 조정에서는 응교 조덕린을 호소사(號召使), 대사성 박사수(朴師洙)를 안무사 겸 안동진절제사(按撫使兼安東鎭節制使), 전전적(前典籍) 류섬(柳掞)을 종사관 겸 판관(從事官兼判官)으로 임명하였다. 26일 안무사 등이 함께 안동부에 도착하여 즉시 편지를 돌려 읍중의 이름 있는 자들을 모아 현 상황에 대한 방책을 논의하였다. 29일 김이상(金以鏛), 권덕수(權德秀), 김민행(金敏行), 김몽염(金夢濂), 김계탁(金啓鐸), 김달룡

(金達龍) 등 여러 사람이 의병을 모을 것을 도모하고, 전 정랑 류00과 전 군수 장후상(張后相)이 왔다. 30일 안동 향교에서 향회를 열고 향중에 통문을 돌렸다. 권정규(權鼎揆)가 도내(道內)에 알릴 통문을 지었다. 사통(寫通)은 권응수(權應秀), 배강(裵絳), 이만굉(李萬宏)이 나누어서 각 읍에 발송하였다. 오후에 호계서원 원장 류현시(柳顯時)와 교임(校任), 반수(班首) 이봉천(李鳳天) 등 60여 명이 명륜당에 모여 의병장 후보로 류승현(柳升鉉), 권만(權萬), 장후상(張后相)을 올려 류승현을 의병장으로 정하였다. 이날 군문의 참모를 정하였다. 4월 1일부터 4월 7일까지는 안무사와 소모사를 의병장과 참모 여럿이 찾아 뵌 후 각 면별로 소모도감을 정하여 의병을 모으고 필요한 군량과 무기를 모으는 과정, 적병의 패퇴소식 등과 함께 난이 종식되어 임목(任目), 군량(軍糧), 모군(募軍) 등을 성책하여 각 서원 등에 분정하는 내용까지 되어 있다. 특히 안동, 상주, 예천, 순흥, 영천(永川), 의성, 예안, 풍기, 영천(榮川), 진보, 영양, 봉화, 용궁 등 13개 지역의 창의 내용은 의병의 조직상황과 활동을 규정한 절목, 의병의 조직과정과 난의 경과를 기록한 일기, 의병조직에 참여를 호소하는 통문(通文), 격문(檄文) 등으로 되어 있다. 그 밖에도 군령(軍令), 전령(傳令), 방(榜)과 의병의 군량지원을 위해 각 지역의 원(院), 서당(書堂), 역원(驛院) 등에서 보내온 쌀, 사환(使喚) 등의 구체적 내용을 포함하고 있다. 또한 절목(節目)은 엄격한 군율 아래에 의병을 조직하고 운영하였음을 알 수 있다. 특히 순흥, 영천 등의 일기에는 관찬자료에서 언급되지 않은 구체적인 난의 진행과정이 기록되어 있으며 또한 안음(安陰), 거창(居昌)을 근거로 난을 일으킨 정희량(鄭希亮) 등에 대한 보고 기록이 있다.

4. 가치 및 의의

1728년(영조 4) 무신란 당시 영남지역 사림들과 관련한 자료는 『무신창의록(戊申倡義錄)』(1874), 『무신록(戊申錄)』(權榘), 『황원일기(黃猿日記)』(權德秀), 『무신소청일록(戊申疏廳日錄)』, 『무신창의소일기략(戊申倡義所日記略)』, 『무신후향안사적초(戊申後鄉案事蹟抄)』, 『안동창의격문(安東倡義檄文)』, 『경상도무신창의사적(慶尚道戊申倡義事蹟)』 등이 있다. 이러한 자료가 만들어진 이유는 무신란 이후 무신 잔당으로 몰린 안동지역 양반들이 자신들의 혐의를 벗기 위해서 만든 것이었다. 영남대 소장 『창의소일기』 역시 같은 목적에 의해서 만들어졌던 것이다.

『창의소일기』의 구체적인 저술 시기와 저자는 알 수 없지만 기타 자료들은 무신란을 직접 겪은 당사자가 당대에 작성하거나, 1788년(정조 12)에 정조가 안동의 의병장 류승현(柳升鉉)과 권만(權萬)에게 관작을 내리고 그 때의 사적(事蹟)을 조사해 보고하라는 명령을 내린 것을 계기로 작성된 것들이 대부분이다. 뿐만 아니라 영조는 1728년 4월 29일 경상감사 박문수로 하여금 안동 사람들에게 역적으로 몰린 혐의를 탕척(蕩滌)한다는 교지를 전하도록 하여 경상좌도 인사들을 사면하고 회유하는 정책을 시행하였다. 이때 안동사림 류몽서(柳夢瑞), 권덕수(權德秀), 김민행(金敏行) 등이 탕척(蕩滌)되고, 정동규(鄭東奎) 등 3백여 명이 글을 올려 영조의 은덕을 칭송하였다.

이처럼 영·정조대에 걸쳐 시행된 안동사림을 중심으로 하는 경상좌도에 대한 정책은 무신란과 같은 역변이 재발하지 않고 또 탕평정국이 유지되기를 희망했던 영조와, 임오의리의 천명을 통한 정국 주도권 장악을 위해 우익이 필요했던 정조의 정치적 필요에 의해 시행된 것이었다. 그들은 반복해서 영남지역, 특히 안동의 사족들에게 '영남은 추로지향(鄒魯之鄉)'이고, 국가적 변란에 창의하는 전통을 지닌 '충의지향(忠義之鄉)'임을 각인시켰다. 이는 노론을 견제하고 자신이 원하는 정치를 실현하기 위한 우익을 양성하려는 일종의 정치적 목적이 강한 것이었다. 그렇게 안동의 사족들은 국왕의 '충의지향'이라는 입장을 받아들이고 자기 정체성을 확립해 갔다.

이상을 종합하면, 영남대본 『창의소일기』는 무신란과 관련한 적극적인 항변이 나타나는 1778년을 기준으로 그 이전에 작성된 것으로 짐작된다. 이는 1778년 이진동(李鎭東)이 올린 『무신창의록』과는 달리 내용이 소략하고 체계성이 부족하며, 일기의 말미에 영조의 비망기(備忘記)를 약술한 것이 대표적 사례이다. 이를 통해 정조가 무신 사적을 조사하라고 내린 1778년의 명령 이전에 작성된 것으로 짐작되며, 특히 영조가 특정인들의 혐의를 탕척하였던 내용을 말미에 기재함으로써 자신들의 혐의를 벗어나고자 했던 점을 읽을 수 있다.

한편으로는 이진동이 도내의 인사들과 더불어 각 읍의 의병에 대한 기록을 모아 『무신창의록』을 만들었기에 이때 제출하려고 작성하던 기록의 초고(草稿) 내지, 권덕수의 혐의를 벗기 위하여 그의 후손가에서 작성한 『창의록』의 초고(草稿)로 짐작된다. 실제 『창의소일기』에 기록된 내용이 대부분 『무신창의록』에 편집되어 전문 또는 일부가 게재되었으며, 『창의록』에는 구성과 내용이 거의 동일하였다. 『창의소일기』는 무신란 당시 안동지역 사림들의 대응을 구체적으로 알려주고 있으며, 안동지역에서 간행되어 현전하는 다양한 무신 의병관련 기록과의 비교를 통해 내용의 변화를 확인할 수 있다. 또한, 무신란에 대해서는 정부에서 전말을 정리한 공식 기록 『감난록(勘亂錄)』을 비롯하여 『무신별등록(戊申別謄錄)』, 『무신옥안초(戊申獄案抄)』 등의 여러 문헌이 있다. 특히 경상도의 의병에 대한 기록으로 『경상도 무신창의사적(慶尙道戊申倡義事蹟)』(1책)이 규장각에 소장되어 있으므로 서로 대조하여 이용할 필요가 있다.

이병훈

[핵심어]

무신란, 이인좌, 무신창의소, 무신창의록, 무신년창의일기, 무신년

[참고문헌]

권　구, 『병곡집(屛谷集)』

권덕수, 『황원일기(黃猿日記)』

『무신창의록(戊申倡義錄)』

『창의록(倡義錄)』(한국국학진흥원 소장)

고수연, 「영조대 무신란 연구의 현황과 과제」, 『호서사학』 39, 호서사학회, 2004.

이　욱, 「조선 영조대 무신란과 안동지방의 '의병'」, 『한국사학보』 42, 고려사학회, 2011.

이종범, 「1728년 무신란의 성격」, 『조선시대정치사의 재조명』, 범조사, 1985.

정만조, 「영조 14년 안동 김상헌서원 건립시비」, 『한국학연구』 1, 국민대한국학연구소, 1982.

빅화당가

서　　명 : 빅화당가

편 저 자 : 未詳

판 사 항 : 筆寫本

형태사항 : 1冊(28張) : 無界, 10行 字數不定 : 17.7×14.5 cm

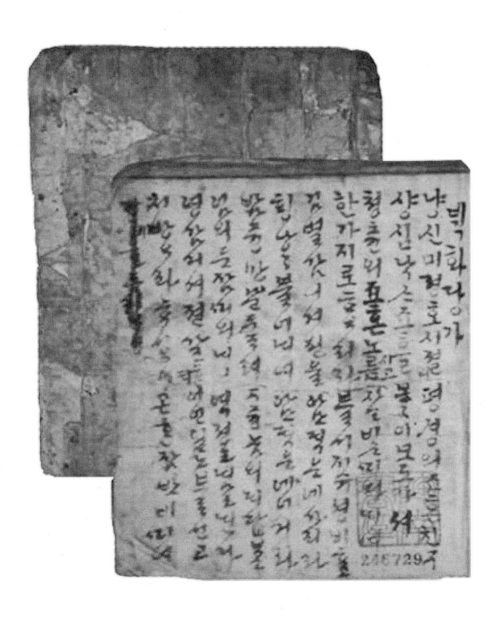

1. 개요

『백화당가』는 총 22면으로 되어 있는 작자 미상의 국문 필사본 가사이다. 현재 영남대학교 도서관 도남문고에 소장되어 있는 제목 미상의 책의 맨 앞에 실려 있는데, 이 작품에 이어 「박응교가」(7면), 제목 미상 글(8면), 「회심곡」(16면)이 수록되어 있다. 글씨는 비교적 달필로 되어 있고, 제목 미상의 세 번째 작품만 빼고 모두 가사 형태로 되어 있다. 수록 작품 중 「박응교가」는 숙종 때 인현왕후 폐비를 반대하다 고문을 당해 유배 중 죽은 박태보(朴泰輔, 1654~1689)의 영웅적 행동을 읊은 것이고, 세 번째 것은 책력 관련 내용에 '삼재(三災) 보는 법'이 첨부되어 있는 실생활에 필요한 내용이고, 마지막의 「회심곡」은 널리 알려진 불교 가사의 한 이본이다. 이 책에 수록된 것 중 『백화당가』는 그 내용으로 보나 분량으로 보아 가장 주목할 만한 작품인데, 정조의 총애를 받던 정동준의 '백화당'에서 당대의 고관대작들이 노니는 모습을 담은 것이다. 부분적으로 19세기 현실 비판가사와 비슷한 문제 의식을 공유하면서도 상층 고관대작들 내부의 시선도 느껴지고 있다는 점에서 독특한 위상을 보여주고 있다.

2. 저자 및 창작 경위

『백화당가』는 작자를 알 수 없는 작품이다. 그러나 이 작품 끝에 '뎡동쥰 나라의 총혼 적의 희쳘빅가 이 글을 지어니여도다'라는 글이 있어 약간은 추정해 볼 수 있다. 정동준은 전편에 나오는 인물이다. 그리고 속편에는 '뎡진ᄉ 동녀 씨ᄂᆞᆫ/ 앗가올ᄉ 인물이야/ 언필칭 우리 죵형/ 일세가 지목ᄒᆞ다'라는 대목에, 정동녀라는 인물이 나오는데, 화자는 그를 '종형'으로 부른 것으로 보아 사촌 동생뻘인 인물로 보인다. 이 둘을 종합해 보건대, 작자는 정동준, 정동녀와 가까운 사람인 듯하다. 즉 이들 고관대작들의 놀이와 유흥에 직접 참여하거나 관찰할 수 있는 위치의 인물인 것이다.

제목의 '백화당(百花堂)'은 정조가 회현동에 지어 정동준(鄭東浚)에게 하사한 것으로, 당시 온 나라에 명성이 있었고 『백화당가』라는 작품이 나오기까지 했다는 기록이 이유원(李裕元)의 『임하필기(林下筆記)』(1871)의 〈旬一編〉에 나온다. 창작 시기에 대해서는 이 작품 속에 등장하는 인물들이 정조대의 인물들이어서 '정조대로 비의(比擬)'하는 연구자가 있었다. 정동준은 내각 학사로 역모 혐의로 1795년 자살한 사람이다. '그가 나라의 총을 받을 때' 지었다고 했으니, 이 작품은 정동준이 죽기 전인 1795년 이전의 어느 시점, 즉 빠르면 18세기 중반 늦어도 18세기말에는 지어졌을 것이다. 참고로 이 『백화당가』의 다른 이본이 실려 있는 책력지는 1837년(헌종 3)것이다.

다만 본 필사본의 필사 연대는 그보다는 후대로 보인다. 우선 글씨나 책의 형태가 양반 상류층의 것 같지가 않다. 그리고 이 책 「박응교가」는 『백화당가』와 필체가 같은데, 그 끝에 '됴졍의셔 이 글을 지어도다 동국의 박응교 갓흔 충신은 ᄒ나히로다 신히 십월 이십삼일 월방의셔 막필셔라.'(29면)라는 글이 있다. 이 신해년은 1791년과 1851년 중의 하나일 것인데 후자일 가능성이 크다. 그러므로 이 사본은 이 때 필사된 것으로 보인다.

창작 경위는 미상이나, 작품 내용으로 보건대 당대 고관대작들의 놀이와 유흥에 대한 긍정과 부정의 양면성을 보여주는 가운데 인물들에 대한 풍자를 어느 정도는 의도하고 짓지 않았나 추측된다. 그러나 정치적으로 민감한 시기의 인물들에 대한 평가가 많아 이들의 성향이나 당파 등에 대한 정밀한 분석이 이루어져야 창작 경위가 좀더 확실해질 것이다.

3. 구성 및 내용

이 작품은 제목에 따라 크게 두 부분으로 되어 있는데, 앞 부분(1면-9면)은 『백화당가』로 되어 있고 뒷부분(10면-22면)은 「속빅화당가」로 되어 있다.

『백화당가』는 한 양반이 밤에 종들로 하여금 친구들을 불러오게 하여 '인생 백년 수유이니 아니 놀고 무엇할고' 하며 노는 내용이 주이다. 우선 분위기를 돕기 위해 창기 명창은 물론이고 '성천집'을 불러 차린 음식까지 내놓아 그야말로 밤의 유흥을 위한 준비가 갖추어진다. 이후 '주인이 흥을 내어 각각 소장(所長)하라.' 하니 참석한 여러 인물들이 다양하게 노는 모습을 보여주는데, 그것을 간단하게 살펴보면 다음과 같다.

먼저 노래하는 모습이다. '흥의로 양금 치고 노래 한 장 불러내니' 정기천, 홍학사와 이재학 정동준씨가 일시에 격절(擊節)하는 모습에 이어 홍황주 원섭씨, 박생원 삼원씨 등이 노래하는 모습이 이어진다. 이어 이명공의 휘모리와 홍대협의 팔뚝춤, 홍대형 홍성간의 택견 씨름이 벌어지고, 신재조는 화복이와 대무(對舞)를 하기도 한다. 노래와 놀이에 이어 투전하는 모습이 나오는데, 윤노동 조윤수와 이재안 윤광렬이 조장(鳥將) 어장(魚將) 내라 하며 투전을 하는 모습이 서술된다. 그 외 모임에 참석한 사람들 이름이 몇몇 거론되고, 끝 부분에 가까이 가면 '이 노름 좋건만은 소문날까 두려워라' 하며 조심스러운 모임임을 알려준다. 물론 이런 모임은 한두 번이 아닌 듯, 마지막에 가서 다음 모임을 기약하는 대목이 있다. '이 노름 다시 함을/ 훗날로 긔약하세/ 서원네 윤성보와/ 정희숙 서여성과/ 서정세 남원명이/ 오늘은 못 모여도/ 그 날은 다 청하세'라는 구절은 이 날 참석자 외에도 다른 동류가 있음을 보여주고 있는 것이다. 그 모임 역시 밤에 이루어지는 것임을 '음식은 자네 하여/ 밤 든 후 가져오소'로 알 수 있고, '만당 빈객 청하올 제/ 전갈 편지 번거하니/ 조용조용 언약하소'는 동류끼리의 다소 비밀스러운 모임임을 보여준다.

「속백화당가」는 '남대문 드리다라/ 회현동 아니런가/ 그 골목 떨어지니/ 사심씨댁 제일이라'로 시작되는 바, 모임 장소가 구체적으로 나와 있다. '명월은 교교한대/ 경개도 좋을시고'라고 운을 뗀 뒤, 전편에도 나왔던 성천집이 영감을 졸라 '여인동락(與人同樂)' 하는 모임을 갖자고 하니, 영감이 자는 종놈을 깨워 편지 쓰고 전갈하여 사람을 모으는데, 그 모인 사람 면면이 '금옥재상 일대명사'로 호화롭기 짝이 없어 전편을 압도한다. 참석한 사람을 보면, 판서 정창순, 판서 서유방, 판서 홍양호, 판서 서형수, 평안감사 김사묵, 충청감사 이형원, 판서 홍수부, 판서 이민보, 판서 심이지, 참판 심환지 등등 고위 관료는 물론이고, 가문이 좋은 듯한 여러 명의 진사, 생원들을 포함하여 40여 명이 들 수 있다. 그 중 일부는 전편에도 나온 인물이어서 연속성을 보여준다. 전체적으로 보아 이 속편은 전편에 비해 놀이하는 모습보다는 인물들에 대한 간단 촌평이 주가 되어 있는 가운데, 부분적으로 대무(對舞), 노래(여창, 입타령, 후정화 등), 투전 놀이 등이 끼어 있다. 참석 인물들의 면면이 대단한 가운데, 더욱 흥미로운 것은 서술자가 이들 인물들에 대해 비판적으로 묘사하는 대목이 많다는 것이다. '이판부 병모씨는/ 남여 초헌 전폐하고/ 작은 나귀 초롱불로/ 초초히 온단 말가'는 그런 대로 봐줄 만하지만, '홍판서 양호씨는/ 술부공명 기망이라/ 문인 기상 어디 두고/ 아유지태 저러한고'와 같은 것은 신랄하기 짝이 없다. 그런데도 마지막에는 '태평성대 이 노름을/ 다시 할까 하노라'로 끝을 맺어 잔치 분위기만은 유지하려는 태도를 보이고 있다.

전·후편을 통틀어 볼 때, 이 작품은 정조 연간 실존했던 인물들, 그것도 정치적으로 영화를 누리는 거물들을 포함한 다수를 실명으로 등장시키고 있다는 점에서 그 내용 측면에서 특이한 작품이다. 이 많은 인물들이 밤에 한꺼번에 모여 논다는 점과 양반으로서는 어울리지 않는 온갖 놀이를 하고 있다는 점에서 어디까지가 사실을 반영한 것인지 조심스러운 면도 있다. 그러나 이 정도의 대규모는 아니어도 이런 형태의 놀이는 얼마든지 있을 수 있는 만큼, 완전한 허구는 아니라고 본다. 다산 정약용도 『목민심서』에서 '재상·명사들과 승지 옥당 관원들도 이것(투전)으로 소일하니 다른 사람이야 말해 무엇하겠는가. 소나 돼지 치는 자들의 놀이가 조정에까지 밀려 올라왔으니 역시 한심한 일이다.'라고 했던 것이다. 문제는 이들 인물들에 대한 평가가 객관적인가 하는 것인데, 이에 대해서는 거론된 인물들의 가계나 정치적 성향 등이 분석된 뒤에나 가능할 것이다.

4. 가치 및 의의

이 작품은 18, 19세기에 나온 이른바 '현실 비판가사'의 범주에 들 만한 것으로, 기존의 「거창가」, 「합강정가」와 같은 현실 비판가사들이 지방 수령의 탐학과 학정을 비판한 것임에 비해 중앙 고관대작을 상대로 하고 있다는 점에서 그 위상이 독특하다. 특히 실명으로 거론된 인물들에 대한 신랄하기까지 한 비판은 가사의 정치적 참여가 얼마나 깊숙한 데까지 와 있나를 보여준다고도 할 수 있다. 즉 이 작품은 문학적으로 가치 있을 뿐 아니라 이 시기 양반들의 생활사의 일단을 엿볼 수 있는 역사 자료로서도 가치가 있는 것이다.

작품 내용으로 보아 널리 유통되기는 어려웠을 터인데, 다행히도 이본이 하나 있다. 편자 미상의 헌종 3년(1837) 책력지에 다른 몇 작품과 함께 이 작품이 실려 있는 것이다. 그런데 본 도남문고본과는 달리 이 김용숙본에는 속편만이 실려 있고, 인물들의 서술 순서도 차이가 있다. 이런 점으로 보건대 두 이본 사이의 직접적인 영향 관계는 없고 몇 개의 이본들이 유통되었던 것 같다. 이본이 귀하다는 점에서 다 소중하겠지만, 두 이본 중 전·후편을 갖춘 도남문고본의 가치가 더 크다는 데에는 이의가 없을 것이다.

서인석

[핵심어]

백화당가, 속백화당가, 박응교가, 회심곡, 현실비판가사

[참고문헌]

김용숙, 「백화당가 외 수 편」, 『국어국문학』 제25호, 국어국문학회, 1962.

임기중 편저, 『한국가사문학주해연구』 8권, 아세아문화사, 2005.

佛說長壽滅罪護諸童子陀羅尼經

서　　　명 : 佛說長壽滅罪童子陀羅尼經

편 저 자 : 佛陀波利 奉詔譯

판 사 항 : 木板本[절첩본 번각]

발행사항 : 景泰三年[1452年] 圓岩刻, 卷末 施主記

형태사항 : 1卷1冊 : 揷圖, 邊欄高 20.2 cm, 版心 없음, 無界, 總41張[4, 5, 6, 11, 32장
　　　　　　 표기가 없음] 每張 不定[10~20]行15字, 半郭 : 20.8×16.3 cm, 上下單邊
　　　　　　 ; 27.5×16.3 cm. : 二重張次[十五 / 張十] 表記, 音讀 口訣

1. 개요

이 책은 죄를 멸하고 장수하는 법을 설한 밀교계통의 경전으로 당나라 때 불타파리(佛陀波利)가 번역하였다. 책표지는 오래되고 낡아 서명이 보이지 않으며, 책의 앞에 서문은 없다. 다만 경전을 설법하기 전의 광경을 묘사한 변상도(變相圖) 1장이 있으며, 그 다음에 내제와 본문이 나온다. 발문에는 호법위태존천행장(護法韋馱尊天行狀)이 그려져 있으며, 그 다음 장에 약 60여 명의 시주명이 기록되어 있다. 호법위태존천행장은 위태천상도(韋馱天像圖)와 『대장총성록(大藏總聖錄)』에서 발췌한 것으로 추측되며, 위태천은 불법을 보호하는 신장(神將)으로 『불설장수멸죄호제동자타라니경(佛說長壽滅罪護諸童子陀羅尼經)』뿐만 아니라 『금강경(金剛經)』, 『능엄경(楞嚴經)』 등에서도 찾아볼 수 있는 그림이다.

이 책은 고려시대와 조선시대에 걸쳐 여러 가지 판본들이 현존하고 있으며, 현존하는 것 가운데 가장 오래된 것은 고려 말에 간행된 것으로 추정하는 호암미술관 소장본으로, 이 소장본은 보물 제701호로 지정되어 있다. 최근에는 16세기 간행본으로 추정되는 현존 최고(最古)의 언해본이 발견되어 연구되기도 하였다.

영남대본 『불설장수멸죄호제동자타라니경』은 전체 1권 1책으로 구성되어 있으며, 판본은 목판본이고 음독 구결이 달려 있다. 그런데 이 책의 장차가 '張 十'의 형태와 '十五'의 두 가지 형태로 표기되어 있어 고려시대 절첩본을 번각한 판본임을 알 수 있다. 그리고 이 책의 권말에 '景泰三年 圓岩刻'이라는 기록으로 미루어 볼 때, 영남대본의 간행 연대는 1452년으로 추정된다. 경태(景泰)는 명(明)나라 제7대 황제 명대종(明代宗) 주기옥(朱祁鈺)의 연호로 1450년에서 1457년까지 8년간 사용되었다.

2. 편·저자 및 편찬 경위

이 책은 죄를 멸하고 장수하는 법을 설한 밀교계통의 경전으로 당나라 때 불타파리(佛陀波利)가 번역하였다. 불타파리의 생몰년은 미상이며, 각호(覺護)라 번역한다. 북인도 계빈국(罽賓國) 출신 밀교승려로서 여러 나라로 다니며 영적(靈跡)을 참배하고, 청량산의 문수(文殊)보살을 참배하려고 676년 중국에 왔다. 당나라 고종(高宗) 의봉(儀鳳) 초에 오대산(五臺山)을 방문했다가 얼마 뒤 계빈국으로 돌아가 경전을 가지고 와서는 서명사(西明寺)의 순정(順貞) 등과 함께『佛頂尊勝陀羅尼經』을 번역했다. 이후 행적은 알려진 것이 없다.

지금까지 알려진 여러 판본들은 주로 한문본이 주종을 이루고 있으며, 언해본은 20세기에 이르러서야 등장하는 것으로 알려져 왔고 그 밖의 언해 필사본도 구한말에 이르러 만들어진 것이었다. 뿐만 아니라 이 경은 독립적인 단위로 간행되었던 것은 물론『父母恩重經』과 합철되어 간행된 것도 자주 볼 수 있다.

책의 명칭은『장수경(長壽經)』,『동자다라니경(童子陀羅尼經)』,『호제동자다라니경(護諸童子陀羅尼經)』,『장수멸죄경(長壽滅罪經)』의 명칭으로 불리며, 한글명칭은『장슈경』,『장수멸죄다라니경』등으로, 언해본은『불셜동댜쟝슈경언히』로 사용되었다

『불설호제동자타라니경』은 고려시대의 금강동자(金剛童子)를 신앙의 대상으로 삼아 기도하는 불교의식인 동자법경(童子法經)을 수행할 때『호제동자타라니경』에 의거하여 의식이 이루어졌다. 밀교의 수법인 금강동자호마법(金剛童子護魔法)을 통하여 금강동자는 극락의 교주인 무량수불의 화신으로서 얼굴에는 분노를 띠고 손에 눈과 금강저(金剛杵)를 쥐고 있으면서 아이들의 병을 없애거나 임산부의 순산을 기원하는 경으로 사용되었다. 이에 반해『불설장수멸죄호제동자타라니경』은 석가세존이 문수사리보살에게 일체중생의 멸죄장수의 법을 설한 경으로, 여기서 세존은 과거세의 보광정견여래(普光正見如來)가 여인 전도(顚倒)에게 말한 내용을 상기하면서 장수멸죄의 호념(護念)을 설법하고 있다.

영남대본『불설장수멸죄호제동자타라니경』의 발문에는 호법위태존천행장(護法韋駄尊天行狀)이 그려져 있으며, 그 다음 장에 안국대덕 의규(安國大德義珪), 월암 대선사 신돈(月菴大禪師申頓), 천곡선사 전심(川哭禪師田心), 양성군부인 이씨(陽城君夫人李氏), 회광군부인 김씨(會光郡夫人金氏) 등 약 60여 명의 시주명이 기록되어 있다.

3. 구성 및 내용

『불설장수멸죄호제동자타라니경』의 본문은 전체 41장으로 구성되어 있는데, 이 가운데 4장, 5장, 6장, 11장, 32장의 장차 표기가 없으며, 행수도 10에서 20까지 일정하지 않다. 권말에 '景泰三年 圓岩刻'이라는 기록이 있어 이를 참조해 볼 때 이 책은 1452년(문종 2년)에 간행된 것임을 알 수 있다.

이 책의 구성은 내제 앞에 변상도가 있고 그 다음에 내제와 본문, 그리고 마지막에 시주기로 이루어져 있다. 변상도는 이 경전을 설하기 전의 광경을 묘사한 것으로, 부처가 왕사성(王舍城) 기도굴산(耆闍崛山) 중에서 대비구 등 1,250인과 함께 계실 때, 대보살 12,000인과 모든 천룡팔부(天龍八部)와 귀신과 인(人), 비인(非人)이 모두 모여 설법을 듣고 있는 그림이다. 이 때 부처의 미간으로부터 오색광채가 뻗어나오고 한 색깔의 빛으로부터 무량한 화불(化佛)이 생겨나고 한 화불이 다시 무량한 보살을 만들어 내어 부처의 덕을 찬송하게 한다. 이 중에 새로 발심하는 보살들이 있어 부처에게 장수하는 법을 구하고자 하였으나 감히 묻지 못하여 문수사리가 대신 부처에게 장수멸죄의 법을 설하여 줄 것을 청하였다. 이어 부처의 설법 내용이 펼쳐진다는 뜻이 그림으로 그려져 있다.

본론은 세존이 과거세상의 보광정견여래(普光正見如來)가 여인 전도(顚倒)에게 말한 내용을 상기하면서 장수멸죄의 호념(護念)을 설법하는 내용으로, 아이들의 병을 없애거나 임산부의 순산을 도우며 낙태의 죄를 짓지 말 것과 몸에 지니고 항상 읽거나 읽는 것을 들음으로써 장수(長壽)의 생명을 얻고 죽은 자를 천도시키고 온갖 악도(惡道)로부터 벗어날 수 있음을 설법하는 것이 주다. 전도가 자식이 태중에 있을 때 자식을 버리려고 약을 먹는 것에 대하여 그 짓는 죄악이 얼마만큼인가를 이야기하고, 이 죄업을 없애기 위하여 부처나 선지식을 만나 지성으로 참회하고 다시 죄업을 짓지 않도록 설하고 있다. 또 죽어서는 염라에서 죄를 심판하기 전에 육친과 권속들이 도승을 청하여 경전을 읽고 향을 사르고 공양하면 그 고통의 바다를 건널 수 있다는 것과 전도 여인을 위하여 장수멸죄경과 십이인연(十二因緣), 육바라밀(六波羅密) 등을 설하여 이로 인하여 죄악이 소멸되고 불성을 깨치고 지옥의 고초를 벗어나게 하는 것이다.

이에 따라 부처님을 따르는 제자로서 이 경을 서사하고 독송하면 아픈 아이도 병이 낫게 되고 죽은 사람을 위하여 49일 내에 이 경을 향을 사르고 공양하면 현세에 장수명을 얻게 되고 악도의 고통을 잊게 되는 것이라 하였다. 즉 이 경전은 『호제동자타라니경(護諸童子陁羅尼經)』을 통하여 아이들의 병을 없애거나 임산부의 순산을 도우는 것은 물론 낙태의 죄를 짓지 말 것과 이 경을 지니고 항상 읽음으로써 장수의 생명을 얻고 죽은 자를 천도시키고 온갖 악도로부터 벗어날 수 있다는 것을 설하고 있다.

4. 가치 및 의의

영남대본 『불설장수멸죄호제동자타라니경』의 본문은 전체 41장으로 구성되어 있는데, 이 가운데 4장, 5장, 6장, 11장, 32장의 장차 표기가 없으며, 행수도 10에서 20까지 일정하지 않다. 권말에 '景泰三年 圓岩刻'이라는 기록이 있어 이를 참조해 볼 때 이 책은 1452년(문종 2년)에 간행된 것임을 알 수 있다. 이 판본 이외에도 영남대학교 도서관에는 1441년(세종 23년) 2월에 전 월암사(月岩寺)의 주지인 신린(信麟)의 발원에 의하여 묘향산(妙香山) 윤필암(閏筆菴)에서 간행한 것이 소장되어 있다. 이 책은 절첩으로 한 면에 6행 18자로 배열되어 있으며, 권말제에는 '佛說長壽命經'이라는 명칭이 있다. 이 책 역시 고려본을 번각한 것으로 보이며, 권수 부분의 변상도는 낙장되고 없다.

고려말에 불교사상의 변화를 반영하던 『장수경』은 조선시대에 들어와서도 왕실과 민간에서 『능엄경』과 더불어 계속적으로 선호되던 불경이다. 권근의 『양촌집(陽村集)』권22의 '금서묘법금강경발(金書妙法蓮華經跋)'의 내용에 의하면 정종(定宗)이 태조(太祖)와 왕비의 명복을 빌기 위하여 금서묘법연화경발(金書妙法蓮華經跋) 『장수멸죄경(長壽滅罪經)』을 간행하는 등 여러 차례 간행되어 유포되었다는 기록과 실물이 현전하고 있다.

1452년(문종 2)에 간행된 영남대본 『불설장수멸죄호제동자타라니경』은 (1) 1416년(태종 16)에 평양도 중익상천호(中翼上千戶) 이안길(李安吉) 등과 대선사 홍인(洪因)이 발원, 시주하여 간행한 것, (2) 1420년(세종 2)에 황해도의 장불사(長佛寺)에서 간행된 것, (3) 1432년(세종 14)에 태종의 후궁인 명빈(明嬪) 김씨의 발원으로 이루어진 것, (4) 1441년(세종 23) 2월에 전 월암사(月嵒寺)의 주지인 신린(信麟)의 발원에 의하여 묘향산 윤필암(閏筆菴)에서 간행한 절첩, (5) 1446년(세종 28) 2월에 가야산(伽倻山)의 지관사(止觀寺)에서 간행된 것, (6) 1460년(세조 6)에 중대사(中臺寺)에서 개판 간행된 것, (7) 1468년 3월에 밀양 만어사(万魚寺)에서 개판된 것, (8) 1484년 전라도 불명사(佛明山) 화암사(花嵒寺)에서 개판한 것, (9) 1488년 안동 수비사(首庇寺)에서 개판한 것, (10) 1495년 수안이씨(遂安李氏)를 비롯한 10명이 발원, 시주하고 신해(信海) 등 4명의 각수가 새겨낸 목판본 등 고려 절첩본의 영향을 받은 번각본 계열의 간행 경위와 흐름을 파악하는 데 중요한 위치에 있는 경전이다. 뿐만 아니라 당시에 사용된 여러 가지 음독 입겿[口訣]의 자형과 '圡ㅏ, 圡ㅏ, 圡邑小西, 圡ノ小西, 圡ノ川〉, 圡川〵, 圡ノ川〉, 又, 又丨, 足才二, ㄱ, 月氵, 〵, 〵可, 〵ノ口, 〵ノ乙〵, 乙, 丁, 阝, 氵, 氵ㄱ, 也, 才〵, 氵, 午, 〵, 〵可, 〵又〵, 〵足可, 〵足口, 〵夕, 〵丁, 〵二夕, 〵也, 〵才ㅏ, 〵氵, 川又〵, 川才〵, 土𧰼, ノ口, ノ又ㅏ, ノ又夕, ノ又〵, ノ足, ノㅌㅏ, ノㅌ足, ノ阝, ノ丷〵, ノ〵〵二厶, ノ乙二, ノ乙圡〵, ノ又, ノ丁, ノ小西, ノ二口, ノ二ㅋ, ノ二厶〵, ノ二〵, ノ二又, ノ二圡, ノ二才〵, ノ二〵, ノ圡, ノ圡大, ノ圡ㅋ, ノ圡邑口, ノ圡午ㅏ, ノ圡午〵, ノ圡ㅏ, ノ氵, ノ氵〵, ノ川丨, ノ川夕, ノ川〵ノ氵ㅏ, ノ川〵, ノ川〵夕, 下, 希, ノ厶' 등의 결합 유형 79개를 파악할 수 있어 국어사나 문자사 연구에서도 매우 중요하게 다룰 수 있다는 점에서 그 가치가 크다.

남 경 란

[핵심어]

불설장수멸죄호제동자다라니경, 장수경, 절첩본, 목판본, 번각본, 불타파리, 문종, 경태

[참고문헌]

서울대학교 규장각 한국학연구원(http://e-kyujanggak.snu.ac.kr).

이은규 외, 『장수경 연구』, 홍문각, 2006.

임종욱 편저, 『중국역대인명사전』, 이회문화사, 2001.

宣和奉使高麗圖經

서　　명 : 宣穌奉使高麗圖經

편 저 자 : 徐兢(宋)

판 사 항 : 木板本(中國本)

발행사항 : 乾隆 58(1793)

형태사항 : 40卷3册 : 四周單邊, 半廓 12.6×9.1 cm, 有界, 9行21字, 注雙行, 大黑口,
　　　　　　無魚尾 ; 19×11.9 cm

1. 개요

1123년(고려 인종 1)에 송(宋)나라 사행으로 고려를 다녀간 서긍(徐兢, 1091~1153)이 견문을 정리하고 그림까지 첨부해 그 다음해에 휘종(徽宗)에게 올린 사행보고서이다. 원서명은 『선화봉사고려도경(宣和奉使高麗圖經)』이지만, 약칭해서 『고려도경(高麗圖經)』이라 한다. 본서의 표제지 서명은 『宣龢奉使高麗圖經』이지만, 권두서명은 『宣和奉使高麗圖經』이다. 서긍이 고려에 와서 한 달 동안 머물며 보고, 듣고, 느낀 바를 기술한 책으로 고려사회를 한 눈에 볼 수 있는 서적이다. 본서는 1793년(건륭 58) 포정박(鮑廷博)이 지부족재총서(知不足齋叢書)로 간행한 중국판이다.

2. 저자사항

서긍의 선조는 구녕(甌寧, 현 福建省 建甌縣) 사람이고, 증조부 때 화주(和州) 역양(歷陽, 현 安徽省 和縣)으로 옮겼고, 또 신주(信州 현 江西省 上饒市)에서 살기도 하였다. 자는 명숙(明叔), 호는 자신거사(自信居士)이다. 어려서부터 유가·불가·노자·손자 등 여러 전적을 섭렵하여 해박했다. 또한 해서(楷書), 행서(行書), 전서(篆書)에 두루 능해 서법으로 명성이 높았고, 그림에도 뛰어나 신품(神品)으로 알려졌다. 24세 되던 1114년(政和 4)에 통주(通州)의 형조사(刑曹事)로 관직을 시작했다. 일찍이 태부시(太府寺) 원풍고(元豊庫)의 전곡을 관장한 바 있고, 상서형부원외랑(尙書刑部員外郞)을 역임하였다.

1123년(宣和 5) 고려 예종이 사망하자 북송에서는 노윤적(路允迪)을 정사로, 부묵경(傅墨卿)을 부사로 조문단을 파견하였다. 이때 서긍은 조문단의 인원·선박·예물을 관장하는 국신소제할인선예물관(國信所提轄人船禮物官)이라는 직책으로 참여하였다. 조문단을 수행한 서긍은 고려에 한 달여 머물면서 고려의 산천, 지리, 역사, 문물, 제도 등을 살펴본 후 그 견문을 기술한 『高麗圖經』 40권을 편찬하여 왕에게 바쳤다. 이로서 휘종은 동진사출신(同進士出身)을 명하고, 관직도 지대종정승사겸장서학(知大宗正丞事兼掌書學)으로 승진시켰다. 그후 사건에 연루되어 지주(池州) 영풍감(永豐監)으로 좌천되었고, 다시 치강제치참모관(治江制置參謀官)에 임명된 후 오래지 않아 봉사(奉祠)를 자원하여 남경 홍경궁(南京 鴻慶宮)에 임명되었다. 20년 봉사하다가 은퇴한 후 병사하였다.

3. 편찬 경위

조문단의 수행원으로 송경(개성)에 한 달여 체류한 서긍은 고려사회 전반에 걸쳐 보고, 듣고, 학자와 문신들과 교류한 일을 낱낱이 적고 그림까지 붙여서 130여 조의 40권을 편찬하였다. 서화에 재능이 있었으므로 고려에서의 견문을 그림으로 그릴 수 있었다. 귀국한 다음 해(1124)에 2부를 만들어 정본은 임금에게 바치고, 부본을 집에 보관하였다.

1126년(흠종 1)에 금(金)이 송의 수도를 함락한 정강의 난[靖康之亂] 때 정본은 망실되었고, 부본도 10년 뒤인 1137년(인종 15) 강서성(江西城) 남창현(南昌縣)에서 그림은 망실된 채 발견되었다. 1167년(南宋乾道 3) 서긍의 조카 서천(徐蕆)이 잔본을 토대로 강소성(江蘇省) 징강현(澄江縣, 현 江陰縣)의 징강군재(澄江郡齋)에서 간행한 판본이 건도각본(乾道刻本) 또는 징강본(澄江本)으로 불리는 초판본이다. 이때 원도(原圖)를 구하지 못하였으나, 원서명을 그대로 사용해 도경이라 하였다. 이 책은 1925년 고궁박물원을 건립할 때 소인전(昭仁殿) 천록임랑(天祿琳琅)에서 재발견되었다. 9행17자본으로 [고희천자보(古稀天子寶)], [천록계감(天祿繼鑑)], [팔징모념지보(八徵耄念之寶)], [태상황제지보(太上皇帝之寶)], [건륭어람지보(乾隆御覽之寶)], [오복오대당보(五福五代堂寶)], [천록임랑(天祿琳琅)], [우산전증준왕장서(虞山錢曾遵王藏書)] 등의 장서인이 날인되어 있다. 이를 저본으로 1931년에는 북경 고궁박물원에서 천록임랑총서 제1집으로, 1973년에는 대만 국립고궁박물원에서 영인하였다. 원본은 현재 대만의 국립고궁박물원에 수장되어 있다.

명대의 간본으로는 명말 해염(海鹽) 사람 정홍(鄭弘, 字 休仲)이 전래의 사본을 저본으로 간행한 목판본이 알려지고 있다. 그러나 청대의 서목에도 수록되지 않았고, 전래본도 발견되지 않고 있다. 그러나 지부족재총서본(知不足齋叢書本)에 소자쌍행의 교감기에 인용되어 있는 것으로 보아 청대까지 전래된 것으로 보인다.

1775년(청대 乾隆 40) 『사고전서(四庫全書)』를 찬수할 때는 제실(帝室)의 소인전(昭仁殿)에 비장되어 있던 건도각본(乾道刻本)을 토대로 필사하였는데, 이 사고전서본(四庫全書本)은 탈루가 많아 선본이라 할 수 없다.

청대 장서가였던 흡현(歙縣)의 포정박(鮑廷博 1728~1814)이 가장의 사본과 명말 정휴중(鄭休仲)의 중간본을 저본으로 교감하고 1793년(건륭 58) 간행해서 지부족재총서(知不足齋叢書)에 편입시켰다. 판심서명은 高麗圖經, 판심 하단에는 知不足齋叢書라 수록되어 있다. 서긍의 서문, 서천(徐蕆)의 지문, 건륭계축(1793)단양흡포정박서어지부족재(乾隆癸丑端陽歙鮑廷博書於知不足齋)란 발문이 있다. 판식은 좌우쌍변, 반곽: 12.4×9.0cm, 유계, 9행21자, 흑구인데 어미(魚尾)는 없다. 이 지부족재총서는 1822년(도광 2)에 중간되었는데, 그 제122-124책에 편입되었다. 그 판심의 간기에는 '도광임오(1882)중간(道光壬午重刊)'이라 기록되어 있다. 본서는 포정박이 1793년(건륭 58) 간행한 지부족재총서본(知不足齋叢書本)이다.

4. 구성 및 내용

당시 송에서 온 사신은 휘종의 조서를 고려 국왕에게 전하고, 전년에 타계한 예종(睿宗)을 조문하는 통상적인 사절 임무를 수행했다. 서긍은 이때 그의 눈에 비친 고려의 실상을 기록하고 그림으로 그린 것이다. 고려 건국 전후의 역사, 왕계(王系), 개성 시가와 궁궐의 모습, 관복과 의례, 병제(兵制), 도교와 불교 등의 종교사상, 신분제도와 토지제도, 실권자들에 대한 논평, 풍속과 생활용품을 비롯한 고려인의 생활상, 배와 항해술 등 고려에 대한 모든 면을 망라한 것이다.

'선화'는 당시의 연호이고, '봉사'는 사신의 임무를 수행했다는 뜻이다. '고려도경'은 고려의 문물에 대해 그림을 곁들여 쓴 글이라는 뜻이다. 본서에는 1124년(선화 6)에 쓴 서긍의 서문, 연접해 수록된 1167년(건도 3) 서천(徐蕆)의 발문, 목록에 이어 본문인 경문(經文) 40권, 본문의 말미에 장효백(張孝伯)이 쓴 서긍의 행장, 1793년(건륭 58)에 쓴 포정박(鮑廷博)의 발문이 수록되었다.

본문은 고려사회 거의 전반을 취재하여 300여 항목을 28문(門)으로 분류해서 기술한 내용이다. 그 주제는 권1 건국(建國), 권2 세차(世次), 권3 성읍(城邑), 권4 문궐(門闕), 권5-6 궁전(宮殿), 권7 관복(冠服), 권8 인물(人物), 권9-10 의물(儀物), 권11-12 장위(仗衛), 권13 병기(兵器), 권14 기치(旗幟), 권15 거마(車馬), 권16 관부(官府), 권17 사우(祠宇), 권18 도교(道敎)와 석씨(釋氏), 권19 민서(民庶), 권20 부인(婦人), 권21 조예(皂隸), 권22-23 잡속(雜俗), 권24 절장(節杖), 권25 수조(受詔), 권26 연례(燕禮), 권27 관사(館舍), 권28-29 공장(供帳), 권30-32 기명(器皿), 권33 주즙(舟楫), 권34-39 해도(海道), 권40 동문(同文)이다.

28문목의 명칭을 보면 대개는 내용을 짐작할 수 있다. 건국(建國)에서 고려는 고구려를 계승한 것으로 기술하였다. 백제, 신라, 신라통일기에 대해서는 언급이 없으나, 발해에 관해서는 소략하게나마 기록되어 있다. 인물(人物)에는 고려의 인물을 소개하였는데, 오준화(吳俊和) 등 관원 57인을 직함과 함께 나열하고, 이자겸(李資謙), 윤언식(尹彦植), 김부식(金富軾), 김인규(金仁揆), 이지미(李之美) 등 당대에 유명한 신료에 대한 평도 수록하였다. 장위(仗衛)에는 국왕의 관속과 의장을 비롯하여 송도의 경비를 담당하는 군대의 규모, 무기 및 거마에 이르는 제반사항이 기술되어 있다. 국왕의 의장물건 12종, 의장대 18종, 병기 8종, 기치 7종, 거마 7종의 형제(形制)와 용도가 설명되어 있다. 그 정확한 모습을 알기 어려운 현재 상황에서 참고가 된다. 관부(官府)는 대성(臺省), 국자감(國子監) 등 6종, 관사(館舍)에는 외국사절의 숙소로 순천관(順天館), 청풍각(淸風閣), 벽란정(碧瀾亭) 등 11곳을 수록하였다. 기명(器皿)에는 고려청자의 아름다움을 기술하면서 수로(獸爐), 반전(盤琖), 박산로(博山爐), 오화세(烏花洗), 수앵(水甖) 등을 수록하였는데, 서긍의 관심을 끈 기명으로 보인다.

불교에 대해서는 승려의 의복제도, 법안종의 유래, 국사(國師), 삼중화상대사(三重和尙大師), 아도리대덕(阿闍利大德), 사미비구(沙彌比丘), 재가화상(在家和尙) 등 승관제도에 관한 서술이 있다. 도교에 관해서는 복원관(福源觀)에 도사 10여 인이 활동하고 있으며, 도사의 복장에 관해서도 간략히 기술하고 있다. 민서(民庶)에는 사(士)·농(農)·공(工)·상(商) 등 신분계층, 조예(皂隸)에는 하급관원, 부인(婦人)에는 귀녀(貴女), 비첩(婢妾), 두발, 화장, 의복, 잡속(雜俗)에는 궁정의 화톳불, 초롱잡는 관리, 시간을 알려주는 관리, 연회, 급사, 말타는 부인, 목욕과 세탁, 농사, 고기잡이, 땔감, 도축, 급수, 토산품 등 정사에는 보기 어려운 풍속사의 일면이 수록되어 있다. 수조(受詔)에는 중국과의 외교예제, 연례(燕禮)에는 연회의 풍속, 공장(供帳)에는 외국사절에 제공되는 용품 등에 대해 기술되어 있다. 6권에 걸친 해도(海道)에는 해상교통, 해도(海島), 항로와 노정, 지리적 특징, 송의 사신이 탄 신주(神舟)와 객주(客舟)의 구체적인 구조가 서술되었다. 명주(明州)에서 고려까지 항해한 42일여의 일정도 기술되어 있어서, 중국 조선사, 항해사의 진귀한 사료가 된다. 북송과 고려는 문화가 같다는 것을 밝힌 동문(同文)에는 정삭(正朔), 고려와 요(遼), 송(宋) 등 중국과의 관계, 유학발전, 음악, 도량형 등에 관해 서술되어 있다.

5. 서지적 특성 및 자료적 가치

고려와 송은 지리적으로 인접하여 쌍방이 빈번하게 왕래하였으므로, 중국에서도 고려와 관련하여 오식(吳拭)의 『계림기(雞林記)』, 왕운(王雲)의 『계림지(雞林志)』, 손목(孫穆)의 『계림유사(雞林類事)』 등이 저작되었다. 그러나 이런 서적들이 대개 망실되었으나, 『고려도경』만은 전문이 전래될 수 있었다. 『고려도경』은 저작 당시에는 매우 많은 삽도가 있었으나, 금나라가 남하했을 때 산실되고 문장부분만 겨우 전래된다.

포정박은 발문에서 밝히기를 정휴중의 중간본은 수많은 곳에 탈루된 글자가 나타나고, 권27은 착간(錯簡)이어서 읽을 수 없을 정도이기 때문에, 비교적 선본(善本)으로 보이는 자신이 수장하고 있는 사본과 비교하여 간행했다고 하였다. 따라서 본문에는 간간이 소자쌍행으로 교감한 기록이 수록되어 있다. 예로 '…布帆二十餘幅…'에서는 '鄭刻一十五幅', '…今尚置開成…'에 대해서는 '鄭刻城', '…王繼母之

宮…'에 대해 '鄭刻宅'으로 기록되어 있다. 여기서 정각(鄭刻)은 명말 정휴중(鄭休仲)의 중간본을 지칭하는 것으로 보인다. 그러나 초판 건도각본과 대조하면 본서에 오류가 많다. 그러나 초간본이 극히 드물고 유전된 간본 가운데 비교적 선본이기 때문에 많이 유통되었다.

본서는 분홍색 비단 표지에 미농색 포각을 한 4침안정법의 중국본이다. 본서에는 [김옥균인(金玉均印)], [서광범인(徐光範印)], [자하(紫霞)], [김경건인(金景建印)], [도남조윤제인신장수(陶南趙潤濟印信長壽)]의 5과가 날인되어 있다. [金玉均印]은 급진개화파의 지도자로서 갑신정변(1884)을 주도했으며, 우리나라 개화사상의 형성에 큰 역할을 한 김옥균(金玉均, 1851~1894)의 장서인일 가능성이 있다. [徐光範印]은 갑신정변(1884)의 주역이며, 갑오개혁 때 법무대신과 학부대신으로 사법제도를 개혁하는 등 개화파의 개혁정책을 실시한 서광범(徐光範, 1859~1897)의 장서인일 수 있다. 자하(紫霞)란 호를 가진 사람은 조선 중기의 문신인 변경윤(邊慶胤, 1574~1623)과 조선 후기의 문신·화가·서예가인 신위(申緯, 1769~1845) 등이 있는데, 변경윤은 생존기간이 본서의 간행년도보다 앞선다. 만약 개화파의 지도자였던 김옥균(金玉均), 서광범(徐光範)과 화가인 신위(申緯)의 구장서였다면 그 가치는 더욱 높다고 하겠다. 마지막으로 도남 조윤제(趙潤濟) 선생이 수장한 후, 영남대학교에 기증된 책이다.

1793년(청 건륭 58)에 간행된 『고려도경』의 중간본은 지부족재총서에 편입되었으므로 널리 유통될 수 있었다. 정사에서 알 수 없는 고려의 사정이 비교적 풍부하게 수록되어 있어 고려의 연구에 중요한 자료이다. 『고려도경』은 고려 당대의 사료임과 동시에 고려의 박물지적 정보를 담고 있어서 12세기 고려의 역사를 연구하는 데 중요한 사료이다. 아울러 송사, 고려사 및 여송관계사 연구는 물론 과학기술사와 해상 교통사 연구에도 중요한 자료이다.

배현숙

[핵심어]

서긍, 고려도경

[참고문헌]

기경부, 「선화봉사고려도경의 판본과 그 원류」, 『서지학보』 제16호 한국서지학회, 1995.

박경휘, 「서긍과 선화봉사고려도경」, 『퇴계학연구』 제4집, 중국어문연구회, 1990.

오철부, 「서긍홍기선화봉사고려도경」, 『모산학보』 제2집, 동아인문학회, 1991.

小學諺解

서　　명：小學諺解

편 저 자：校正廳 編撰

판 사 항：金屬活字本(乙亥字體經書字本)

발행사항：[1588]

형태사항：1册(零本)：四周雙邊. 半郭：24.7×17.2 cm. 有界, 10行19字, 註雙行. 上
　　　　　下內向三葉花紋黑魚尾；35×22.1 cm

1. 개요

조선시대 초학용 교재로 널리 쓰였던 『소학』의 언해본으로 을해자체경서자본이다. 대체로 조선조 『소학』의 교육과 진흥은 대부분 왕의 주도하에 이루어졌다. 조선의 역대 왕들은 다양한 『소학』 장려정책과 『소학』 서적의 활발한 간행을 통해 왕세자, 사대부를 비롯하여 일반 서민에 이르기까지 모든 백성들에게 『소학』을 교육하였다. 영남대 도남문고의 『소학언해』는 1586년(선조 19)에 『소학언해(小學諺解)』를 비롯한 국역경서(國譯經書)(論語諺解, 孟子諺解, 大學諺解, 中庸諺解, 孝經諺解 등)를 간행하기 위해 을해자와 닮은 글자체로 만든 활자로 1588년에 인쇄한 책이며, 당시에 간행되었던 경서의 언해본을 통칭해서 일명 "교정청본"으로도 알려져 있다. 도남문고본은 경서자 인본 중, 가장 초기에 간행된 『소학언해』로 권6의 1책이 남아 있다.

2. 편ㆍ저자 및 편찬 경위

『소학(小學)』은 고려말 주자 성리학의 도입과 함께 중국에서 전래되었다. 성리학의 기본교재이면서 수신서로서 조선조 전반에 걸쳐 널리 보급된 책이다. 1407년(태종 7) 3월에 권근(權近, 1352~1409)은 왕에게 『권학절목(勸學節目)』을 올리면서 『소학』을 학생들로 하여금 모두 배우게 하고, 생원시 시험과목으로 정해 주기를 청하였고 이후에 8세 이상의 아동들은 모두 『소학』을 배우도록 규정하기도 하였다. 특히 조선 중종조에는 왕의 『소학』 장려 정책과 더불어 사림에 의해 『소학』이 중시되었다. 또한, 아동 및 부녀자를 비롯한 일반 백성들의 『소학』 교육을 위해 언해본인 『번역소학(飜譯小學)』을 편찬, 간행하였고 선조조에는 『소학언해』를 간행하였다.

참고로 『번역소학』은 1518년(중종 13) 왕명에 의해 김전(金銓), 최숙생(崔淑生), 김안로(金安老) 등이 중국의 하사신(何士信)이 편찬한 『소학집성(小學集成)』을 저본으로 언해하여 간행한 책이다. 남곤(南袞)이 지은 발문에 의하면 이 책은 아동과 부녀자를 비롯한 백성의 교화를 목적으로 간행하였다 하였는데 이러한 목적으로 인해 번역의 방식은 직역(直譯)이 아닌 의역(意譯) 형식을 취하고 있다. 남곤의 발문 다음에는 번역에 참여한 찬집청 관원 16명의 명단이 수록되어 있다. 『번역소학』은 『소학집성』을 저본으로 하였기 때문에 저본의 권책수와 같이 10권 10책으로 이루어졌지만 현재 완질이 남아있지 않다. 처음에 금속활자인 을해자로 간행된 것으로 그 번각본(飜刻本)이 고려대 도서관, 국립중앙도서관, 규장각, 경주 옥산서원 등에 전해지고 있다.

이에 반해서 경서자본 『소학언해』는 정유(程愈)의 『소학집설(小學集說)』을 저본으로 1588년(선조 21) 왕명에 의해 교정청에서 편찬한 것이다. 정유(程愈)의 주에 의한 『소학집설』은 1491년 탁영 김일손이 중국사신으로 갔다가 구해온 것으로 알려진 책이다. 15세기까지는 『소학집성』과 『소학집설』이 공존하면서 간행되고 읽혀졌으며 1518년에는 『번역소학』이 간행되었고 1588년에 『소학집설』에 대한 번역이 경서자로 간행되었던 것이다.

『소학』의 첫 번째의 언해본인 『번역소학』은 백성을 교화하기 위한 목적도 있었으므로 원문에서 다소 멀어지더라도 쉽게 이해시키기 위하여 의역을 하였다. 그러나 그것을 수정한 경서자본 『소학언해』는 그 범례에서 언급하기를,

"戊무寅인년 칙애 사룸이 수이 알과댜ᄒᆞ야 字ᄌᆞ 쁟밧긔 註주엣 말을 아오로 드려 사겨시모로 번거코 용잡흔 곧이 이심을 免면티 몯ᄒᆞ니 이제는 지만흔 말을 업시 ᄒᆞ야 브티고 흔글ᄋᆞ티 大대文문을 의거ᄒᆞ야 字ᄌᆞ를 조차셔 사교ᄃᆡ 사겨 통티 몯홀 곧이 잇거든 가ᄅᆞ 주내여 사기니라." (戊寅本 欲人易曉 字義之外 幷入註語爲解故 未免有繁冗處 今則刪去枝辭 一依大文 逐字作解 有解不通處則分註解之) 라고 하였듯이, 의역 방식을 택한 『번역소학』에 번거롭고 쓸데없는 말이 있는 문제를 해소하기 위해서, 『소학언해』가 원문에 충실한 직역 방식을 택하였고, 뜻이 통하지 않는 부분에서는 협주를 이용하여 풀이하였음을 밝히고 있다. 즉 이 책의 편찬 동기 중의 하나로 중종 때의 『번역소학』이 너무 의역에 치우쳐서, 의역이 아닌 직역의 형태로 대문을 축자적으로 번역하고 설명이 필요한 부분은 분주(分註)를 달아 풀이하도록 하였다는 것이다.

또한 『소학언해』 권말에 있는 이산해(李山海)의 발문에는 『소학』의 번역과 인출의 과정을 밝히고 있다. 1585년(선조 18)에 국역 경서의 교정을 위해 교정청을 설치

하고 유신을 선발하여 『소학』을 번역하게 하였으며 그 다음 해인 1586년(선조 19) 여름에 번역작업이 마무리되고 이를 진상한 것으로, 왕이 교서관으로 하여금 인출을 명하고 동시에 이산해에게 발문을 쓰게 하였다고 기록하고 있다. 이산해의 발문에 이어 책의 간행에 참여한 여러 신하들의 명단이 수록되어 있다.

현재 이 책과 동일한 판본의 내사본(內賜本)이 도산서원에 완질로 남아 있는데, 책머리의 범례와 이산해의 발문, 간행에 관여한 관원의 명단이 붙어 있어 이 책의 편찬 경위에 관해 알 수 있다. 발문은 선조 20년(1587) 4월에 작성되었고, 내사기(內賜記)는 '萬曆十六年正月日 內賜陶山書院小學諺解一件 左承旨臣朴(手決)'의 내용으로 이듬해 1월에 기록되었다. 명확한 간기가 없지만 이 책의 내사기의 내용에 따라 최소한 1588년 1월 이전에 이 책이 인쇄되었음을 보여준다.

즉 도남문고의 『소학언해』는 1588년(선조 21)에 선조의 명으로 교정청에서 간행한 6권 4책의 활자본이며 그 중에 권6의 1책만 남아 있는 것이다. 현재 전해지고 있는 판본은 금속활자본인 을해자체경서자본 1종과 경서자 번각본 계열의 목판본이 남아 있으며 이 번각본의 계통이 17세기 이후에 유통되었다.

금속활자인 경서자로 찍은 인본을 살펴보면, 도산서원에 내려진 책 외에도 경북대 도서관에도 1책이 소장되어 있으며 본문 내 방점이 있고 종성에 'ㆁ'이 쓰이고 있으며, 'ㅿ'은 부분적으로 나타나고 있다.

이 책의 번각본으로는 권수제 아래에 '校書館上'이라는 소장처 표시가 있는 규장각 소장본과 함경도 함영과 제주에서 간행한 책이 있다. 규장각 소장본은 초기에 번각된 것으로 방점이 남아있고 'ㆁ'과 'ㅿ'이 쓰이고 있다.

한편 정유(程愈)의 『소학집설』은 17세기에 들어서면 율곡 이이의 『소학제가집주(小學諸家集註)』로 대체되고 새로운 언해로 바뀌게 된다. 이 당시 송준길은 "소학언해는 집주(集註)와 때로는 혹 맞지 않아, 배우는 자들이 병으로 여긴 지 오래였습니다. 상신(相臣)이 차자(箚子)를 올려 바로잡기를 청하니, 진실로 사리에 온당하여 다른 의논을 수용할 것이 아닙니다. 이 밖에 언해 중에서 방언(方言) 이어(俚語)가 고상하지 못하여, 마땅히 고쳐야 할 것이 또한 한두 곳만 없는 것이 아니옵니다. 아울러 정밀하게 교정하도록 명령하시어, 원자께서 강독할 때에 의심이나 막히는 바가 없게 하기는 생각건대 그만둘 수 없겠습니다."(同春堂先生集 卷九, 小學諺解釐正議) 라고 하여 소학을 제대로 이해하는 데 도움이 되는 주석서로 율곡 이이가 편찬한『소학제가집주』를 언급하고 언해의 구본 즉 교정청본『소학언해』는 오로지 정유의 주를 따르고 있으므로 집주와 다른 부분이 있고 한편으로 방언 이어가 있으니 바로잡아야 한다고 하였다. 좌상 홍명하도 같은 취지의 차자를 올리기도 하였으며 왕은 홍문관으로 하여금 바로잡으라고 명함으로써 이후로는『소학제가집주』의 언해본이 유통되게 된다.『소학제가집주(小學諸家集註)』는 다섯 가지의 주석 즉 하사신(何士信)의 집성(集成), 오눌(吳訥)의 집해(集解), 진조(陳祚)의 정오(正誤), 진선(陳選)의 증주(增註), 정유(鄭愈)의 집설(集說)을 취사 선택하여 나열하고 간혹 율곡 이이의 주를 넣어서 엮은 책이다. 17세기 초 이후로는 이 책의 한문본과 언해본이 지속적으로 간행되어 이후로 널리 이용되었다.

3. 구성 및 내용

영남대 도서관의『소학언해』권6은 활자본으로, 표지는 개장되었다. 책의 크기는 35.9×24.1cm, 반곽 22.1×15.9cm이다. 사주쌍변(四周雙邊)이며 계선이 있다. 판심(版心)의 어미(魚尾)는 상하내향삼엽화문어미(上下內向三葉花紋魚尾)이고, 판심제(版心題)는 '小學諺解'이다. 원문은 10행 19자이고 언해는 10행 18자이다. 구결과 한자음이 달린 한문 원문은 맨 윗줄에서부터 쓰고, 그 원문에 해당하는 언해는 한 자를 비우고 실었다. 앞부분이 파손되어 8장 앞면부터 남아 있고, 뒷부분 역시 훼손되어 131장 뒷면까지 남아 있다.

본래『소학』의 내용은『논어』,『맹자』를 비롯한『예기』의「곡례(曲禮)」,「학기(學記)」,「내칙(內則)」,「왕제(王制)」,「악기(樂記)」등과『관자(管子)』,『국어(國語)』등에서 비롯되었다.『소학』은 전체적으로 내외 2편 386장으로 구성되어 있는데 내편에는「입교(立敎)」,「명륜(明倫)」,「경신(敬身)」,「계고(稽古)」가 수록되어 있고 외편은「가언

(嘉言)」, 「선행(善行)」으로 구성되었다. 완질본을 참고로 살펴보면 본문에 앞서 책의 권수(卷首)에는 책의 성격과 편찬의도를 밝히고 있는 「소학제사(小學題辭)」와 주자의 교육관을 나타낸 「소학서제(小學書題)」가 실린다.

먼저, 「입교(立教)」는 모두 13장으로 교육의 원칙을 설명하고 있다. 태교와 아동 훈육법, 교육하는 법도, 사제간의 본분 등에 대해 설명하고 있다. 「명륜(明倫)」은 모두 108장으로 부자(父子), 군신(君臣), 부부(夫婦), 장유(長幼), 붕우(朋友)의 윤리를 밝힌 것이다. 「계고」, 「가언」, 「선행」의 내용까지 모두 합치면 총 225장으로 소학 내용 가운데 반 이상을 차지한다.

「경신(敬身)」은 개인 내·외적인 생활 영역에서 갖추어야 할 윤리를 서술한 것으로 모두 46장으로 구성되어 있다. 「계고」, 「가언」, 「선행」의 내용까지 포함하면 총 119장으로 「명륜」에 이어 두 번째로 많은 분량을 차지한다. 「계고」는 춘추시대 이전 각종 사료에서 입교, 명륜, 경신에 부합하는 실례를 든 것으로 모두 47장이다.

「가언」은 한대(漢代) 이후 명현의 격언과 명가의 가훈을 모은 것이고 「선행」은 선현들의 훌륭한 행실을 모아놓은 것이다.

4. 가치 및 의의

『소학』은 활자본, 목판본, 필사본 등 여러 종류의 출판 형태로 전국 각지에서 간행되었고 또한 아동, 부녀자를 비롯한 일반 서민들이 배우기 쉽도록 하기 위해 많은 주석서와 언해본이 편찬, 간행되었다. 그 가운데 소학 교육의 대중화에 가장 큰 기여를 한 것은 단연 언해본의 편찬과 보급이라 할 수 있다.

이 책은 조선조에서 성리학의 입문서이자 수신서로서 양반 자제들이 기본적인 덕목을 익히기 위해서 먼저 익혀야 할 책이었을 뿐만 아니라 실제적으로는 미리 배강을 해서 합격해야만 과거에 응시할 자격이 주어졌으므로 매우 중시된 책이었다. 그리하여 내용을 더 정확하게 이해하기 위해서 언해의 필요성이 높아졌으며 여러 차례 언해가 이루어졌다. 소학의 언해본은 16세기 중기의 『번역소학』과 1580년의 경서자본『소학언해』가 16세기에 이미 간행되었고 17세기에 이르러서는 율곡 이이의 『소학집주』에 대한 언해본이 대부분 유통되었다.

　이 책은 16세기 교정청에서 편찬한 공식적인 『소학』의 언해서라는 국어사적 의의와 함께, 을해자체경서자라는 조선 전기 마지막 금속활자로 간행된 인본으로서 인쇄문화사적 의미도 크다.

옥 영 정

[핵심어]

소학, 소학언해, 소학집주, 경서자, 교정청본

[참고문헌]

서울대학교규장각, 『규장각소장 어문학 자료』-어학편 해설-, 태학사, 2001.

김주원, 「『어제소학언해』(1744년)를 둘러싼 몇 문제」, 『국어사자료연구』, 창간호, 국어사학회, 2000.

안병희, 『국어사 자료 연구』, 문학과 지성사, 1992.

이기문, 「소학언해에 대하여」, 『한글』 127호, 한글학회, 1960.

이숭녕, 「소학언해의 戊寅本과 교정청본의 비교 연구」, 『진단학보』 36호, 진단학회, 1973.

정호훈, 「16 · 17세기 소학집주의 성립과 간행」, 『한국문화』 47, 규장각한국학연구원, 2009.

洙梅淸

서　　　명：洙梅淸(슈미쳥심녹이라)
편 저 자：未詳
판 사 항：國文筆寫本
형태사항：6卷 6冊；無界, 11行 12–13字；23.6×19 cm

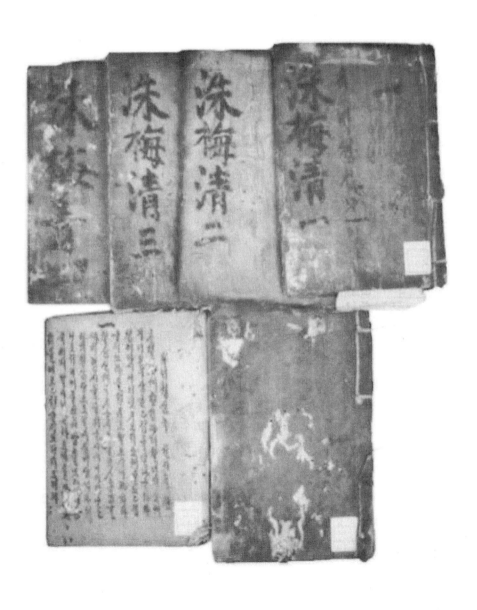

1. 개요

『수매청심록』은 작자 및 창작 연대 미상의 국문 애정소설이다. 남주인공 이중백과 여주인공 오현요가 늑혼 갈등을 해결하면서 애정을 성취해 나가는 과정을 그리고 있는 작품이다. 70여 종이 넘는 이본이 전하고 있어 대중적으로 폭넓게 읽혔음을 알 수 있다. 실제로 1970년대 후반 경북 북부지역의 고전소설 독자 성향 연구를 통해서, 가장 재미있는 책, 자손들에게 읽히고 싶은 책에 각각 4위로 올라 있어 그 인기를 가늠할 수 있다. 『수매청심록』은 조선시대 역사를 배경으로 한 『윤지경전』을 수용하면서 남녀 주인공의 인물 형상을 이상화시키고 애정 서사를 확대하여 통속적 애정소설의 성격을 지니게 된 것으로 알려져 있다.

영남대본은 도남문고에 소장되어 있다. 6권 6책 완질의 국문필사본이다. 표제는 '洙梅淸', '슈미청심녹이라'가 나란히 쓰여 있으며 내제는 '슈미청심녹'이다. 권지일에서 권지오까지는 23.6×19cm로 크기가 같고 권지육은 22.5×18.7cm로 크기가 좀 작다. 권1, 권2, 권4는 32장, 권3, 권6은 34장, 권5는 31장이다. 표지 이면에는 다른 소설을 필사한 것이 노출되어 있는 것으로 보아 표지는 이면지를 재활용한 것으로 보인다. 본문 상단 가운데 부분에 한자로 페이지를 기록하였다. 권1, 권3, 권5의 말미에 각각 '츠하을 셕남ᄒ라', '츠하 셕남ᄒ라', '츠쳥 하회ᄒ라'라는 기록이 있는 점을 미루어 볼 때 영남대본은 세책본으로 유통되었거나, 아니면 세책본을 저본으로 삼아 필사한 것으로 추정된다. 권지오 본문 이면지는 질품서(質稟書)인데 '건양이년'이라는 기록이 있다. 영남대본의 필사는 대한제국시기에 이루어진 것으로 보인다. 『수매청심록』의 이본 중에는 낙질도 상당수 있고 대부분 단권의 형태인 반면에 영남대본은 6권 6책이 완질로 전해지고 있어 이본으로서 자료적 가치가 높다고 하겠다.

2. 편·저자 및 편찬 경위

『수매청심록』은 작자 및 창작 연대를 알 수 없는 국문소설이다. 그런데 조선 중종대를 배경으로 일어난 사건을 소설화한 『윤지경전』과 전체적인 서사구조, 등장인물의 성격 및 역할이 비슷하여 영향관계에 있을 것으로 추정된다.

고전소설의 남주인공은 대체로 늦게 얻은 외아들로 설정되는데, 두 작품에서는 셋째 아들로 설정되어 있다. 여주인공이 남주인공과 인척관계라는 점도 공통적이다. 그 외에도 여주인공을 보고 첫눈에 반한 남주인공이 오랜 시간을 기다려 정혼하게 된 순간, 부마로 간택되어 늑혼의 위기에 놓이게 된다는 점, 여주인공을 시기하는 옹주 또는 군주의 무리가 방해하여 남녀가 이별하게 되는 점, 여주인공이 죽은 줄 알고 있던 남주인공이 조력자의 도움으로 여주인공을 다시 만나게 되는 점, 이들의 재회가 드러나 다시 이별하고 고난을 겪게 되는 점, 남녀 주인공을 해치려던 적대세력이 급기야 세자(태자)까지 해치려다 역모 죄가 밝혀져 처형되는 점, 왕 또는 천자가 붕어한 뒤 세자 또는 태자가 왕위에 오르고 세자의 요청에 따라 서인으로 강등된 군주를 후처로 받아들이는 점 등, 주요 인물들이 벌이는 일련의 서사는 상당히 유사하다.

『수매청심록』은 무대를 중국으로 옮기면서 특정 역사적 사건이나 인물 대신 허구적 인물들이 등장한다. 그리고 『윤지경전』에 비해 서사가 많이 부연되어 있고 구체적인 인물 형상화에는 차이가 있지만, 『윤지경전』의 서사적 틀을 차용한 것은 분명해 보인다. 『수매청심록』은 『윤지경전』의 수용과 변용을 통해 독자성을 확보하고 나름의 문학적 성취를 이룬 작품이라고 할 수 있다. 『윤지경전』의 이본이 10여 종에 불과한 반면 『수매청심록』의 이본은 70여 종이 넘어, 대중적 측면에서는 『수매청심록』이 훨씬 더 인기 있었던 작품이었다고 할 수 있다.

『수매청심록』 이본 중에 『권용선전』이라는 제명으로 전해지는 것도 있다. 『권용선전』이 『수매청심록』에 선행하는 원작이라는 견해가 있었으나, 연구 결과 『권용선전』은 『수매청심록』에서 파생된 작품임이 확인되었다. 『권용선전』은 활자본으로만 전하며, 필사본 『권용선전』도 활자본 이후에 필사된 것이다.

『수매청심록』은 『윤지경전』의 영향 아래 창작되어 필사본으로 유통되다가, 1918년에 활자본 『권용선전』과 활자본 『수매청심록』으로 이원화되어 발행되었던 것이다. 『윤지경전』은 늦어도 18세기 중반 이전에 창작·유통된 것으로 확인되며, 『수매청심록』은 19세기 중후반에 창작되어 20세기 초까지 널리 읽힌 것으로 추정된다.

3. 구성 및 내용

대명 성화 연간, 호부상서 이문형은 삼자일녀를 두었다. 그 중에 삼자 중백의 인물이 가장 뛰어나다. 이웃에 있던 장태우의 청혼을 물리쳤으나 중백이 장원급제한 후 다시 청혼하자 어쩔 수 없이 장낭자와 혼인시킨다. 그러나 장낭자가 홀연 득병하여 일찍 죽는다. 이상서의 아우 이시랑이 신병이 있어 치사하고 낙향하여 상서와 함께 세월을 보낸다. 상서가 득병하여 아내와 자녀를 부탁하고 죽는다. 시랑의 부인 오씨의 오빠인 오후는 사십이 넘도록 자식이 없다가 진주를 얻는 꿈을 꾸고 딸을 낳는다. 이름은 현요, 자는 보은이라 한다. 현요가 9세에 모친이 득병하여 기세하고, 오후 또한 병을 얻어 시랑 부부에게 현요를 부탁하고 세상을 떠난다. 광서에 도적이 발발하자 중백이 순무어사로 갔다가 돌아온 후 이시랑을 찾아간다. 그곳에서 현요를 보고 마음을 뺏기게 된다. 현요의 탈상 이후 중백이 구혼하여 둘은 정혼한다.

어느 날 명운군주가 중백을 보고 흠모하여 주태후에게 청하여 사혼을 허락받는다. 중백은 현요와의 정혼을 이유로 거절한다. 중백과 현요가 비밀리에 혼인하고, 어쩔 수 없이 군주와도 혼인하게 된다. 중백이 군주와 혼인한 후에도 군주와 동침하지 않아 결국 현요와의 혼인 사실이 드러난다. 중백은 옥에 갇히고 현요도 궁에 갇히게 된다. 지역의 제후가 반란을 일으키자 태후의 아우 주현이 중백을 천사(天使)로 보내고, 그 사이 현요를 노국 세자의 후궁으로 보내려 한다. 노국으로 향하던 중 현요의 시비 쌍섬이 현요를 대신하여 투신하고 현요는 거짓으로 투신한 것처럼 꾸민다. 현요는 변복하고 중백의 이모인 심부인댁에 은거한다. 반란을 평정한 중백은 현요의 죽음을 듣고 실신한다. 중백의 꿈에 오상서가 나타나 현요가 살아있음을 알려주고, 우여곡절 끝에 둘은 재회하여 첫날밤을 보내게 된다.

중백이 황성으로 돌아오지 않아 현요와 함께 있음이 탄로 난다. 태후 일당은 현요를 잡아오게 하지만 명순공주의 도움으로 명순궁에서 지내게 된다. 뜻을 이루지 못한 태후가 현요에게 독약을 보내고 시비 일취가 대신 독약을 마시고 죽는다. 주현은 태자를 죽이려 자객을 보내는데, 이상서가 꿈에 나타나 위기를 모면하게 된다. 태자가 모든 사실을 밝혀 주현은 처형되고 분을 이기지 못한 태후는 병들어 죽는다. 중백은 위국공에, 현요는 정렬부인에 봉해지고 이남이녀를 얻는다. 현요의 간청으로 군주를 용서하고 받아들인다. 위국공과 정렬부인은 부귀영화를 누리다 생을 마감한다.

4. 가치 및 의의

『수매청심록』은 남주인공 이중백과 여주인공 오현요의 애정 성취 과정을 중심 서사로 하는 통속적 애정소설이다. 조선 중종대의 역사적 사실을 소설화한 『윤지경전』의 영향을 받아 창작된 후 필사본으로 유통되다가 활자본 『수매청심록』과 활자본 『권용선전』으로 간행되었다. 『권용선전』은 남주인공이 이름이 이중백에서 권용선으로 바뀌었다. 현전하는 70여 종의 이본을 볼 때, 이들은 19세기 중후반부터 20세기 초반까지 널리 읽혔음을 알 수 있다.

영남대본 『수매청심록』은 도남문고에 소장되어 있다. 6권 6책 완질의 국문필사본이다. 대부분의 『수매청심록』이본은 한두 권 분량으로 전해지고 있는데 영남대본은 여러 분책으로 이루어진 점이 특이하다. 도남문고에는 6권 6책 완질과 더불어 단권의 『수매청심록』 1종, 구활자본 2종도 함께 소장되어 있다. 『수매청심록』은 독자들에게 상당히 인기 있었던 작품이었고 현전하는 이본 수도 많은 데 비해 연구 성과는 많지 않은 편이다. 보다 다양한 접근의 연구가 필요하다고 생각되며, 영남대본은 『수매청심록』 이본 연구에 중요하게 다루어져야 할 자료이다.

박은정

[핵심어]

수매청심록, 도남문고, 이중백, 오현요, 윤지경전, 권용선전

[참고문헌]

김정녀, 「『수매청심록』의 창작 방식과 의도」, 『한민족문화연구』 제36집, 한민족문화학회,
    2011.

조희웅, 『고전소설 이본목록』, 집문당, 1999.

차충환, 「『수매청심록』의 성격과 전승양상에 대한 연구」, 『어문논집』 40, 한국어문교육연구회,
    2012.

新刊音點性理羣書句解

서　　　명 : 新刊音點性理羣書句解

편 저 자 : 熊節(宋) 編, 熊剛大 註解

판 사 항 : 木板本

발행사항 : 평양 : 평양부, [415]

형태사항 : 23卷 4冊 : 四周雙邊. 半郭 : 18.4×11.8 cm. 有界, 8行15字, 註雙行. 上下
白口 上下下向黑魚尾 ; 26.6×15 cm

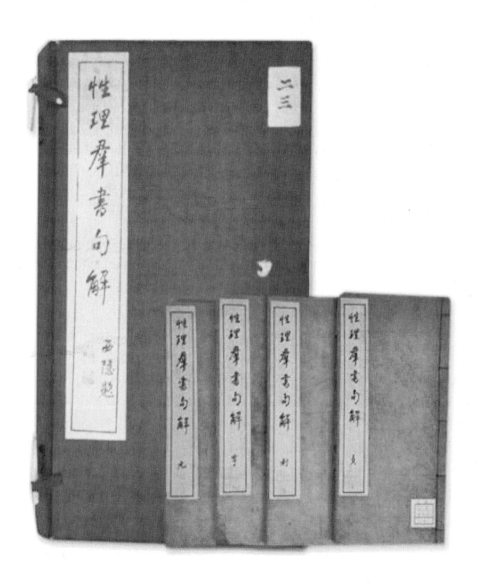

1. 개요

『신간음점성리군서구해(新刊音點性理羣書句解)』는 중국 송나라 시대 여러 유학자의 유문(遺文)을 분류해서 편찬한 책으로 송나라 웅절(熊節)이 편집하고 웅강대(熊剛大)가 주해를 한 것이다. 전·후 2편 중에 후집 23권 4책이며(전편은 『신편음점성리군서구해(新編音點性理羣書句解)』) 1415년에 평양부에서 간행을 마친 것으로 권말 김여하(金慮遐)의 발문에서 이를 확인할 수 있다. 권23의 끝에 "平壤府重刊"의 인출기가 있으며, 마지막장에 평양부윤 최이(崔迤) 이하 감독관과 교정자의 명단이 기재되어 있다.

2. 편·저자 및 편찬 경위

이 책의 편집자인 웅절(熊節)은, 자는 단조(端操) 또는 원용(元用)이며 남송 건녕(建寧) 건양(建陽) 사람으로 생몰년은 확실하지 않다. 1199년(영종 경원 5)에 진사(進士)가 되고, 통직랑(通直郎)을 지냈으며 민청지현(閩淸知縣)에 올랐다. 주희(朱熹)에게 수학하였고 저서로 『성리군서구해(性理群書句解)』와 함께 『중용해(中庸解)』와 『지인당고(智仁堂稿)』 등이 알려져 있다. 웅강대는 고계선생(古溪先生)으로 불리며 채연(蔡淵), 황정(黃靜)의 제자이다.

『신간음점성리군서구해』는 성리학에서 중요시하는 여러 문헌들을 송대의 학자인 웅절이 편집하고 웅절과 같은 지역인 건양의 웅강대가 주석하여 만든 책이다. 세종년간에 금속활자로 간행된 책의 모본에 해당하는 책으로 1415년에 평양부에서 간행하였다. 전집과 후집의 서명에 차이가 있어서 별개의 책으로 오인하기 쉬우나 동일한 시기에 함께 간행하였고 전·후집이 짝을 이루는 책이다.

이 책의 권말에는 당시 평양부 유학교수관을 지냈던 김여하의 지문이 있어서 간행의 경위와 시기를 파악할 수 있다. 그 지문의 내용을 요약해 보면,

"전하 13년 가을 형조판서 최공(최이)을 평안도 도순문찰리사 평양부윤을 겸하도록 했다. 다음해 가을 9월에 말하길 "내가 좌정승 호정선생(하륜)집에 왔는데 공

이 집에서 소장하던 『성리군서』를 나에게 부탁하며 말하길 '이 책은 모두 송나라 때의 도학을 닦는 선비 아홉 선생들의 격언을 담은 것이다. 내가 옛적에 사신으로 중국에 가서 한 본을 얻어 왔는데 상세히 음미해보니 매년 간행하고자 하는 생각이 있어 다른 사람과 더불어 함께하게 되니 다행이다. 지금 국가가 한가하고 평양 사람들이 모두 물자가 풍부하니 일을 열심히 하여 쉽게 이루어져서 그대가 지금 농사일의 사이에 하면 뜻있게 될 것이다.' 하였다. 대개 처음 일을 도모함에 이에 공인 19인을 모아서 녹봉의 남은 것으로 먹였고 참좌에게 감독을 더하여서 기년에 부 사람들이 공정을 마쳤다. 다 처음과 끝에 이 책의 제판을 사용했고 후에 참조하여 이룬 것을 잃어버리지 않고 보도록 모두 기록한다."[殿下之十三年秋刑曹判書崔公 以平安道都巡問察理使兼尹平壤 明年秋九月謂其寮佐曰 予之來左政丞浩亭先生公以家藏性理群書囑予 曰是書皆宋朝眞儒九先生之格言也 予昔奉使中國得一本而來 詳味有年思欲刊行 與人共之幸 今國家閑暇平壤人衆物阜事功易就予其爲意爲今農務之隙 盍圖始事於是鳩工得十九人食以廩祿之餘俾參佐監督 朞年而工告訖予府人也 悉其始末是用書諸板後以示不泯其參助以成者幷錄于左 永樂乙未秋八月甲申通政大夫平壤府儒學敎授官 金慮遲 厪識] 고 하였다. 즉 평양에서 1415년에 이 책을 번각하였는데 그 저본은 하륜의 집안에 있던 장서였다는 사실이 확인된다.

이인영은 청분실서목에서 이 책에 대해 언급하기를, 권말에 정헌대부 평안도도순문찰리사 겸 평양부윤 최시등의 간행인물이 있고 소장본 중에 권1 및 14의 권수에 노한(魯漢)인기(印記)가 있는 책이 있다고 하였다. 또한 초기의 『고사촬요』 파본에는 평양에 이 책의 책판이 소장되어 있다고 하였다.

『신간음점성리군서구해』가 우리나라에 언제부터 전해졌는지는 명확하게 알려져 있지 않다. 다만 세종 때부터 이 책에 대한 언급이 있고 조정에서 참고서적으로 활용한 기록을 확인할 수 있다.

이 책의 원간본을 문헌기록 및 현존본을 통해 살펴보면 대만국가도서관 소장본으로 원나라 건안서원(建安書院) 간본 『신편음점성리군서구해(新編音点性理群書句解)』 전후집(前後集)이 있다. 동일한 서책의 여부에 대한 확인이 필요하지만 대체적인 정황으로 볼 때 『성리군서』는 일찍이 원판본으로 들어와 태종 15년(永樂 13, 1415)에 평양부에서 번각 보급된 것으로 보인다. 도남문고와 동일한 서책으로 일본국립국회도서관 소장의 영락을미(1415년) 조선간본 『신편음점성리군서구해』 3책(舊元佶所藏本)도 있다. 그리고 그 뒤 조선 전기의 활자본인 갑인자로 간행되어 유통되었다.

이 책이 갑인자로 다시 간행된 배경에는 책의 형태 특히 글자의 크기가 중요한 역할을 한 것으로 보인다. 1439년 갑인자로 간행되기 전인 1434년 6월에 도승지 안숭선이 판중추원사 허조의 말로써 아뢰는 내용 중 "『성리군서(性理群書)』는 절요(切要)한 글이오나, 자획(字畫)이 가늘고 작아서 늙은 눈에 보기 어려우니, 원컨대, 큰 글자로 간행하기를 명하시어 늙은 눈에 보기 편하게 하시면, 노신들이 길이 성은을 입겠나이다."고 한 기록이 있다. 세종은 일이 한가할 때에 간행하도록 하여 반사(頒賜)하겠다는 약속을 하였고 그 결과 1439년에 갑인자본의 간행이 이루어진 것이다.

갑인자 인본은 처음 인출 당시의 10행 18자 주쌍행(註雙行)과 상하하향흑어미(上下下向黑魚尾)의 체재로 조선 전기에 2차례 이상 간행되었다. 그 형태는 거의 동일하지만 광곽이나 변란이 조금씩 다르고, 후쇄본인 경우 활자의 마멸도와 보자(補字)의 혼입도에 차이가 있어 구분할 수 있다. 그리고 이들 갑인자 인본을 번각한 목판본도 몇 종이 전래되고 있다. 선조 1년(隆慶 2, 1568)에 조사하여 펴낸 을해자판『고사촬요』팔도정도에서 『성리군서』의 책판은 평양(平壤)과 청주(淸州)에 각각 나타난다. 평양의 책판은 도남문고 본과 동일한 태종 15년(1415)에 원간본(元刊本)을 번각한 것임을 추정할 수 있다. 청주에 보관된 책판은 일본 내각문고에 소장되고 있는 목판본에 의해 알수 있듯이 "弘治元年 戊申(1488)季春日 承訓郎行淸州敎授金孝貞謹跋"이 있는 갑인자 번각본이다. 이 책은 1488년 3월에 충청도 관찰사 김여석(金礪石)이 신간(新刊)『성리군서(性理群書)』10건을 올린 것과 일치하는 책이다. 관찰사 김여석의 주선으로『성리군서』를 1488년(성종 19) 청주에서 간행해낸 것이다.

또한 1585에 조사한 『고사촬요』에는 광주(光州)에만 그 책판이 나타나고 있다. 광주의 목판본은 간기가 있는 책이 없으나, 일본의 봉좌문고본이 동일한 책으로 추정되고 있다.

이 책의 유통에 대한 기록을 살필 수 있는 기록으로 이것은 1444년(세종 26) 8월 14일에 다른 8종의 전적과 함께 청주향교에 반사된 것과, 국립중앙도서관본 중에 성수침의 소장본으로 남은 책을 통해서 일부나마 살필 수 있다. 성수침 소장본은 내사본으로 추정되는데 비록 내사기가 없으나 '선사지기(宣賜之記)', '외재(畏齋)', '창녕후학성수침중옥(昌寧後學成守琛仲玉)'이라는 인기가 보이고 있다.

해제 대상본은 후집 23권 전체를 소장하고 있다. 이 책은 선장 형태로 개장되어 있으며, 책의 크기는 26.6×15 cm이다. 권수제는 '新編音點性理群書句解'로 기입되어 있으며, 그 아래에 '後集'이란 음문의 묵개자로 표시하였다.

3. 구성 및 내용

『신편(간)음점성리군서구해』는 여러 유학자의 유문(遺文)을 분류해서 편찬한 책으로 본래 전집, 후집 각 23권씩 46권으로 되어 있으며, 전집은 『신편음점성리군서구해』, 후집은 『신간음점성리군서구해』의 서명으로 간행되었다. 도남문고 소장본은 원나라 간본의 번각본으로 『신간음점성리군서구해』의 서명을 보이는 책이다.

이후에 간행된 완질의 갑인자본을 참고하여 살펴보면 판심제(板心題)에도 전자는 '書' 후자는 '書後'로 되어 있으므로 양자를 합하여 전질을 구성하는 것이라 하겠다. 이 중에 본 해제의 대상이 되는 후집 『신간음점성리군서구해』는 『근사록』, 『근사속록』, 『근사별록』을 포함하고 있다.

본래 『신편(간)음점성리군서구해』의 내용은 송나라의 여러 유학자의 글을 분류·편차하여 주석을 한 것인데, 「염계(濂溪)」, 「명도(明道)」, 「이천(伊川)」, 「횡거(橫渠)」, 「강절(康節)」, 「속수(速水)」, 「고정(考亭)」의 유상(遺像)을 수록하고 각 학파를 아울러 병기하였다. 그리고 찬(贊), 훈(訓), 계(戒), 잠(箴), 규(規), 명(銘), 시(詩), 부(賦), 서(序), 기(記), 설(說), 록(錄), 변(辨), 논(論), 도(圖), 정몽(正蒙), 황극경세(皇極經世), 통서(通書), 문(文)을 기록하고 칠현의 행실(行實)로 마치고 있다. 이 책의 편집자인 웅절(熊節)은 주자의 문인으로서 채록한 문장의 대부분도 「염계(濂溪)」, 「명도(明道)」, 「이천(伊川)」, 「횡거(橫渠)」, 「강절(康節)」, 「속수(速水)」, 「고정(考亭)」의 7현을 위주로 하였고 양시(楊時), 나중소(羅仲素), 범준(范浚), 여대림(呂大臨), 채원정(蔡元定), 황간(黃幹), 장식(張栻), 호굉(胡宏), 진덕수(眞德秀)의 글도 있다. 이후에 편찬되는 『성리대전』에 영향을 끼친 책으로 『성리대전』의 '性理'라는 이름도 이 책에 근거한 것으로 생각된다. 기록된 여러 학자의 말은 모두 『근사록』을 근본으로 하여 확대한 것이고 여러 학자의 글은 『성리군서구해』를 근본으로 확대한 것으로 알려져 있다. 웅강대의 주해는 동몽(童蒙)들을 가르치기 위해 비근한 것을 가지고 설명한 것이다.

후집 『신간음점성리군서구해』의 수록 내용은 주희가 여조겸과 함께 편한 『근사록』과 송대의 채모(蔡模)가 편집하고 웅강대가 주석을 한 『근사속록(近思續錄)』, 『근사별록(近思別錄)』을 묶어 놓은 것이다. 『근사록』은 주희가 주돈이, 장재 및 정명도 정이천의 격언을 문류를 나누어 편집한 것인데, 『근사속록』은 각헌(覺軒) 채모가 다시 주희의 격언을 주희의 문류에 의거하여 만든 것이다. 웅강대는 이를 "이학(理學)의 서(書)가 모두 여기에 있다"고 평가하였다. 『근사별록(近思別錄)』은 채모가 남헌(南軒), 동래(東萊)의 격언만을 모아서 만든 것인데, "양자는 주희와 동시대의 사람으로 도(道)가 같고, 황상(皇上)이 세자 시설에 두 선생을 추존하여 종사(從祀)하였고 그분들의 학문도 오늘날 으뜸으로 여긴다"라고 소주(小注)에서 밝히고 있다.

한편 이 책의 간행 이후에 다시 인쇄한 초주갑인자본 『신간음점성리군서구해』가 비교적 많이 유통되고 알려진 책이다. 권14~21까지는 『근사속록』으로, 권22~23은 『근사별록』으로 구성되어 있다. 말미에 1403년(태종 3) 권근의 발, 1422년(세종 4) 변계량의 발, 1434년(세종 16) 김빈의 발이 있다. 이는 곧 계미자, 경자자, 갑인자의 주자발에 해당하는 것으로 한국의 금속활자인쇄에 대한 중요한 근거가 된다. 특히 김빈의 발에 의하면 본문에 사용된 글자는 진양대군의 글씨체를 사용하여 1439년(세종 21)에 간행한 것임을 밝히고 있다. 참고로 채모는 『서경집전(書經集傳)』을 지은 채침(蔡沈)의 아들로 자는 중각(仲覺)이다. 저서로 『근사속록』 외에 『역전집해(易傳集解)』, 『대학연의(大學衍說)』, 『논맹집소(論孟集疏)』 등이 있다.

4. 가치 및 의의

성리학자의 연보, 행장을 한 책으로 엮은 웅강대의 『신편(간)음점성리군서구해』 전후집은 조선 초기인 1415년 번각된 이후로 17세기까지 지속적으로 간행되었던 책이었다. 그 간행방식은 조금씩 차이가 있었지만 조선시대 성리학의 전파와 보급에 많은 영향을 준 책으로 여겨진다. 그 내용도 내용이지만 동아시아 서적 문화사적으로도 의미가 있는 책이다.

동아시아의 인쇄술은 매우 오래된 역사를 지니고 있다. 특히 중국 송·원시대는 발달된 인쇄문화를 바탕으로 서적 유통의 황금기를 이루었다. 서적을 통한 지식의 교류가 국가간 문화교류의 기본 요건이었던 만큼 문화적 교류가 활발하였던 고려와 송원간에 서적 교류 또한 빈번하였으며 조선 초기에는 당시의 간본을 번각하여 간행하는 경우가 많았다.

영남대 도서관 도남문고의 『신간음점성리군서구해』는 원대의 간본을 바탕으로 번각한 자료로서 한중서적교류사, 인쇄문화사 등을 살펴볼 수 있는 좋은 자료이다. 즉 중국번각본은 고려나 조선에서 간행된 중국문헌으로서 그 내용은 중국인이 저술한 저작이지만 간행 장소와 간행의 주체는 고려나 조선인 서적들이다. 그러므로 이러한 중국번각본에 관한 연구는 조선에 수용된 중국 사상과 수용 시기, 수용 경로, 수용 방법 등을 보여주는 직접적이고 기초적인 자료가 될 수 있다. 특히 조선에 유입된 원간본은 원간본을 저본으로 하여 그대로 번각하는 경우도 있지만, 원간본의 판형을 유지하되 새롭게 중간하는 경우가 있다. 또 처음에는 원간본을 그대로 번각하였다가 새로운 활자가 제작되면 해당 활자를 이용하여 새로운 판식으로 간행하기도 하였다. 『신간음점성리군서구해』의 갑인자 간본은 이를 잘 설명해준다. 특히 원간본의 빽빽하고 작은 글씨의 단점을 보완하여 자간이 넓고 커서 읽기에 편하도록 하거나 오탈자를 교정하는 등 여러 모로 변모되는 모습을 보여주었다. 또한 중간은 세종 이후에 금속활자가 대대적으로 제작됨으로 인해 이들 활자를 이용한 새로운 출판 체계가 형성된 배경과 밀접한 관련이 있었으며, 이는 금속활자본을 저본으로 한 번각본의 간행으로 이어져 조선의 출판 유통체계를 형성하는 주요 배경 중의 하나가 된 것으로 여겨진다.

옥영정

[핵심어]

신간음점성리군서구해, 신편음점성리군서구해, 웅절, 웅강대, 성리군서구해, 성리서, 건양서원,

평양간본, 원간본, 갑인자, 김여하

[참고문헌]

『중국역대인명사전』, 이회문화사, 2010. 1. 20.

陳紅彦, 『元本』(中國版本文化叢書), 江蘇古籍出版社, 2002.

陳正宏·梁穎, 『古籍印本鑒定槪況』, 上海辭書出版社, 2005.

옥영정, 「원간본의 조선간행과 유통」, 『東アジア出版文化硏究』, 2010. 3

옥영정, 「동빈문고의 중국번각본과 그 가치」, 『민족문화논총』 60, 영남대 민족문화연구소,

　　　2012.

천혜봉, 『한국 금속활자본』, 범우사, 1998.

新訂尋常小學

서　　　명：新訂尋常小學

편 저 자：學部編輯局 編

판 사 항：再鑄 整理字

발행사항：刊寫地未詳；學部編輯局(1896)

형태사항：卷1冊(零本)：四周單邊. 半郭：20.5×13.4 cm. 有界, 8行 字數不定；
25.4×16.5 cm

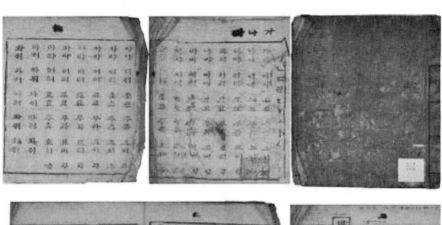

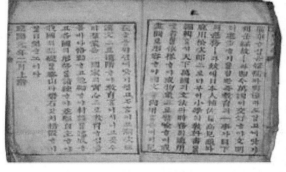

1. 개요

『신정심상소학(新訂尋常小學)』은 1896년 학부편집국에서 편집한 소학교용 교과서로, 재주(再鑄)한 정리자(整理字)와 한글자(字)로 찍은 판본으로 구성되어 있다. 이 책은 1895년에 반포된 소학교령에 따라 건양 원년 1896년에 총 3권으로 발간되었다. 학부편집국에서는 1895년 목활자본으로 『숙혜기략』 등 몇 책을 발간하였다가, 1896년 다시 재주 정리자로 교과서를 인쇄하게 되었는데 『신정심상소학』은 바로 후자의 판본이다. 총 3권이 완질이지만 영남대에는 아쉽게도 권1, 1책만 남아 전하고 있다. 『신정심상소학』 서문에 "玆에 日本人 補佐員 高見龜와 麻川松次郎으로 더부러 소학의 교과서를 편집 훌식…"라는 내용이 있듯이, 학부편집국 편집자는 일본인 보좌원 타카미 카메[高見龜]와 아사카와 마츠지로[麻川松次郎]를 초빙하여 교과서를 편집하였다. 이런 영향 때문인지, 일본식 삽화와 지도 등이 들어가 있고, 우리나라 전통식 소학류의 책과 달리 개화와 문명에 부응할 수 있는 내용 등이 주를 이루고 있다. 책 말미에는 당시 학부편집국에서 발간되었던 책 목록과 가격이 제시되어 있어, 개화기 교과서의 면모를 알 수 있다. 또한 국한문 혼용으로 구성되어 있으나 국문이 많은 부분을 차지하고 있어 19세기 말 국어의 형태를 파악할 수 있다.

2. 편·저자 및 편찬 경위

한국 역사에서 19세기의 막바지인 1894년(고종 31) 7월 초부터 1896년 2월 초까지 개화파의 인물인 김홍집·김윤식·어윤중을 중심으로 약 19개월간 3차에 걸쳐 일련의 개혁운동을 추진하였는데, 이를 갑오경장 또는 갑오개혁이라 부른다. 갑오개혁은 정치제도의 개선뿐만 아니라 어문정책과 교육제도의 개혁을 수반했다. 곧 '법률칙령은 모두 국문으로 본을 삼고 한문 번역을 붙이며, 혹 국한문을 사용함(고종 31년, 1894, 11, 21)'이란 조항이 발표되면서, 어문정책에 있어서 그간 언문·암클이라 경시했던 국문이 격상되고, 한문은 국문에게 그 권위를 내 주어야 했다. 이런 움직임과 함께 1895년에 '소학교의 심상과(尋常科) 교과목(敎科目)은 수신(修身)·독서(讀書)·작문(作文)·습학(習學)·산술(算術)·체조(體操)로 함'으로 하는 소학교령(小學校令)이 실시되어, 갑오개혁에 따른 새로운 교과서를 기획하여 보급하게 되었던 것이다.

또한 국가기구 역시 재편되었는데 전통적으로 교육과 외교를 담당했던 예조(禮曹)의 경우 학무아문(學務衙門)에 편제되었고, 학무아문에는 총무국·성균관급상교서원사무국(成均館及庠校書院事務局)·전문학무국·보통학무국·편집국·회계국 등이 설치되었다. 이후 학무아문은 2차 개혁이 실시되던 1895년 3월, 칙령 제46호로 학부관제가 공포됨에 따라 다시 학부로 개편되었고, 4월에 학부의 분과도 비서과(秘書課)·문서과(文書課)·회계과(會計課)·학무국(學務局)·편집국(編輯局)으로 나뉘어졌다. 아울러 편집국 내에는 인쇄소가 설치되어 개화와 변혁에 부응하는 도서의 번역과 편찬, 검정 및 인쇄물을 전담하게 되었다. 곧 교재 역시 전통적인 경(經)·사(史)·자(子)·집(集)의 도서 구분을 벗어나 새 시대에 부응할 수 있는 콘텐츠가 담긴 내용이 필요하게 되었던 것이다. 하지만 각 과목마다 어떠한 내용을 담고 어떠한 체재로 만들 것인가에 관해서는 개화 초기에 적지 않은 혼란이 있었던 것으로 판단된다.

『신정심상소학』은 개화 초기 학부편집국에서 발행되었던 도서 중, 수신(修身) 도서에 해당된다. 1895년에 발표된 교육조서에는 '덕육(德育)'이 '체육(體育)'이나 '지육(智育)'보다 강조되고 있듯이, 갑오개혁 당시 덕육을 기를 수 있는 수신 교과서들이 비중 있게 기획되었다. 하지만 개혁 초기라 수신의 방향이라든가 교과서의 체계가 명확하게 정립되지 못하였다.

당시 발간된 수신용 도서로『숙혜기략』이 있었는데, 이는 전통적 유교의 틀을 이용하고 기타 시문 능력[시·산문]·기억력·지혜·그림·천문·효성·역사' 등의 다방면에 걸친 내용들을 담았다. 이에 반해『신정심상소학』은 1896년(건양 원) 이월(二月) 상한(上澣)에 간행된 것으로 재주 정리자로 발간되었다.『신정심상소학』서문에 "卽今 萬國이 交好ㅎ야 文明의 進步 ㅎ기를 힘쓴 즉 敎育의 一事가 目下의 急務

ㅣ라 玆에 日本人補佐員高見龜와 麻川松次郎으로 더브러 小學의 教科書를 編輯홀
시 天下萬國의 文法과 時務의 適用흔者를 依樣ㅎ야 或 物象으로 譬喩ㅎ며 或 畵圖
로 形容ㅎ야 國文을 尙用홈은 여러 兒孩들을 위션 씌닷기 쉽고즈 홈이오 漸次 또
漢文으로 進階ㅎ야 教育 홀거시니 므릇 우리 群蒙은 國家의 實心으로 教育 ㅎ심을
몸바다 恪勤ㅎ고 勉勵ㅎ야 材器를 速成ㅎ고 各國의 形勢를 諳練ㅎ야 竝驅自主ㅎ
야 我國의 基礎를 泰山과 磐石갓치 措置ㅎ기를 日望ㅎ노이다 建陽元年二月上澣(필
자주-원문에는 띄어쓰기가 되어 있지 않으나 이해의 편의를 위해 띄어서 표기하였음)"이라 기록되
어 있듯이, 이 책은 일본인 보좌관을 초빙하여 개화 시기에 급선무라 생각되었던 내
용을 그림과 지도 등을 첨부하여, 국문을 위주로 하고 한문을 섞어서 소학교 학생
들에게 익히고자 하였다. 『신정심상소학』은 『숙혜기략』과 함께 모두 소학교 수신용
도서이긴 하지만 그 체재 및 내용이 상이하다. 이는 학부 편집국 초기에 체계적으로
교과서를 기획하고 출판하지 못했음을 반영한다. 곧 편집자 및 보좌원이 누구냐에
따라 교과서의 방향 등이 바뀐 것을 추측할 수 있다.

당시 학부에서 편집국장을 맡았던 인물은 이경직(李庚稙)으로, 1895년에 부임
하여 1899년까지 이 직을 수행하고 있었다. 이경직은 한산(韓山) 이씨로, 학부편집
국의 인쇄사업을 주관하고 있었다. 그는 청나라에서 활동하던 학자 왕문소(王文韶)
와 미국인 선교사 정위량(丁韙良, William Alexander Parsons Martin, 1827~1916)이 번역
한 독일의 국제법 관련 저서인 『공법회통(公法會通)』(3책)을 1895년에 발간하고 직접
서문을 남겼다. 그는 이 글에서 서양 여러 나라들이 날마다 문명의 교화를 열었다
고 판단하고 번역된 서양 저서를 주목하였다. 이경직은 1899년에는 보좌원 김택영
과 함께 『대한역대사략』을 편찬하기도 하는 등 역사에도 깊이 관여하였다. 『신정심
상소학』의 경우는 일본인 타카미 카메[高見龜]와 아사카와 마츠지로[麻川松次郎]
가 보좌원으로 활약하였다. 타카미 카메는 '시사특보(時事新報)' 특파원으로 청일전
쟁 전부터 조선에 와 있었다는 기록이 있으며, 관립소학교 개설에도 관여했던 인물
이다. 아사카와 마츠지로[麻川松次郎]는 1892년 5월부터 경성 일본인 거류민 소학
교 교장 대리로 일한 경험이 있던 인물이었다. 당시 학무국장으로 있던 한창수(韓昌

㈱)가 초빙을 건의하여 보좌원으로 활약하게 되었다. 당시 아사카와 마츠지로[麻川松次郎]와 학무국장 한창수, 외부 교섭국장 민상호(閔商鎬) 사이에 근무조건을 두고 맺은 계약서가 남아 있다. 이를 통해 보면 이들은 학부대신과 협판, 학무국장의 지휘감독을 받으면서 사범학교(師範學校)와 소학교(小學校)의 교육에 관한 사무를 주관하는 일을 담당했다. 이러한 배경으로 말미암아 『신정심상소학』은 일본식 삽화 수용 등 일본식 색채를 띤 소학교 수신서로 발간되었다.

3. 구성 및 내용

원래 『신정심상소학』은 총 3권으로 이루어져 있는데, 영남대학교에 소장된 『신정심상소학』은 그 중 권1인 1책이다. 권1에는 가·갸·거·겨에서 퐈·풔·화·훠까지 소학교 학생들이 한글을 읽히기 위한 기초 한글이 소개되어 있고, 이어 『신정심상소학』 서문, 목차, 31과에 걸친 내용과 삽화, 학부편집국 개간 서적 정가표가 순차적으로 실려 있다.

갑오개혁 이전에 간행된 전통 소학류의 내용과 달리, 개화와 문명의 시대에 부응할 수 있는 내용이 수록되어 있다. 내용은 제1과 학교 조에부터 인문, 수학, 지리, 자연 등 여러 방면에 걸쳐 있는데, 중심 주제를 본다면 국가(지리), 방향, 시간, 동물, 저축(치부), 근면, 정직, 욕심 경계, 청결 등이 거론되고 있다. 이례적으로 '제18과 으들되는 者의 道里' 부분은 『소학』 또는 『사자소학』에 있는 전통적 내용이 수용되어 있다. 그렇지만 전통식 한문교재보다는 이솝우화를 끌어오거나 동물, 식물 등의 자료를 통해 다양한 주제를 이끌고, 삽화나 지도를 제시하거나 비유·대화법·우화를 통해 원의를 전달하고자 하였다. 그 가운데서도 저축과 청결을 강조하고 있는 대목이 전통적 소학의 내용과 차별된다. 이를테면 제14과 김지학(金志學) 조를 보면 이름은 학문에 뜻을 둔 지학이가 등장할 듯하지만, 실제 내용은 연을 만들어 팔아 모아 저축을 했던 면이 강조되고 있다. 또한 제8과 농공상(農工商)을 살펴보면, 전통적으로는 흔히 '사농공상(士農工商)'으로 순위가 나뉘어지며 사(士)의 역할 및 존재가 부각되었는데, 이 책에서는 사는 제외한 채 농공상 세 가지 가운데 한 가지 업을 지니고 있어야만 사람된 직책을 수행할 수 있다고 농공상의 의미를 적극적으로 부여하고 층위를 구분하지 않았다. 다만 내용의 이해를 위해 삽화나 지도를 첨부하고 있는데, 이는 조선의 백성이나 우리의 전통, 가구 등을 나타낸 것이 아니다. 심지어 일본의 백성(제11과 苦는 樂의 種이라)이나 일본의 군인, 일본의 가옥을 연상시키는 삽화가 눈에 띄는데(제5과 東西南北), 보좌원으로 참여했던 타카미 카메와 아사카와 마츠지로의 영향으로 보인다.

띄어쓰기는 별도로 하지 않고, 다만 권점을 통해 띄어쓰기의 효과를 내고 있다. 하지만 구마다 표기된 것은 아니고 가독성을 고려하여 표시한 듯하다. 문체의 경우 해라체로 되어 있지 않고 '~ㅎ오이다, ~(ㅎ)옵ㄴ이다, 잇습ㄴ이다'로 하고 있는 점 역시 소학생들에게 쉽게 다가서기 위한 방편이라 할 수 있다.

앞서 서문에서 보았듯이 국문을 위주로 한다고 했지만 한자를 사용하고 있는데, 이는 소학교에서 기본적으로 한자 역시 익히는 것이 중요하다는 점을 시사한다. 대부분 자주 쓰는 한자어를 노출시킴으로써 한문 학습에도 도움이 되게 하였다. 아울러 고유어에 대한 한자 부회 혹은 가차(假借)식 표기도 눈에 띈다. 이를테면 索只(삭지→새끼), 簷牙·簷下(첨아·첨하→처마), 式(식→씩), 滋味(자미→재미), 苦狀(고상→고생), 廛舖(전포→점포), 寶貝(보패→보배), 大棗(대조→대추)와 같이 우리말을 한자로 가차하거나 현재 한자어 표기와 발음에 있어 차이가 있음을 알 수 있다. 한글 표기는 당시의 다른 문헌들과 마찬가지로 통일된 체계를 지니지 못하고, 혼란스러운 모습을 띄고 있다. 동일 단어에 대하여 다른 표기를 나타내거나[등뉴/종뉴, 마음/ㅁ음], '맛아들/뭇쌀, 뻐셔/울면서'와 같이 같은 의미의 접두사나 어미를 다르게 표현하기도 하고, 조사 사용 역시 차이가 난다(~롤, ~을). 이 외에도 구개음화나 기타 주목할 만한 국어 현상이 눈에 띄게 주목되기도 한다. 하지만 이러한 현상은 비단 『신정심상소학』에서만 나타나는 현상이 아닌, 앞서 언급했던 『숙혜기략』 등 여타 개화기 교과서에 공통적으로 보이는 현상이다. 권말에는 학부편집국 발간 서적의 가격표가 붙어 있어 당시 학부편집국에서 발행한 서적 현황을 알 수 있다.

4. 가치 및 의의

　『신정심상소학』은 개화기를 거치며 전통한문교재가 어떻게 재편되고 교육되었으며, 어떤 내용을 중점적으로 수록하고 교육하고자 했는지를 파악할 수 있는 자료이다. 곧 기존에 발간된 전통적 소학 교재를 넘어 일본의 영향관계 및 수신 교과서의 면모를 확인할 수 있다. 아울러 우리 19세기 말 20세기 초 국어의 모습 및 중요 특징을 확인할 수 있으며, 권말에 붙어 있는 학부편집국 발간 서적정가표를 통해 당시 발간되었던 서적의 종류와 가격 등을 파악할 수 있는 중요한 길라잡이가 되고 있다.

정은진

[핵심어]

학부편집국, 교과서, 신정심상소학, 삽화, 수신

[참고문헌]

이나바 쯔기오 지음, 홍준기 옮김, 『구한말 교육과 일본인』, 온누리, 2006.

정은진, 「영남대 소장본 『숙혜기략』 연구」, 『민족문화논총』 48, 영남대 민족문화연구소, 2011.

쌍쥬기연

서　　명 : 쌍쥬기연

편 저 자 : 未詳

판 사 항 : 國文筆寫本

발행사항 : 1885年 筆寫

형태사항 : 1卷 1冊(66張) : 無界, 8-10行 21-25字 ; 28.5×17.7 cm

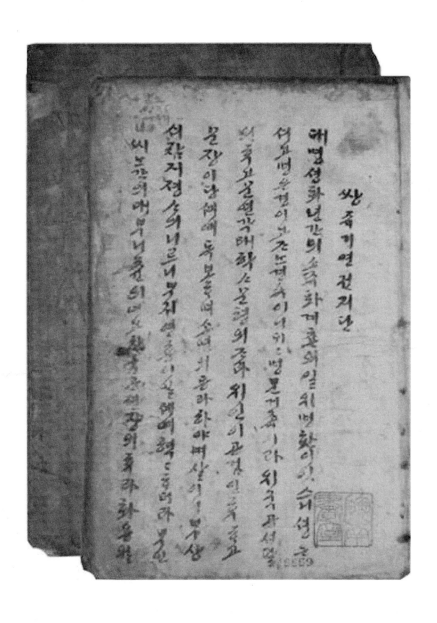

1. 개요

『雙珠奇緣』은 작자 및 창작 연대 미상의 국문소설로, 기봉(奇逢) 구조와 영웅의 일생 구조를 절충한 작품이다. 남성 주인공 서천흥과 여성 주인공 왕혜란의 자웅주(雌雄珠)를 매개로 한 결연과, 서천흥의 영웅적 활약이 서사의 중심축을 형성하고 있다. 필사본은 국문경판본이 형성된 이후에 그것을 저본으로 필사한 것으로 추정된다.

영남대본은 도남문고에 소장되어 있는 1권 1책, 총 132면의 국문필사본이다. 붉은 색 표지에 표제가 쓰여 있으나 훼손되어 확인이 어렵고, 내제는 '쌍쥬기연 권지단'이다. 내제 아래에 '陶南藏書'라는 장서인이 찍혀 있다. 필사기를 통해 '을유년(乙酉年)'에 필사했음을 확인할 수 있는데 이는 1885년으로 추정된다. 영남대본은, 가장 먼저 인행되었으면서 내용적으로도 온전한 경판 〈33장본〉을 충실하게 필사한 이본으로 확인된다. 『雙珠奇緣』의 필사본이 많지 않은 가운데, 필사 연대를 확인할 수 있는 조희웅 소장본(1910년 필사)보다 25년이나 앞선 것이어서 『雙珠奇緣』 이본으로 중요한 가치를 지니는 자료이다.

2. 편·저자 및 편찬 경위

『雙珠奇緣』은 작자 및 정확한 창작 연대를 알 수 없는 작품이다. 그러나 국문경판본이 9종 전하고 있고 이들이 필사본에 선행하는 것으로 밝혀진 만큼, 선행 방각본의 인행 시기와 창작 연대가 그리 멀지 않을 것으로 짐작할 수 있다. 방각본은 〈33장본〉, 〈32장본〉, 〈22장본〉, 〈16장본〉이 전한다. 〈32장본〉은 〈33장본〉과 동일한 판목을 사용하여 인행한 것이며, 마지막 33장 부분이 축약된 것을 확인할 수 있다. 33장은 삭제하여도 내용상 큰 무리가 없어서 생산비 절감을 위해 의도적으로 누락하였거나, 판목을 훼손 또는 분실하여 부득이하게 삭제하였을 수도 있다. 아무튼 〈32장본〉은 〈33장본〉의 단순 변이형에 해당하는 것으로 본다. 〈22장본〉은 〈33

장본〉을, 〈16장본〉은 〈22장본〉을 저본으로 하여 각각 부분 부분 축약하면서 개각한 것으로 추정한다. 결과적으로 경판 방각본 『쌍주기연』 중 가장 선행하였으면서 완성도가 높은 것은 〈33장본〉이라고 할 수 있다.

그리고 〈33장본〉의 간기는 '무술(戊戌)'로 표기되어 있는데, 30장 전후의 경판본이 1850년을 전후로 인행된 점을 고려하여 이때의 무술년은 1850년일 것으로 추정한다. 〈22장본〉과 〈16장본〉은 일반적인 경판 인행 흐름을 고려하여 각각 1880년대와 20세기 초에 나타난 것으로 본다.

필사본인 영남대본은 〈33장본〉을 비교적 충실하게 필사한 것으로 보인다. 영남대본에는 '을녜 구월 이십이일 시작 단문중 등흐의 등셔흐노라 오즉 낙셔 글시 괴 ■ 남 볼가 염■■스■ 이십육일 필셔흐노라'라는 필사기가 있다. 이때 을유년은 1885년으로 추정된다.

영남대본이 〈33장본〉을 충실하게 필사하였다고는 하나 필사 과정에서 생긴 오류와 의도적 변이 등이 더러 발견된다. 우선 〈33장본〉의 인행 시기와 영남대본의 필사 시기가 약 30년 정도 떨어져 있어, 그에 따른 표기법상의 차이를 볼 수 있다. '벼슬이 / 벼살이'(〈33장본〉/ 영남대본, 이하 같은 방식), '구술 / 구살', '뎡녈부인 / 정열부인'과 같은 경우이다. 다음의 경우는 실수에 의한 누락으로 보인다. '이곳의 와 계시던가 보면 주연 알니라 흐고 뎨승드려 왈 혜영이 잇는 방을 가르치라 흐고 초자가니라 / 이곳의 와 계신가 보면 주연 알이라 흐고 추져 가리라'. 필사자의 오독에 의한 오류도 발견된다. '츙녈빅을 봉흐고 / 츙을빅을 봉흐여', '심즁의 ″혹이 잇더니 네 비홍을 보니 정영흔 녀즈라 / 심즁의 의혹 엇더니 네 비록 홍을 보니 정영흔 여즈라'등이 그러한 경우이다. 그리고 다소 어려운 한자어를 쉬운 우리말로 풀어 쓴 경우도 있다. '왕시랑으로 더브러 통음흐고 즐길식 / 왕시랑으로 더부러 술 취흐고 즐길식'.

몇 가지만 예를 들었지만, 이처럼 소소한 차이가 발견되는바 보다 정밀한 이본 검토가 이루어질 필요가 있다고 하겠다. 영남대본의 필사자는 〈33장본〉 『쌍주기연』을 읽으면서 더러 이해하지 못한 구절이 있었던 것 같으며, 이해는 하였으나 어렵게

느껴지는 부분은 의도적인 수정을 가한 것으로 보인다. 이런 점들로 필사자의 지식 수준이나 의식세계를 어느 정도 짐작할 수 있으리라 본다.

『쌍주기연』의 필사본이 많지 않은 상황에서, 영남대본은 필사 시기가 밝혀져 있고, 또한 필사 시기가 확인되는 또 다른 필사본인 조희웅 소장본보다 25년이나 앞선 것이어서 『쌍주기연』 이본 연구의 자료로 충분한 가치가 있다고 생각된다.

3. 구성 및 내용

『쌍주기연』은 기봉 구조와 영웅의 일생 구조가 어우러져 서사를 형성하고 있는 작품이다. 표제에 '기연(奇緣)'이라는 표현이 들어 있어서 일찍이 기봉류 소설로 분류되기도 하였다. 그러나 엄밀히 말하자면 『쌍주기연』은 남녀의 만남보다는 남성 주인공의 영웅적인 모습을 통한 군담적 요소가 훨씬 더 두드러지는 작품이다.

『쌍주기연』의 줄거리는 다음과 같다.

대명 성화 연간, 소주 화계촌의 대대 명문거족인 서경과 부인 이씨는 늦도록 자식이 없어 슬퍼한다. 태원 망월사 여승 혜영이 절을 중수하려는 데 시주하고 귀자 점지를 위해 기도해 줄 것을 약속받는다. 서경이 벼슬을 사직한 후 고향으로 내려오고, 어느 날 부인은 꿈을 꾼다. 태을성이 상제께 득죄하여 인간에 적강한다 하면서, 수 웅(雄) 자 쓴 구슬을 갖고 있으니 암 자(雌) 자 구슬 가진 월궁 선아와 가연을 맺을 것이라 한다. 이후 태기 있어 십 삭 만에 생남하고 이름을 천흥이라 한다.

남만이 운남을 침노하여 천자가 서경을 불러들이자 서경은 부인에게 아들을 부탁하고 떠난다. 서경이 글로써 만왕을 효유하나 듣지 않고, 만왕이 서경을 유인하여 죽이려 하다가 오히려 그의 인재에 감탄한다. 만왕의 세자가 신분을 속인 채 서경을 만나고 부친에게 서경을 죽이지 말 것을 간하여 결국 서경은 섬에 위리안치된다.

이부인은 천흥에게 몽중 설화를 자세히 알려준다. 오이랑(ㅇ아랑) 도적의 무리가 부인과 천흥을 습격하여 천흥은 물가에 버리고 부인은 교자에 싣고 도망간다. 두목이 제 계집에게 부인을 맡겼으나 그녀가 부인을 풀어준다. 도망가던 부인은 도중에 망월사 혜영을 다시 만나 망월사에 머무른다. 곡식을 배에 싣고 오던 왕상서 댁의 창두 장삼이 천흥을 구한다.

왕상서는 대대 명문거족으로 부인 유씨와의 사이에 일자 일녀를 두었는데, 아들은 희평이고 딸은 혜란이다. 혜란의 태몽에 선녀가 나타나 수 옹 자 구슬을 가진 이를 만나 천연을 맺으라 일러 주었다. 왕공은 임종 시에 천연을 잃지 말라고 당부한다. 장삼은 7년 동안이나 천흥을 기르고, 천흥은 글과 무예에 힘쓴다. 유부인이 우연히 천흥을 보게 되고 서경과 왕상서가 죽마고우라는 것을 알게 된다. 유부인은 천흥을 데려와서 아들 희평과 함께 학업에 전념하도록 도와준다. 어느 날 천흥의 구슬 넣은 금낭이 풀어져 석파에게 고쳐 달라고 하는데, 혜란의 구슬 일을 아는 석파가 유부인께 이 사실을 알린다. 천흥과 혜란의 천연을 확인하고 유부인은 혼인을 서두르나, 천흥은 입신 후에 정혼하자고 한다. 천자가 과거를 열고, 천흥은 문무과에 모두 장원급제하고 희평도 급제한다.

천자에게 세 아들이 있는데 그 중 제왕은 호색방탕한 인물이다. 왕비가 병들어 죽고 재취를 구하다가 혜란의 이름을 듣고 여복으로 혜란을 찾아가 보게 된다. 혜란과 혼인하려고 하였으나 이미 천흥과 정혼한 사실을 알게 되고, 천자가 혼인을 재촉하여 둘은 성혼하게 된다.

남만이 강성하여 자주 침입하자 천자가 근심하고, 천흥이 자원하여 남만 정벌에 출전하게 된다. 남만을 치고, 만왕의 부하 길협을 통해 부친 서경이 태자의 도움으로 별궁에 처하고 있음을 알게 되어 길협을 놓아 보낸다. 만왕은 천흥이 서경의 아들이라는 사실을 듣고 서경을 볼모로 삼아 천흥을 굴복시키려 한다. 그러나 태자가 부친의 명을 거역하고 서경을 도주시켜 서경과 천흥이 극적으로 만나게 된다. 천흥은 만왕이 보낸 자객의 침입을 예견하여 물리치고 그 제자 양신청을 수하에 둔다. 천흥이 남만의 성을 급습하고 달아나던 만왕을 생포한다.

혜란과의 혼인이 어긋남을 알게 된 제왕은 혜란을 탈취하려고 하나, 혜란이 이를 미리 눈치 채고 시비 월향에게 자신의 옷을 입혀 놓고 망월사로 몸을 피한다. 혜란은 시비 춘심과 함께 남복을 입고 길을 떠났다가 도적 고선의 습격을 받게 된다.

이때 도적의 아내인 구녀가 혜란을 구해주고 혜란이 남자라고 여겨 의탁하고자 한다. 혜란의 서간을 받은 희평이 혜란 일행을 데려오고, 여복으로 갈아입은 혜란은 구녀에게 자신을 드러내고 그간 감사의 뜻을 전한다. 혜란은 망월사에 발원하여 천흥을 낳았다는 말을 떠올리며 망월사를 찾고, 그곳에서 존고 이부인을 만나게 된다. 혜란은 존고를 모시고 와서 유부인께 배알하고 성혼한 사연을 나눈다.

고선이 잡혀 희평에게 끌려오고, 그것을 본 구녀는 자신의 탓이라 여기며 물에 빠지나 춘섬이 사람을 불러 구한다. 희평은 고선이 도적이 될 수밖에 없었던 안타까운 사연을 측은하게 여겨 용서한다. 혜란 대신 월향을 데려온 것을 알게 된 제왕은 잠시 실망했으나, 이내 월향의 자색을 보고 백년동락하자고 하지만 월향은 단호히 거부한다. 제왕의 악행을 알게 된 천자가 제왕을 가두고 월향은 후하게 상사한다.

운남에 이른 천흥의 군대는 대연을 접대받고, 진중에서 양신청의 비홍을 보고 여자임을 알게 된 천흥은 양신청과 운우지정을 나눈다. 천흥은 솔군하여 황성에 이르고 천자가 그 공을 높이 치하한다. 천흥은 부인 혜란과 상봉하고, 혜란의 시비 월향과 춘섬은 천흥의 희첩이 된다. 모두 높은 벼슬에 올라 영화를 누리다가 천흥의 부부가 80세에 이른 어느 날, 꿈에 선관이 내려와 구슬을 거두어 가고 기세(棄世)한다.

4. 가치 및 의의

『쌍주기연』은 작자 및 창작 연대 미상의 국문소설이다. 남성 주인공 서천흥과 여성 주인공 왕혜란의 결연과, 서천흥의 영웅적 활약이 핵심 서사를 이루고 있다. 일찍이 기봉류 소설로 분류되어 연구되었으나, 남녀의 결연 못지않게 남성 주인공의 영웅적 활약상과 군담이 더 두드러지는 작품이라고 할 수 있다.

영남대본은, 1850년대에 인행된 것으로 추정되며 그 내용이 가장 풍부한 경판 〈33장본〉을 충실하게 필사한 필사본이다. 경판본과 필사본 사이의 대조는 이루어진 바 없어서 두 이본의 대조 연구도 필요하리라 생각된다. 『쌍주기연』은 전하는 필사본이 많지 않은데, 영남대본은 필사 시기가 밝혀진 필사본 중에서는 가장 선행하는 이본이다. 『쌍주기연』 이본 연구에 반드시 필요한 자료라고 판단된다.

박은정

[핵심어]

쌍주기연, 도남문고, 경판 〈33장본〉, 기봉 구조, 영웅의 일생 구조, 서천흥, 왕혜란

[참고문헌]

이창헌, 「『쌍주기연』 판본 연구」, 『인제논총』 9:2, 인제대학교, 1993.

조희웅, 『고전소설 이본목록』, 집문당, 1999.

한정미, 「『쌍주기연』 연구」, 이화여대 석사학위논문, 2002.

盎葉記

서　　　명 : 盎葉記
편 저 자 : 李德懋
판 사 항 : 筆寫本
발행사항 : 未詳
형태사항 : 2卷 1册, 無界, 行字數不定 : 27.2×19.3 cm

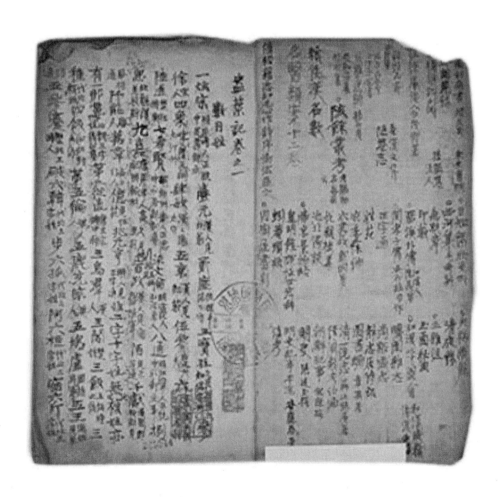

1. 개요

이 책은 조선후기 실학자 청장관(靑莊館) 이덕무(李德懋, 1741~1793)가 지은 글로 2권 1책이며, 그의 자필 초고본으로 보인다. 현재 『앙엽기(盎葉記)』는 그의 문집 『청장관전서(靑莊館全書)』권54~61에 걸쳐 앙엽기(1)~(8)의 분량으로 수록되어 있는데, 영남대본 『앙엽기』는 2권 1책으로 적은 분량을 차지하며 편차와 내용도 많은 차이를 보이고 있다. 이 책을 소장했던 도남 조윤제 박사는 『앙엽기』를 그의 자필 초고본으로 보는 근거를 다음과 같이 설명하고 있다. "권지이(卷之二)가 끝난 다음에 '「姓名連意」當在三尸條下, 「姓與名同意」當在夷狄尊孔子條上, 「割肝」當在夷狄尊孔子條下, 「晏嬰蘇軾」當在以寸計族戚條上, 「排行之始」當在高皇帝諱國號條下, 「張李兩賊」當在上口下口條上, 「后山簡齋」當在上口下口條下' 등의 7항목(項目)이 첨부(添附)하여 있는 것을 발견(發見)하였다. 이것은 이를테면 「성명연의」라는 한 항목을 하나 더 첨가하는데 그 위치는 본문 「삼시」라는 항의 아래에 두어야 하겠다는 것이니, 여기에 본서는 원고본이라는 데에 일점의 의심을 둘 여지가 없어졌다."

즉 작자가 『앙엽기』를 집필하고 그 체제를 갖추기 위해 작품의 순서를 재배열하고 퇴고한 흔적이 있는 것을 보고 자필 초고본임을 확신하고 있다. 그리고 당시 실학자들의 글씨체가 『앙엽기』에 쓰여진 글씨체와 비슷하게 쓰는 경향이 있기도 하지만, 이덕무의 자필 편지와 『앙엽기』의 글씨체를 대조해 본 결과 아주 흡사하여 그 근거를 더해주고 있다.

『앙엽기』는 영남대 유일본으로 그 내용과 체제의 문제보다 그의 문집이 간행되기 이전 직접 집필한 자필 초고본일 것이라는 점에서 의미가 있는 자료이다.

2. 편·저자 및 편찬 경위

이 책의 저자는 조선후기 실학자인 이덕무로 본관은 전주(全州), 자는 무관(懋官)·명숙(明叔), 호는 청장관(靑莊館)·사이재거사(四以齋居士)·선귤당(蟬橘堂)·아정(雅

240

亭)·한죽당(寒竹堂) 등 여러 가지가 있다. 아버지는 성호(聖浩)이며 어머니는 반남박씨 (潘南朴氏)의 딸로 정종의 아들 무림군(茂林君)의 10세손이지만, 저자의 아버지인 성호 가 조부 익필(益必)의 서자였기 때문에 서출(庶出)이라는 신분상의 제약이 있었다.

어릴 때부터 총명하여 부친으로부터 글을 배워 6세에 이미 문리(文理)를 터득하 였고 이후 특정한 스승 없이 스스로 독서에 힘써 육경(六經) 사서(四書)에서부터 예학 (禮學) 및 역사(歷史), 명말청초의 소품(小品)및 시화(詩話) 등의 고증학까지를 섭렵하 여 고금(古今)의 기문이서(奇文異書)에 달통한 박학지사(博學之士)로 평가되었다. 박제 가(朴齊家)·유득공(柳得恭)·이서구(李書九)와 함께 개성적인 시(詩)로 당대에 문명을 떨쳤고, 박지원(朴趾源)·홍대용(洪大容) 등 북학파 실학자들과도 깊이 교유하였다.

1774년(영조 50) 증광 초시에 합격하였고, 1778년(정조 2) 서장관(書狀官)인 심염 조(沈念祖)를 따라 연경(燕京)에 들어가 청나라 학인들과 교유하였으며, 이때의 경험 과 견문을 『입연기(入燕記)』로 남겼다. 1779년에는 박제가·유득공·서이수(徐理修) 와 함께 초대 규장각(奎章閣) 검서관(檢書官)이 되어 많은 서적을 정리·교감하였다. 이후 검서관직을 겸직하며 여러 관직을 거쳤지만 신분상의 제약으로 낮은 관직에 머 물렀고, 박지원·박제가 등과 함께 문체반정(文體反正) 때 정조에게 자송문(自訟文)을 지어 바치기도 하였다. 1793년 병으로 졸하자 1795년에 정조는 저자의 생전의 수 고를 생각하여, 저자의 아들 이광규(李光葵)를 검서관에 임명하고, 문집을 편찬하는 데 쓸 비용으로 500냥을 특별히 하사하며 각신(閣臣), 초계문신(抄啓文臣), 지친(至親) 등에게도 힘 닿는 대로 간행 비용을 보태라고 하교하여 문집인 『아정유고(雅亭遺稿)』 를 간행하도록 하였다. 이 「아정유고」는 저자의 가장(家藏) 원고(原稿) 중 일부를 뽑 아 만든 것으로, 처음에는 「청장관유고(靑莊館遺稿)」로 서명을 정했으나 정조가 『아정 유고』로 바꾸어 간행하게 했다고 한다. 현재 규장각에 소장되어 있다

저서로 『관독일기(觀讀日記)』·『이목구심서(耳目口心書)』·『영처시고(嬰處詩稿)』· 『영처문고(嬰處文稿)』·『예기고(禮記考)』·『편찬잡고(編纂雜稿)』·『기년아람(紀年兒 覽)』·『사소절(士小節)』·『청비록(淸脾錄)』·『뢰뢰락락서(磊磊落落書)』·『앙엽기(盎葉 記)』·『입연기(入燕記)』·『한죽당수필(寒竹堂隨筆)』·『천애지기서(天涯知己書)』·『열상

방언(洌上方言)』·『협주기(峽舟記)』 등의 서적이 필사본 전집(全集)인 『청장관전서』에 편입되어 전하거나 단행본으로 전한다. 이미 인행된 「아정유고」 외에, 상당량의 가장(家藏) 유고(遺稿)가 남아 있었는데 이 가장 유고를 편차한 사본이 『청장관전서』이다. 권수제(卷首題)에 아들 이광규가 정리(整理) 편집(編輯)하고, 덕수이씨(德水李氏) 이원수(李畹秀)가 교정(校訂)하여 만들었다고 밝히고 있다. 이것의 전사본이 현재 규장각에 소장되어 있다. 이 외에 국내에 현존하는 전사본으로 규장각장본, 국립중앙도서관장본 2종, 성균관대학교본, 동양문고본, 이화여자대학교본 등이 있다. 규장각장본을 제외하고 나머지는 모두 전서(全書) 중 일부를 등사한 것들이다.

영남대본 『앙엽기』는 그의 저서인 『청장관전서』 권54~61에 수록되어 있는 작품인데, 그의 문집이 간행되기 이전 그가 직접 쓴 자필 초고본으로 2권 1책으로 구성되어 있다.

3. 구성 및 내용

『앙엽기』는 권1, 권2로 나누어 각각의 글이 수록되어 있는데 일종의 자료집 또는 소백과사전으로, 각종 소제목에 대해 직접 해설하거나 자료를 인용하여 정리한 내용들이다. 내용은 역사, 풍속, 서적, 경전 등에 관한 것이 많다. 그리고 책 앞머리와 끝에는 그가 조사한 것으로 보이는 책의 목록과 저자, 입수과정들이 나열되어 있다.

권1의 내용을 살펴보면 다음과 같다. 「수목성(數目姓)」은 일(一)~십(拾)까지, 그리고 백·천·만·억·조 등 숫자로 된 성씨의 이름을 가진 사람들을 나열하고 있다. 「마제함철(馬蹄緘鐵)」은 말발굽에 철을 대는 것을 설명하였다. 「설요(薛瑤)」는 전당시 소전(小傳)에 수록된 설요에 대해 설명한 뒤, 당(唐)나라 진자앙(陳子昻)이 지은 「관도곽공희설씨묘지(館陶郭公姬薛氏墓誌)」의 설씨에 대한 설명 가운데 틀린 부분을 지적하고 있다. 「마전(摩展)」은 『설문해자(說文解字)』와 『설문장전(說文長箋)』을 통해 세속에서 '옷을 빨다'라는 의미의 '마전(摩展)'이란 말의 유래에 대해 설명하고 있다. 「여자위남자관(女子爲男子官)」은 여성으로서 남성의 관직을 맡아보았던 이들을

242

열거하고 있으며, 「속시전조명권(續詩傳鳥名卷)」은 모기령(毛奇齡)의 저술인 「속시전조명(續詩傳鳥名)」은 취할 만한 내용이 많긴 하나, 천착한 나머지 억지 또한 많이 있다며 그러한 예를 설명하고 있다. 「행하(行下)」는 관원(官員)이 관물(官物)을 빌려 주거나 사람에게 물건을 줄 때에 서명을 한 뒤 '행하'라고 적는데,『한서(漢書)』「교사지(郊祀志)」에 '행하'라는 용례가 보인다면서 그 기원에 대해 밝히고 있다. 「어고간자(漁鼓簡子)」는 '어고간자'라는 원(元)대의 악기를 설명하면서, 악기에 한문공(韓文公)의 조카 한상자(韓湘子)가 늘 가지고 다닌 것처럼 그려져 있는데, 연대상의 문제가 있다고 적고 있다. 「득천하조만(得天下早晩)」은 천하를 얻는 시기의 조만(早晩)에 대한 감상을 적고 있으며, 「주각해(麈角解)」는『예기(禮記)』「월령(月令)」편에 夏월에 녹각(鹿角)이 빠지고 11월에 미각(麋角)이 빠진다'라는 구절이 있는데, 청(淸)나라 건륭제(乾隆帝)가 미록(麋鹿)을 기르는 곳에 내관을 보내 이를 직접 살피게 한 일화를 적고 있다. 「제(際)」는 관직자가 그 지방의 물건을 서로 주고받을 때 물건의 종류를 나열한 뒤 왼쪽 한 모퉁이에 '제'라고 쓰는 것은, '예로써 상대방과 교제하다'라는 의미의 제와 같은 뜻으로,『장자(莊子)』「서무귀(徐無鬼)」편의 구절과 일맥상통한다고 적고 있다. 「서화종자(書畵種子)」는 서화에 능했던 왕씨(王氏) 일문 및 왕씨의 부인들, 원나라의 조씨(趙氏) 일가와 명나라 문씨(文氏) 일가의 사람들을 열거하고 있다. 「문인무치(文人無恥)」는 문신으로서 권신들에게 아부한 사람들을 열거하고 있으며, 「육유자무관(陸游字務觀)」은 육유의 자는 무관인데, 여기서의 '관'은 내면을 살핀다는 의미라고 설명하고 있다. 「왜황치란(倭皇治亂)」은 일본의 현명한 임금과, 악한 임금을 적고 있다. 「송명제명지령(宋明製名之令)」은 송대(宋代) 중엽에는 천(天)·왕(王) 등의 글자로 이름 짓는 것을 금하였고, 명대(明代) 연간에는 선세의 성현과 대국(大國) 군신(君臣), 그리고 한(漢)·당(唐)·송(宋) 등의 글자를 사용하여 이름을 짓는 것을 금지했던 사정을 설명하고, 아울러 당시 이름의 참람됨을 지적하고 있다. 「주교(走橋)」는 정월 보름의 답교(踏橋) 놀이는 본래 연경의 풍속으로,『제경경물략(帝京景物略)』에 "대보름 저녁에 부녀들이 떼 지어 행보하여 질병을 사라지게 하는 것을 '주백병(走百病)' 혹은 '주교(走橋)'라고 한다"는 구절을 소개하고 있다. 「의사소설종계표(擬謝昭

宗系係表)」은『대명회통(大明會典)』에 아국 태조의 종계(宗系)가 잘못 기재된 것을 바로 잡으려는 종계변무(宗系辨誣)에 대해 적고 있다. 「망건(網巾)」은 망건이 명나라 초엽에서 시작된 것임을 여러 가지 사례를 들어 고증하고 있으며, 「섬라일본사신(暹羅日本使臣)」은 섬나국과 일본의 사신 가운데 각각 중국과 조선 출신으로 양국의 사신이 된 경우가 있음을 설명한 뒤, 현재 조선의 인재 등용이 과거와 문벌에 막혀 거칠고 기백이 있는 사람 중에 왕왕 도적이 되거나 타국에서 쓰임을 받게 되는 경우가 있다고 지적하고 있다. 「삼시(三尸)」는 도가의 수양법 중에 삼시를 제어하는 방법이 있는데, 이것은 모두 허탄한 주장이라며 비판하고 있다. 「이적존공자(夷狄尊孔子)」는 공자를 높이는 호칭에 대한 내용을 적고 있는 글이며, 「이촌계족척(以寸計族戚)」은 친척 간의 호칭 중 원래는 구분이 있는 용어이나 구분없이 사용하는 세태를 지적하며 바로잡아야 한다고 주장한다. 「명사비무(明史紕繆)」는『명사(明史)』「조선전(朝鮮傳)」에 잘못된 인명을 열거하고 아울러 중국도서에 외국의 일 중 잘못된 내용이 있음을 지적하는 내용의 글이다. 「국조과목총수(國朝科目總數)」는 근거하여 고려 때의 과거 총수가 6,742인 임을 밝혀내고 그에 대한 간략한 설명을 덧붙인 글이다. 「일인조가배수(一人祖加倍數)」는 한 조상에서 후손들은 기하급수적으로 늘어나다보니 조상을 구분하는 것은 사실상 무의미해질 수 있다는 내용을 적은 글이다. 「고죽군(孤竹君)」은 고죽군의 성과 이름, 고죽군의 아들인 백이와 숙제의 이름과 왕위계승관계에 대한 내용을 검토한 글이며, 「중국서래동국(中國書來東國)」은 중국의 서적 가운데 아국으로 유입된 책들을 시대 순으로 나열하고 있다. 「선배론과거오인(先輩論科擧誤人)」은 과거의 폐해에 대한 선인들의 논의를 소개하고 있으며, 「천구층(天九層)」은 하늘에는 9개의 천이 있다는 것에 대한 구체적인 책과 내용에 대해 설명하고 있다. 「고황제어휘국호(高皇帝御諱國號)」는 명나라 고황제가 처음에 국호를 정할 때에는 '대중(大中)'이라고 하려는 뜻이 있었다. 이런 이유로 '대중통보(大中通寶)'를 발행할 수 있었다는 내용을 밝히고 있다. 「占吢」는 대답하고 응답하는 내용과 소리에 대한 설명을 하고 있다. 그리고 「두보(杜甫)」, 제왕이 3년상을 행했던 내용인 「제왕행삼년상(帝王行三年喪)」, 숭산(崇山) 달마암(達摩菴)에 달마의 소상(塑像)이 안전(案前)에 놓여 있는 돌에 비친다는 「달마영석(達摩影石)」, 「몽고어(蒙古語)」, 금수(禽獸)가 아니면서 암수를 따로 구분해서 부르는 용어에 대해서 이야기하는 「빈모(牝牡)」가 수록되어 있다.

권2의 내용을 살펴보면, 앞부분에 고려조의 이름과 성에 관련하여 설명한 「여조삼세일명(麗祖三世一名)」, 「보육위려국성(寶育爲麗國姓)」, 시화의 격률, 압운, 음과 뜻의 높낮이를 설명한 「시화격률(詩話格律)」, 「압운(押韻)」, 「음의고저(音義高低)」, 역사에 대해 읊은 「영사(詠史)」, 두보가 글자를 즐겨 쓴 데 대한 내용인 「노두희용자(老杜喜用字)」, 「시체(詩體)」가 실려 있다. 이중에 「여조삼세일명」, 「보육위려국성」, 「음의고저」, 「영사」는 『청장관전서』에 수록되어 있지 않은 작품이다. 그리고 「시화격률」, 「압운」, 「노두희용자」, 「시체」는 양경우(梁慶遇)의 『제호집(霽湖集)』에 그 내용이 실려 있다. 내용은 같으나 작자의 문체에 맞게 변화를 추구하였고, 제목 또한 『제호집』에 적힌 것과는 다르게 수록되어 있다.

「성명연의(姓名連意)」는 이름을 지을 때 성(姓)과 이름이 연결되도록 뜻을 만든 사례를 나열하고, 그것에 대한 불만을 적고 있다. 「성여명동의(姓與名同意)」는 마우양(馬牛羊) · 낙흔해(樂欣該) · 인오진(寅午辰) 등 성과 이름이 같은 뜻을 지닌 경우와, 사마마(司馬馬) · 정명정(程名程) · 석전석(席前席) 등 이름 · 성 · 자가 동일한 경우를 나열하고 있다. 「할간(割肝)」은 역대 효자들 가운데 간(肝)을 베어 내 어버이의 병을 치료하고도 죽지 않은 사례들을 열거한 뒤, 이러한 일이 어떻게 가능한지 이해가 되지는 않으나 실제로 그러한 사례가 있었음을 부인할 수는 없다고 적고 있다. 「안영소식(晏嬰蘇軾)」은 안영과 소식의 학문과 행실에 대해 이야기하고 공자(孔子)와 주자(朱子)가 이 둘을 평한 내용과 비교하고 있다. 「배행지시(排行之始)」는 형제 두 사람의 이름 자에 한 글자를 함께 쓰는 것을 배행이라고 하는데 배행하는 내력과 구체적인 사례를 문헌을 통해 고증하고 있다. 「장이양적(張李兩賊)」은 장헌충(張獻忠)과 이자성(李自成)에 대해 간단히 특성을 정리한 글이다. 「후산간재(后山簡齋)」는 후산과 간재는 모두 진씨(陳氏)로서 송나라 시인인데 시격(詩格)이 비슷해 이름과 자를 혼동하는 경우가 있다고 적고 있다. 그리고 마지막에 「역대제가본초(歷代諸家本草)」가 수록되어 있다.

4. 가치 및 의의

현재 『앙엽기』는 『청장관전서』 권54~61에 수록되어 규장각, 국립중앙도서관, 성균관대 등 여러 곳에서 그 내용을 살펴볼 수 있다. 『앙엽기』에 수록된 내용들은 역사, 풍속, 서적, 경전 등에 관한 사항들을 항목별로 정리하여 해당 자료를 인용하거나 저자가 직접 해설을 덧붙인 것으로 일종의 자료집, 소백과사전으로 볼 수 있어 그의 박학다문(博學多聞)을 가장 잘 엿볼 수 있는 서종(書種)이다.

영남대 유일본인 『앙엽기』는 권지일(卷之一), 권지이(卷之二) 1책으로 『청장관전서』에 수록된 양에 비해서는 극히 적은 양이지만, 이는 체제와 내용의 문제보다 후대 그의 문집이 간행되기 이전 직접 쓴 자필 초고본일 것이라는 점에서 큰 가치가 있는 자료이다. 그리고 책의 앞장과 끝장에 책 목록과 저작자, 입수 경위 등을 적어두었다. 이는 당시 이덕무의 독서 및 장서경향을 알 수 있는 자료로서도 의미를 지닌다.

양 재 성

[핵심어]

청장관, 이덕무, 앙엽기, 청장관전서, 아정유고, 초고본

[참고문헌]

이덕무, 『청장관전서』

조윤제, 「앙엽기(盎葉記)의 섬광(閃光)」, 『현대문학(現代文學)』, 104호, 1963.8.

서울대학교 규장각 한국학연구원(http://e-kyujanggak.snu.ac.kr), 『청장관전서』 해제.

한국고전번역원(http://db.itkc.or.kr), 『청장관전서』 해제.

女唱歌謠錄

서　　　명 : 女唱歌謠錄

편 저 자 : 未詳

판 사 항 : 筆寫本

발행사항 : 1870年(高宗 7) 推定

형태사항 : 1卷1冊(20張) ; 無界, 12行16字 ; 33.7×23.3 cm

1. 개요

이 책은 순한글 표기의 여성 창자(唱者)를 위해 만든 필사본 가곡집이다. 이 책이 다른 가곡집의 부록인지 혹은 독립된 가곡집인지에 대한 여러 가지 이견들이 있다. 또한 이 책은 외부 표지의 서명은 '女唱歌謠錄'이라고 되어 있으나, 정작 내부의 서명은 모든 이본들에서 『녀창가요록』으로 필사되어 있다. 이로 볼 때 이 책의 원래 서명은 『녀창가요록』으로 보아야 할 것이며, 겉 표지의 '女唱歌謠錄'은 이 책을 소장하거나 필사한 사람이 남성일 가능성이 있음을 엿보게 한다.

현재까지 알려져 있는 『여창가요록(女唱歌謠錄)』의 이본은 1853년에 필사된 것으로 추정되는 '양승민본'과 1870년에 필사된 것으로 추정하고 있는 '동양문고본', 1881년에 필사된 것으로 추정하는 '정병욱본', 그리고 필사 연대 미상의 '가람본'과 '영남대 도남문고본' 등이 있다.

영남대본은 전체 1권 1책으로 구성되어 있으며, 판본은 필사본으로 도남문고 소장본이다. 전체 20장으로 이루어져 있으나 장차 표시는 없다. 12행 16자로 필사되어 있으며, 더러 자수가 일정하지 않은 부분도 있다. 이 판본은 다른 이본들과는 달리 필사된 연대의 기록이 없다. 다만 이 가집에 실린 곡조의 어휘 표기들을 참조해 볼 때 적어도 19세기 후반의 필사본으로 추정된다. 영남대본과 가장 비슷한 이본은 '동양문고본'으로, '영남대본'이 '동양문고본'을 베껴 쓴 것이라고 보는 견해들도 있다. 그러나 두 이본을 비교·분석해 본 결과 '영남대본'이 '동양문고본'을 베껴 쓴 것이 아니라, 오히려 '동양문고본'이 '영남대본'을 베껴 쓴 것으로 판단된다. 뿐만 아니라 두 이본에 실려 있는 곡조의 어휘 표기들을 비교 분석해 보면 '영남대본'이 '동양문고본'보다 훨씬 더 의고적(擬古的)임도 알 수 있다.

2. 편·저자 및 편찬 경위

이 책은 순한글로 필사된 가집으로 여창(女唱)이라고 한 점으로 미루어 볼 때 교방(敎坊)이나 창곡자(唱曲者)의 교본으로 썼던 책이라 볼 수 있다. 1853년에 필사된 것으로 추정되는 '양승민본'에는 '癸丑'이라는 간기가 있으며, 1870년에 필사된 것으로 추정하고 있는 '동양문고본'에는 '庚午'라는 간기가 있다. 그리고 1881년에 필사된 것으로 추정하는 '정병욱본'에도 '계미'라는 간기가 있다. 이에 비해 '영남대본'에는 연대를 추정할 만한 간기가 없다. 그럼에도 불구하고 기존의 연구자들은 '영남대본'을 '동양문고본'을 그대로 베껴 쓴 필사본으로 보는 자들이 많다. 그러나 두 이본을 비교·분석해 보고, 또 『청구영언』의 원본 내용을 검토해 본 결과 '영남대본'이 '동양문고본'을 베껴 쓴 것이 아니라, 오히려 '동양문고본'이 '영남대본'을 베껴 쓴 것으로 판단된다.

『청구영언(靑邱永言)』을 비롯한 『협률대성(協律大成)』과 『청구악장(靑丘樂章)』, 『가사집(歌詞集)』 등 이른바 『가곡원류』계 가집들의 대부분은 남창(男唱) 끝에 여창(女唱)을 수록하고 있다. 가집에 따라 '女唱'이란 표시가 없는 『청구영언』을 비롯하여 '女唱秩'이라고 한 『협률대성』과 '女唱類聚'라고 한 『청구악장』 등이 있다. 그런데 『여창가요록』은 처음부터 여창만을 위해 만들어진 별개의 가집으로, 이전의 가집 부록으로 생각하기 쉬운 여창은 남창을 편찬한 다음에 다시 여창을 편찬한 것이 아니라 남창이 끝난 다음에 별개의 여창만을 위해 편찬한 가집을 첨가시킨 것이다. 때문에 이 책은 시조가사에 한자가 하나도 없고 곡목도 전부 한글로 표기하였다. 뿐만 아니라 가창을 위한 가집이기 때문에 가창을 위한 음부(音符)가 붙어 있으나 작자의 이름도 기록할 필요가 없다. 육당본(六堂本) 『청구영언』을 대본으로 하여 만들었기 때문에 가집의 기본이 되는 우조와 계면조의 곡목이 같다. 다만 가집 첫머리의 듕한닙[中大葉]과 후정화(後庭花), 쟝딘듀(將進酒)는 가집 형태를 갖추기 위한 형식적인 항목이며, 우조와 계면조를 중거(中擧), 평거(平擧), 두거(頭擧)로 세분화하였다.

3. 구성 및 내용

영남대본 『여창가요록』은 전체 1권 1책으로 구성되어 있으며, 판본은 필사본으로 도남문고 소장본이다. 전체 20장으로 이루어져 있으나 장차 표시는 없다. 12행 16자로 필사되어 있으며, 더러 자수가 일정하지 않은 부분도 있다. 이 판본은 다른 이본들과는 달리 필사된 연대의 기록이 없다. 다만 이 가집에 실린 곡조의 어휘[슳피 우눈, 쏙걱다, 아릭, 쇠고리 등] 표기들을 다른 이본들과 비교해 볼 때 적어도 19세기 후반의 필사본으로 추정된다.

이 책은 181수의 가곡이 실려 있으며, 181수 모두 순한글로 표기되어 있다. 이 181수의 가곡들을 곡조 별로 나누어 제시하면 다음과 같다.

1. 우됴듕한입	1수	2. 계면 한입	1수
3. 후정화	1수	4. 딕	1수
5. 쟝딘듀	1수	6. 딕	1수
7. 우죠누룩 눈자진한입	14수	8. 우됴즁허리드눈 자즌한입	10수
9. 우죠막드눈 자즌한입	6수	10. 우죠존자즌한입	12수
11. 밤엿ㅈ진한입	2수	12. 계면긴자진한입	17수
13. 즁허리드눈자즌한입	23수	14. 막닉눈자즌한입	20수
15. 죤자즌한입	11수	16. 롱	14수
17. 우락	17수	18. 계락	13수
19. 편자즌한입	15수	20. 계락쌔진 것	1수

이 가운데 6의 '딕'와 16의 '롱'은 '딕'와 '롱'이라는 그 곡조는 빠져 있고, 내용만 필사되어 있으며, '계면긴자즌한입'은 17수로 18수가 수록된 '동양문고본'보다 1수가 모자란다. 그리고 '영남대 도남문고본'과 '동양문고본'은 수록된 가곡의 곡조별 한글 표기에 있어서도 '우됴듕한입' 대 '우됴즁한입', '쟝딘듀' 대 '쟝진듀', '우죠누룩 눈-/우죠막드눈-/우죠존-' 대 '우됴누룩눈-/우됴막드눈-/우됴존-', '계면긴자진한입' 대 '계면긴자즌한입' 등으로 그 차이가 크다.

곡목의 첫머리는 육당본 『청구영언』에 수록된 작품을 가져 왔고 다음에 새로 보태는 형식을 취했다. '우조누룩눈자즌한입'을 보면 1수만 새로 수록한 것이고 나머지 6수는 육당본 『청구영언』에 수록된 것이다. 그리고 그 뒤에 새로운 6수를 수록했다. '우됴즁허리드눈자즌한입'도 1수를 새로 수록하고, 이어 육당본 『청구영언』에 수록된 5수를 가져오고, 이어 4수를 새로 수록했다. 이와 같은 형식을 취한 곡목들은 '우죠막드는자즌한입', '우죠존자즌한입', '밤엿즈진한입', '막닉는자즌한입', '계락'과 '편자즌한입'이다. '존자즌한입'과 '즁허리드는자즌한입', '우락'은 앞뒤로 육당본『청구영언』몇 수를 수록하고 가운데에 새로운 작품을 수록하기도 했다.

4. 가치 및 의의

영남대본『여창가요록』은 전체 1권 1책으로 구성되어 있으며, 판본은 필사본으로 도남문고 소장본이다. 전체 20장으로 이루어져 있으나 장차 표시는 없다. 12행 16자로 필사 되어 있으며, 더러 자수가 일정하지 않은 부분도 있다. 이 판본은 다른 이본들과는 달리 필사된 연대의 기록이 없다. 만 이 가집에 실린 곡조의 어휘[슯피 우는, 쏙걱다, 아릭, 쇠고리 등] 표기들을 다른 이본들과 비교해 볼 때 적어도 19세기 후반의 필사본으로 추정된다.

영남대본과 가장 비슷한 이본은 '동양문고본'으로, '영남대본'이 '동양문고본'을 베껴 쓴 것이라고 보는 견해들도 있다. '동양문고본'은 책의 표지명부터 잘못되어 '女唱歌要錄'으로 되어 있으며, 곡조의 제목들과 내용들도 '영남대본'과 차이가 많다. 이 두 이본에 실려 있는 곡조의 어휘 표기들을 비교 분석해 보면 '영남대본'이 '동양문고본'보다 훨씬 더 의고적(擬古的)임도 알 수 있다. 두 이본을 세밀하게 비교·분석해 본 결과 '영남대본'이 '동양문고본'을 베껴 쓴 것이 아니라, 오히려 '동양문고본'이 '영남대본'을 베껴 쓴 것으로 판단된다. 따라서 지금까지 기존 연구에서 결론지었던 필사본의 선후(先後) 문제와 필사 연대 문제 등은 '영남대본'을 기저로 재해석되어야 할 것으로 판단된다.

남 경 란

[핵심어]

녀창가요록, 女唱歌謠錄, 도남문고본, 필사본, 여창, 19세기, 새로운 분석.

[참고문헌]

김용찬, 「『여창가요록』의 정립 과정과 이본 특성 〈여창가요록〉의 정립 과정과 이본 특성」, 『고
　　전과 해석』 14, 고전한문학연구학회, 2013.

남경란, 「『여창가요록』 서명 고찰 -영남대학교 도남문고본을 중심으로-」, 『민족문화논총』 제
　　54집, 영남대 민족문화연구소, 2013.

신경숙, 「『여창가요록 』 해제 및 영인」, 『한국음악사학보』 16, 한국음악사학회, 1996.

─────, 「『가곡원류』편찬 연대 재고」, 『한민족어문학』 54, 한민족어문학회, 2009.

양승민, 「『여창가요록』 양승민본의 문헌적 특징과 자료적 가치」, 『한국 시가연구』 33, 한국시
　　가학회, 2012.

황충기, 「『여창가요록』의 전승과정 고찰」, 『시조학논총』 37, 한국시조학회, 2012.

燕行歌

서　　　명 : 燕行歌
편 저 자 : 洪淳學
판 사 항 : 國文筆寫本
발행사항 : 1891年 筆寫
형태사항 : 1卷 1册(99張) : 無界, 8行 字數不定 ; 31.5×22.5 cm

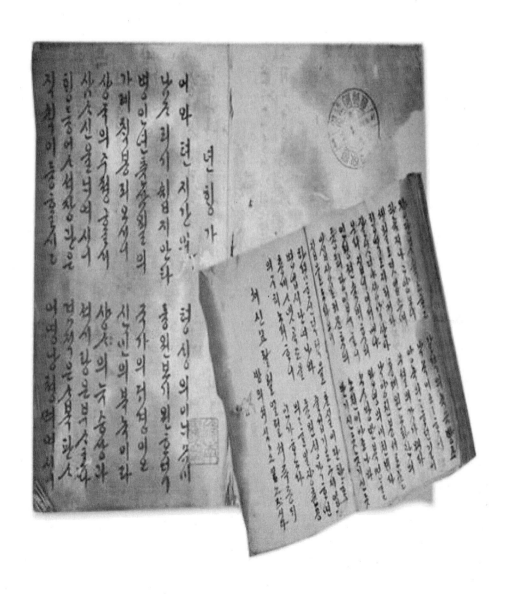

1. 개요

일반적으로 연행가(燕行歌)는 조선 시대에 연행을 다녀온 사신들이나 그 수행원들이 남긴 다양한 형식의 사행록(使行錄), 시첩(詩帖), 가사 등을 말한다. 영남대본 『연행가』는 홍순학이 1866년, 즉 병인년(丙寅年)에 다녀온 연행을 바탕으로 창작한 장편기행가사이다. 다른 『연행가』와 구분하기 위해 창작된 시기인 병인년을 표제로 내세워 '병인연행가'로 부르기도 한다.

영남대본은 도남문고에 소장되어 있다. 기존 연구에서 대부분 98장으로 소개하고 있으나 총 99장, 3782구로 이루어진 국문필사본이다. 표제는 '燕行歌'이고 내제는 '년힝가'이다. 본문 마지막 장에 '셔신묘팔월일필셔즉동듸방의셔 심〃소일노쓰노라'라는 필사기가 있어서 1891년(고종 8)에 필사된 것임을 알 수 있다. 그리고 필사기 옆에 누가 그린 것인지는 알 수 없으나 작은 새와 꽃을 그려 놓은 그림이 있다. 홍순학의 『연행가』는 현재 9종의 이본이 전하는데 영남대본은 현전하는 이본 중에서 가장 장편으로, 『연행가』 연구에 있어서 매우 중요하게 다루어지는 자료이다.

2. 편 · 저자 및 편찬 경위

『연행가』의 저자는 홍순학(洪淳學, 1842~1892)이다. 그는 조선 말기의 문장가이자 문신이며, 자는 덕오(德五), 본관은 남양(南陽)이다. 아버지 홍기종(洪夔鐘, 1810~1853)과 어머니 수성최씨(隨城崔氏) 사이에서 2남 중 막내로 태어났다. 후에 족숙(族叔)인 홍석종(洪奭鐘, 1813~1858)의 양자로 들어가 경기도 적성(積城)에서 자랐다. 한미한 집안에서 생장하였지만 16세에 소년등과하여 일찍이 벼슬살이를 시작하였다. 정언(正言) · 수찬(修撰) · 대사헌(大司憲) · 대사간(大司諫) · 예조참의(禮曹參議)를 지냈고, 1884년(고종 21) 42세에 감리인천항 통상사무(監理仁川港通商事務)가 되었다. 이듬해에 인천부사(仁川府使)를 겸임하고 그 뒤 협판교섭통상사무(協辦交涉通商事務) 등을 역임하였으며 51세의 나이로 세상을 떠났다. 문집은 따로 전하지 않는다.

병인 연행은 고종 3년 7월에 고종이 민치록(閔致祿)의 딸인 민비를 왕비로 책정하게 된 것을 계기로 이루어졌다. 당시 홍순학은 우의정 유후조(柳厚祚)를 상사(上使)로, 서당보(徐堂輔)를 부사로 한 사행에, 삼사신(三使臣)의 일원으로 서장관(書狀官)에 임명되어 다녀온다. 당시 그의 나이는 25세였으며, 『연행가』는 1866년 4월 9일부터 8월 23일까지의 모든 견문을 담고 있다.

홍순학이 살았던 시대는, 비록 강요된 것이기는 하지만 개화의 물결을 맞이하던 시기였다. 봉건적인 것에서 탈피하여 근대적인 모습으로 나아가려던 움직임이 강하던 시기였기에 그의 삶 또한 이러한 역사적 변화의 국면을 일정 부분 수용하고 있었던 것으로 보인다. 바로 『연행가』를 통해서 작자 홍순학이 역사나 풍속에 상당한 수준의 지식을 갖추고 있을 뿐 아니라 인간과 사물에 대한 호기심이 풍부하며, 문학성 또한 만만치 않은 인물이었음을 확인할 수 있다.

3. 구성 및 내용

홍순학의 『연행가』는 한양을 떠나 연경(燕京)에 도착하여 체류하고 다시 고국으로 돌아와 귀가하기까지 총 134일의 여정과 견문을 다룬다. 조선의 강역에 대한 역사의식, 연행의 고난과 조선의 현실, 청의 문명에 대한 이중적 태도 등 조선 말기 지식인의 면모를 고스란히 담고 있다. 전체 구성은 크게 3단계로 나누어 볼 수 있다.

1단계는 국내 여정으로, "어와 천지간에 남자 되기 쉽지 않다 편방의 이내 몸이 중원 보기 원하더니 ~ 한 줄기 압록강에 양국지경 나눴으니 돌아보고 돌아보며 우리나라 다시 보자"까지이다. 고종이 왕비를 책정한 일로 삼사신(三使臣)이 가게 된 사실과, 25세로 서장관에 임명되어 연경을 간다는 기록 등 연행의 배경과 일행의 모습, 여러 재상들과 명사, 친구들의 송별식 모습, 그리고 작가의 객수와 염려가 드러난다. 여정은 다음과 같다.

도성 인정전, 모화관, 무악재, 홍제원, 녹번, 박석, 구파발, 창릉, 고양, 파주, 임진강, 진서루, 장단, 송도, 만월대, 선죽교, 청석관, 금천, 청단역, 돌여울, 평산, 곡산, 중화참, 총수관, 서흥, 검수관, 봉산, 동선령, 사인암, 황주, 월파루, 중화, 이천역, 대동역, 평양, 연광정, 부벽루, 대동문, 청류벽, 전금문, 영명사, 칠성문, 기자문, 순안현, 숙천, 안주, 만경루, 백상루, 청천강, 진두강, 박천, 가산, 샛별령, 납청정, 정주, 북장대, 곽산, 선천, 의검정, 동림진, 차련관, 철산, 서림진, 양책관, 용천, 청류암, 석계교, 소곶관, 의주, 취승당, 통군정, 압록강.

2단계는 국외 여정으로, "구련성 다다라서 한 고개를 넘어서니 아가 뵈던 통군정이 그림자도 아니 뵈고 ~ 홍성에 잔셈하랴 주절이고 지껄인다"까지이다. 연경에서의 견문과 감상으로, 처음 보는 호인(胡人)들의 모습과 새로운 문물에 대한 호기심, 유명한 명소를 자세하게 기술하고 있다. 다음은 중국에서의 여정이다.

구련성, 금석산, 온정평, 책문, 봉황산, 삼차하, 백안동, 송참, 대장령, 소장령, 옹북하, 팔도하, 회녕령, 청석령, 낭자산, 마천령, 요동성, 태자하, 야리강, 심양, 주류하, 신민문, 유하구, 소흑산, 의무려산, 광녕점, 십삼산, 석산참, 대릉하, 소릉하, 송산, 행산, 주사하, 조리산, 쌍석성, 영원성, 육도하, 량수하, 오화성, 산해관, 영가령, 심하역, 옥관 무녕현, 영평, 청룡하, 수양산, 고죽성, 사하역, 풍윤현, 사류하, 옥전현, 무종산, 제자산, 일유하, 취병산, 어양, 계주, 백윤점, 단가령, 호타하, 연교진, 백하수, 통주, 북경.

마지막 3단계는 귀로 여정으로, "장계를 봉발하여 선내군관 전송하고 ~ 중원 생각 말지어다 의외토다 일장춘몽"까지이다. 북경을 출발하여 책문, 압록강, 여주, 평양을 지나 한양으로 돌아오는 여정이다. 여기에는 회환을 준비하는 장면, 상마적의 징계법, 노신 생신의 감회, 가족들과의 재회 장면이 인상 깊게 서술되어 있다. 작자 자신의 서정적 감회를 드러내는 내용이 상당 부분을 차지하여 서정적 정감이 강하게 드러나는 대목이기도 하다.

연행 일정의 구체적인 날짜를 보면, 1866년(고종 3) 4월 9일에 한양을 출발하여 5월 7일 압록강에서 도강(渡江)하며 6월 6일 연경의 해동관에 도착한다. 연경에서는 35일간 체류하고 7월 11일 회환(回還)한다. 8월 6일 다시 도강하여 고국에 도착한다. 8월 23일 인정전에 도착하여 임금님을 뵙고 귀가한다. 133일 간의 긴 여정이다.

4. 가치 및 의의

홍순학의 『연행가』는 연행가사로는 맨 처음 학계에 소개되어 이 유형의 가사를 대표하는 작품으로 인식된다. 영남대본은 총 99장으로, 현전하는 이본 중 가장 장편에 속하는 것이며 1891년 필사된 것이다. 1978년 심재완(沈載完) 교주본이 나와서 『연행가』 연구의 토대를 마련하였다. 북원록(北轅錄), 연행록(燕行錄), 연힝록, 년힝가 등의 제목으로 10여 종의 이본이 전하고 있으며, 이는 『연행가』 중에 가장 많은 이본을 가진 것이다. 영남대 도남문고 외에 장서각, 고려대도서관, 국회도서관, 경북대 도서관 등에도 소장되어 있다.

『연행가』는 외교와 보고라는 목적을 가지고 있기에 사료(史料)로서도 중요시되지만, 작가의 창작성이 내재된 문학적 특성 또한 중요하게 다루어져야 하는 기행문학이다. 동시대의 다른 연행록 또는 다른 나라 기행록, 그리고 여타 가사문학 연구에도 참고가 되는 중요한 자료이다.

박은정

[핵심어]

연행가, 도남문고, 홍순학, 병인연행가, 연경, 북경, 기행가사

[참고문헌]

심재완 교주, 『한국고전문학전집』 10, 보성문화사, 1978.

이병철, 「병인연행가 연구」, 경희대 석사학위논문, 2001.

임기중, 『연행가사 연구』, 아세아문화사, 2001.

홍종선 · 백순철 공저, 『연행가』, 신구문화사, 2005.

念佛普勸文

서　　　명：念佛普勸文

편 저 자：明衍

판 사 항：木版本

발행사항：1764年(英祖 40)

형태사항：1冊：四周雙邊. 半郭：19.6×16.6 ㎝. 有界, 大字9行, 中字11行, 註雙行；
　　　　　 33.4×21.5 ㎝

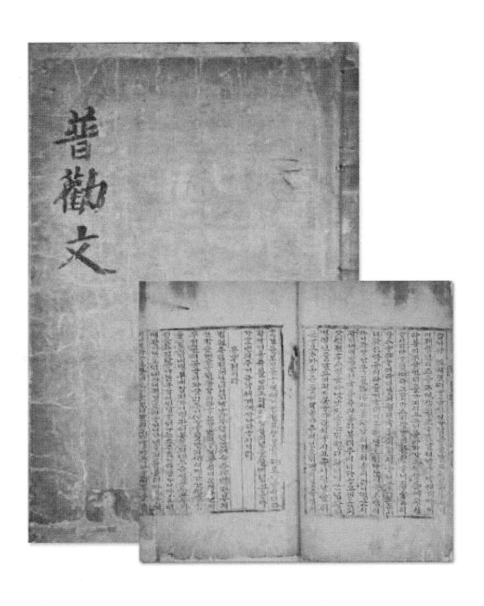

1. 개요

『念佛普勸文(염불보권문)』은 아미타의 극락 세계에 이르기 위하여 염불의 중요함을 설하고, 대중에게 염불을 외우는 공덕을 알린 것이다. 1704년(숙종 30) 경상북도 예천 용문사(龍門寺)에서 명연(明衍)이 여러 경전의 설(說)을 간략히 모아 펴낸 것이다. 1권 1책의 목판본이다.

완전한 서명은 『대미타참약초요람보권염불문(大彌陀懺略抄要覽普勸念佛文)』이다. 대체로 『염불보권문(念佛普勸文)』이라고 한다. 표지 서명에 의하면, 『미타참약초』, 『보권문』, 『미타참절요』라고도 불린다.

이 책의 이본으로는 1764년(영조 40) 팔공산 동화사에서 간행한 것, 1765년(영조 41) 구월산 홍률사(興律寺)에서 간행한 것, 1776년 합천 해인사(海印寺)에서 간행한 것, 1787년(정조 11) 무장 선운사(禪雲寺)에서 간행한 것 등이 있다.

영남대본은 표제에 '普勸文'이라 필사되어 있다. 첫 장에는 '대미타참약초요람보권염불문서(大彌陀懺略抄要覽普勸念佛文序)'가 있고, 내제는 '염불보권문(念佛普勸文)'이다. 책의 말미에 '乾隆 二十九年 甲申 六月日慶尙左道 大邱 八空山 桐華寺 移刊'이라 판각되어 있는 것으로 보아, 이본 중 비교적 이른 시기인 1764년(영조 40) 팔공산 동화사에서 간행한 것으로 파악된다. 현재 한글디지털박물관에 원문 이미지가 전시되어 있다.

2. 편·저자 및 편찬 경위

『염불보권문』은 1704년(숙종 30) 경상북도 예천 용문사에서 명연이 여러 경전의 설을 간략히 모아 펴낸 것이다. 명연(明衍)은 행적이 분명하지 않으며, 다만 청허(清虛) 스님의 후예(後裔)로 경북 예천 용문사 스님으로 알려져 있다.

『염불보권문』은 이전에 편찬된 여러 설문(說文) - 「아미타불인행(阿彌陀佛因行)」, 「제불불여아미타불(諸不不如阿彌陀佛)」, 「염제불불여념아미타불(念諸佛不如念阿彌陀佛)」,

「제국세계불여서방극락세계(諸國世界不如西方極樂世界)」를 전사(全寫) 또는 보충하여 편집하여 수록하고 있다. 불교를 믿고 염불을 행할 때의 공덕을 『화엄경』·『법화경』 등에 의거하여 밝히고 있으며, 서방정토 극락왕생의 실례를 『왕생전』·『법원주림(法苑珠林)』 등에서 인용, 해설하여 염불수행을 권장하고 있다.

중국을 배경으로 하는 설화 「오장국왕 견불왕생(烏長國王 見佛往生)」을 비롯하여, 「세자동녀 권모왕생(世子童女 勸母往生)」, 「수문황후 이향왕생(隋文皇后 異香往生)」, 「경조방습 권타왕생(京兆房翕 勸他往生)」 등을 편집하여 수록하고 있다. 이는 대부분 중국의 것이나, 우리나라의 것도 섞여 있다. 「오장국왕견불왕생(烏長國王見佛往生)」은 오장국왕이 인생의 괴로움과 무상을 느껴 서방불토에 다시 태어나기를 염원하여 염불과 보시로 공덕을 쌓고 승려들에게 불법을 묻는 등 30여 년 동안 정진수행을 한 결과 아미타불을 친견하였다는 『왕생전』의 내용을 기록하는 등, 염불의 중요성을 여러 설화를 제시하는 방식으로 깨닫게 하고 있다.

3. 구성 및 내용

『염불보권문』은 1권 1책이며, 권두에는 「서문(序文)」이 실려 있다. 책은 내용상 크게 네 부분으로 구성되어 있는데, ① 여러 경(經)이나 논(論)에서 가려 뽑아 정리한 글, ② 염불을 열심히 하여서 극락왕생한 사람들의 설화, ③ 염불을 하기 위한 실제 진언, ④ 독립된 내용 등이다.

책의 구성에 따라 다음과 같은 내용이 실려 있다.

① 여러 경(經)이나 논(論)에서 가려 뽑아 간략히 정리한 글

아미타불을 염하면 극락왕생을 한다는 내용으로 널리 세상 사람들에게 염불을 권한다.

「제불불여아미타불(諸佛不如阿彌陀佛)」, 「염제불불여념아미타불(念諸佛不如念阿彌陀佛)」, 「제국세계불여서방극락세계(諸國世界不如西方極樂世界)」, 「극락세계칠보지중유구

품연화대(極樂世界七寶池中有九品蓮花臺)」,「권타념불동생서방(勸他念佛同生西方)」,「유연봉불무연훼불(有緣奉佛無緣毀佛)」,「유신유익무신무익(有信有益無信無益)」,「탐세사인부지념불대락(貪世事人不知念佛大樂)」.

홍률사판에는「제자종본생우사명진씨승감(弟子宗本生于四明陳氏承感)」등 4편 추가.
용문사판에는「귀의삼보편(歸依三寶編)」등 3편 추가.

② 염불을 열심히 하여서 극락왕생한 사람들의 이야기
중국을 배경으로 하는 설화
「오장국왕 견불왕생(烏長國王 見佛往生)」,「세자동녀 권모왕생(世子童女 勸母往生)」,「수문황후 이향왕생(隋文皇后 異香往生)」,「경조방습 권타왕생(京兆房翖 勸他往生)」,「학사 장항 지과왕생(學士張抗 持課往生)」,「신사목경 집번왕생(信士牧卿 執幡往生)」,「온문정처 사친왕생(溫文靜妻 辭親往生)」,「도우선화 십념왕생(屠牛善和 十念往生)」이 실려 있다.

용문사판에는「향산백락천찬서법문(香山白樂天讚誓法門)」등 3편 추가.

③ 염불을 하기 위한 실제 진언
「염불작법차서(念佛作法次序)」와「여릭십대발원문」,「나옹화샹셔왕가라」,「인과문」,「대불정수능엄신주(大佛頂首楞嚴神呪)」,「관음보살ㅈ지여의눈주」,「유전기(流傳記)」.
홍률사판에는「아미타불본심미묘진언(阿彌陀佛本心微妙眞言)」등 3편 추가.

④ 독립된 내용의 부록
「임종정념결(臨終正念訣)」,「부모효양문(父母孝養文)」,「회심가고」,「유마경(維摩經)」,「왕랑반혼전(王郎返魂傳)」
해인사본과 선운사본에는「현씨행적(玄氏行跡)」,「불설아미타경(佛說阿彌陀經)」추가.

책 말미에 수록되어 있는 「왕랑반혼전(王郞返魂傳)」은 염불 공덕을 주제로 한 불교 소설로 ②의 내용과 관련지을 수 있으며, 우리나라 소설 발달의 중요한 단서가 되는 가치 있는 자료이다.

4. 가치 및 의의

조선 후기의 염불 신앙이 민중화되어가는 양상을 연구하는 데 있어 귀중한 자료가 될 뿐 아니라, 염불의례 및 염불 사상의 연구에도 큰 가치가 있는 책이다. 조선 후기 정토신앙의 성행을 반증하는 「염불보권문」은 중국에서 건너온 「연종보감(蓮宗寶鑑)」과 달리 한문 경론에 한글로 번역한 것을 함께 제시한 것이다. 일반 대중용으로 18세기 100여 년에 걸쳐 전국의 사찰에서 여러 차례 판각됐으며, 1704년 경북 예천 용문사의 명연 스님이 불전(佛典)을 모아 취사해 염불문(念佛文)을 구성해 우리말과 글로 옮겨 「염불보권문」을 간행했다.

조선 후기 불교에 나타는 '의례불교'는 억불정책으로 인해 다양한 의식서 편찬으로 그 명맥을 잇게 되며, 불교 의례서 중 하나로 「진언권공(眞言勸供)」, 「영산대회작법절차(靈山大會作法節次)」, 「산보범음집(刪補梵音集)」, 「설선의(說禪儀)」, 「배비문(排備文)」, 「운수단(雲水壇)」, 「작법절차(作法節次)」 등에 비해 자세하게 불교와 융합된 여러 신앙들을 포괄하고 있다.

1704년 간행된 용문사판이 동국대 도서관에, 동화사판이 영남대 도서관에, 흥률사판이 고려대 도서관에, 묘향산 용문사판이 충남대 도서관에 소장되어 있다. 해인사판은 국립중앙도서관과 서울대 규장각, 계명대 도서관 등에 소장되어 있으며, 선운사판은 서울대 규장각에 소장되어 있다.

고려대에 소장되어 있는 흥률사판과 경북대에 소장되어 있는 해인사판 1종이 1954년 경북대 대학원 국어국문학자료로 후쇄되었으며, 이들은 서울대 규장각의 해인사판, 선운사판과 함께 1986년 태학사에서 영인되었다. 한편 용문사판과, 동화사판, 이것의 후쇄본인 묘향산 용문사판은 1996년 동악어문학회 학술총서로 영인되었다. 또한 최근(2012.11.) 한국불교전서의 역주본으로 동국대 출판부에서 출간하였다.

영남대본은 비교적 보존 상태가 좋고, 글자가 선명하여 국어사 연구에 귀중한 자료가 된다. 간혹 뒷 부분에 덧칠의 흔적이 있으나 그 정도가 적고, 특히 '임종정념결(臨終正念訣)'과 '부모효양문(父母孝養文)'의 한문 원문 부분에는 한문 구결이 달려 있기도 하다. 데이터베이스 구축 자료로 활용할 가치가 있으며, 현재 한글 디지털 박물관에 원문이미지를 제공하고 있다.

김 남 경

[핵심어]

염불보권문, 명연, 불교의례, 동화사판, 용문사

[참고문헌]

김영배 외 편저, 「『염불보권문』의 국어학적 연구」, 『동악어문학회 학술총서』 5, 동악어문학회, 1996.

디지털 한글박물관(http://www.hangeulmuseum.org).

『불교신문』 2867호(11월24일자)

한국정신문화연구원, 『한국민족문화대백과사전』, 한국정신문화연구원, 1996.

홍윤표, 『국어사 문헌자료 연구』, 태학사, 1993.

龍龕手鑑

서　　　명：龍龕手鑑
편 저 자：行均(遼)
판 사 항：木板本(後刷本)
형태사항：8卷8冊：四周單邊. 半廓 26.5×18.6 cm, 有界, 10行18字, 注雙行, 大黑
　　　　　口, 上下內向黑魚尾；27.8×26.7 cm

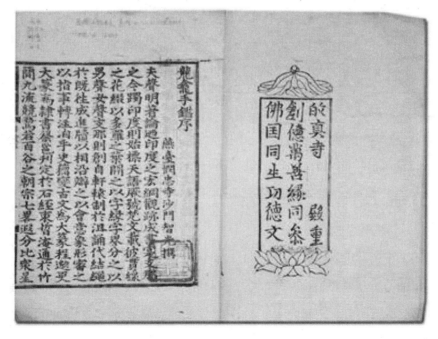

1. 개요

『용감수감(龍龕手鑑)』은 요대(遼代) 유주(幽州)의 승려 행균(行均)이 편찬한 한자 자서(字書)이다. 원서명은 『용감수경(龍龕手鏡)』이었다. 용감(龍龕)은 불경을 담아두는 나무궤인데 불경을 의미하고, 수경(手鏡)이나 수감(手鑑)은 손거울을 의미한다. 손거울처럼 문자의 자형, 자음, 자의를 명확하게 비추어내는 책이란 의미로, 불경의 어려운 문자를 간명하게 해설한 책이다. 현존본은 대개 송대 이후의 책이어서 『龍龕手鑑』인데, 본서는 1563년(명종 18)에 황해도 귀진사(皈眞寺) 복각판의 후쇄본이다.

2. 저자사항

요대(遼代) 유주(幽州)의 승려 행균(行均)이 편찬하였다. 편자 행균은 본래 중국 사람으로 속성(俗性)이 우(于)씨이고, 자는 광제(廣濟)이다. 조상이 청제(青齊) 사람이어서, 현재의 하북과 산서 일대인 진(晉)에서 성장한 후 승려가 되었다. 살던 곳이 행균 생존 시 요나라에 귀속되었으므로 요대의 승려로 알려졌다. 군서를 섭렵해 박학다식하고, 시문에 능했고 문자 음운에도 정통했다. 불도들이 불경을 열독하거나 연구하는 데 참고할 수 있는 한자의 형음의(形音義)를 찾을 자서(字書)를 마련하기 위해, 오대산 금하사(金河寺)에서 5년 동안 편찬하였다. 본서 외에 다른 저작은 전래되지 않는다.

3. 편찬 경위

행균이 불교도가 불교경전을 잘 이해할 수 있도록 하기 위한 목적으로 편찬한 자서이다. 당시의 불경은 대개 필사본이었는데, 그 문자가 너무 속체화되어 해독이 쉽지 않았기 때문에 속문자를 모아 알기 쉽게 정리한 것이다. 사본 불경의 속자(俗字)와 불경 음의서(音義書) 가운데서 자형(字形), 자음(字音), 자의(字意)를 뽑아 수록하고, 속자에 대한 분석도 하여 그 음의를 수록하였다. 5년간 각고의 노력을 한 결과 절운(切韻)과 훈고(訓詁) 모두 16만 자를 모아서, 4권으로 편차해 '龍龕手鏡'으로 이름하였다. 이 책은 992년(統和 10)에 행균이 편찬한 이후 한동안 사본으로 전래되었다. 본서 권두에는 연대(燕臺, 현 북경) 민충사(憫忠寺)의 지광(智光, 字 法炬)이 1033년(거란 重熙 2)에 쓴 서문이 수록되어 있다. 이로 미루어 1033년(중희 2) 지광이 요나라에서 목판으로 간행했을 것으로 추정된다.

송에서는 거란의 서적을 반입하는 것을 엄금하여 거란의 서적이 전입될 수 없었다. 송의 금서정책이 매우 엄중하여 거란의 책을 소지하고 있다가 발각되면 모두 사형에 처해졌기 때문이다. 따라서 요나라의 서적이 중원에 유통될 수 없었고, 더구나 목록에도 수록될 수 없었다. 그렇지만 심괄(沈括)의 『몽계필담(夢溪筆談)』 등의 기록을 통해 중원에 전래된 것을 알 수 있다. 북송 희령(熙寧) 연간(1068~1078)에 어떤 사람이 거란의 포로한테서 이 책을 구한 것이 부요유(傅堯俞, 字 欽之)의 수중에 들어갔고, 포종맹(蒲宗孟, 字 傳正)이 절서(浙西)의 원수(元帥)로 있을 때 이를 번각하였다고 한다. 송나라는 피휘를 매우 엄격하게 적용하였으므로, 송에서 개간(改刊)할 때 태조 조광윤(趙匡胤)의 조부인 익조(翼祖) 조경(趙敬)의 휘를 피해 『龍龕手鑑』으로 개명하였다. 조경(趙敬)의 敬자 발음이 鏡과 동일하기 때문에, 겸피해서 『龍龕手鑑』으로 개명해 간행한 것이다. 이 기록을 통해 거란에서 송으로 들여온 과정을 추정할 수 있다. 왕국유(王國維)는 그의 저서 『양절고간본(兩浙古刊本)』에서 이 북송판은 1086년(원우 1)에 판각된 것으로 추정하였다.

『용감수경』의 초간본인 요각본(遼刻本)과 북송의 개각본은 곧 일실되었다. 전래본 가운데 최고본은 1086년(원우 1) 간행의 송 가흥부(嘉興府) 동탑사(東塔寺) 구장본인데, 현재 대만의 국립고궁박물원에 수장되어 있다. 이외의 남송각본은 중국 국가도서관 수장의 급고각(汲古閣) 구장본, 국립고궁박물원 수장의 강안(江安) 부씨(傅氏) 쌍감루(雙鑑樓) 수장의 송간본 등이 알려지고 있다. 청대에는 쌍감루(雙鑑樓) 수장의 송간본(宋刊本)을 함분루(涵芬樓)에서 영인하였고, 이외에도 이조원(李調元)의 함해간본(函海刊本)이나 장단명(張丹鳴)의 허죽재(虛竹齋) 간본이 있었는데, 이들은 폐서(廢書)

에 가까울 정도로 오류가 많다.

『용감수경』이 고려에 전래된 시기는 알 수 없다. 고려에서 『초조대장경(初雕大藏經)』을 간행할 때 『용감수경』을 편입시켰으므로, 대장경 간행 이전에 전래되었을 것으로 추정된다. 고려판은 남송판과는 별개의 판본이어서, 판식이 다르고 송판과 같은 피휘의 흔적이 없다. 이로서 남송판보다는 고려본이 요판에 더 근접한 형태일 것으로 추측된다. 요대 초판본의 번각본이라면 원본의 모습을 재구성할 수 있을 것으로 추정된다. 고려본으로 추정되는 『용감수경』은 권3·4만 전래되고 있다. 금강산 유점사(楡岾寺)에 수장되어 있던 『용감수경』 권1은 6·25동란 중에 산실되었다. 『용감수경』 권3·4는 송광사 구장본이었는데, 최남선(崔南善)의 수장을 거쳐 고려대학교 도서관(육당문고)으로 들어갔고, 1996년 국보 291호로 지정되었다. 권4 권말에 '羅州牧官雕刻…司錄掌書記借良醞令 權得齡'이란 간기가 있다. 이를 통해 고려의 『용감수경』의 간행은 나주가 목으로 승격된 이후로서 송 개간본이 간행되기 이전인 1019년(고려 현종 9)에서 1087년(선종 4) 사이에 간행된 것으로 추정된다. 따라서 북송 포종맹(蒲宗孟)의 개각본보다 앞서 간행되었을 가능성이 있을 것으로 추정된다. 지광(智光)의 서문에 따르면 요판본 권말에는 「五音圖式」이 수록되었으나, 고려본이나 송판에는 모두 삭제되어 있다. 이 육당본(六堂本)의 서명이 '龍龕手鏡'으로 되어 있어 요본의 복각본으로 판단되지만, 선장 형태로 장책되어 있을 뿐만 아니라, 판심에 어미(魚尾)가 보이고 있어, 11세기에 간행된 판본으로 보기에는 다소 무리가 없지 않다. 그렇지만 발음표기에 있어 육당본과 송본에는 '反'으로 표기되어 있는 데 비해, 조선본에는 '切'로 표기되어 있어 고려시대로 앞당길 수 있다. 유점사본과 육당본을 결합해 경성제국대학 법문학부에서 1929년 영인한 바 있다. 중화서국에서 1985년에 영인할 때는 경성제국대학 1929년 영인본을 저본으로 하면서, 권2는 사부총간본을 보완해서 영인하였다.

조선 간본은 3종의 판본이 알려져 있다. 첫째는 1472년(성종 3) 인수대비(1437~1504)의 지원으로 송판본 계통인 『용감수감』을 저본으로 간행한 판본이다. 이때 고려본이나 송본을 복각 또는 번각한 것이 아니다. 4권본의 편집체계를 대대적으로 수정해 8권본으로 개편하고, 글자수도 증보하여 간행하였다. 증보한 부분에는 '今增'이라 표기되어 있다. 또 입성은 59부수에서 60부수로 증가시키고, 부수를 구분하기 위해 두 글자를 들여쓴 형태이다. 증대된 부수는 '肉'부에서 분리시킨 '月'이다. 이체자는 보다 명확하게 구분하였는데, '정자-이체자' 관계로 글자군을 만들어 분류하거나 또는 부수자의 주석에서 이체자를 변별하는 두 가지 방법을 사용하였다. 이에 해당하는 경우가 '文'부의 '支'와 '攴', '无'부의 '旡'이다. 이 체제는 귀진사본(皈眞寺本)에도 계승된다. 이때 간행된 것으로 추정되는 판본이 일본 내각문고에 수장되어 있는데, 세조년간 학승 혜각존자(慧覺尊者) 신미(信眉)의 장서인이 날인되어 있다.

둘째는 1563년(명종 18)에 황해도 귀진사(皈眞寺)에서 복각한 판본이다. '嘉靖四十二(1563)年高德山皈眞寺開板'이란 간기가 있다. 황해도 서흥군 율리면 송월리 숭덕산(崇德山)에 있던 절인데 귀진사(歸進寺)라고도 한다. 조선 명종 때 판선종사(判禪宗事) 보우(普雨)가 대장경각(大藏經閣)을 짓고 불교경전을 간행하면서부터 독립된 절이 되었다. 간행질에 판교종사(判敎宗事) 천칙(天則)도 수록되어 있어, 이들의 협력관계를 알 수 있다. 내용과 체제면에 있어 성종 3년본과 차이가 없는 8권본이어서 그 복각본으로 추정된다.

셋째는 목활자본이다. 목활자본은 간행 경위와 시기를 추정하기 어렵다. 8권본이지만 가독성에 있어 조금 개선된 형태이다. 일부 수정과 오류가 있다고 하나, 인본이 일본 경도대학(京都大學)에 수장되어 있어 실사하지는 못하였다.

본서는 1563년(명종 18)에 황해도 귀진사(皈眞寺)에서 복각한 판본의 후쇄본이다. 간혹 하흑구에 각수명이 기입되어 있고, 간행질 부분은 후에 보충된 것으로 보이는데 普雨는 보충되지 못하였다. 아마도 1565년(명종 20) 보우스님이 제주도에서 죽음을 당한 후에 다시 판각한 부분일 수도 있다. 또 권2,3,6에 판각 또는 인출에 동원된 인물에 관한 기록이 있으나 인출시기를 판단하기는 어렵다.

4. 구성 및 내용

본서의 면지에 '皈眞寺 殿重創億萬善綠同參佛國同生功德文'이란 패기(牌記)가 있다. 이를 통해 귀진사본은 1563년(명종 18) 귀진사의 어떤 전각을 중창할 때 간행한 것으로 추정된다. 이어 997년(통화 15) 지광(智光)의 서문, 목록, 본문, 간기의 순으로 수록되어 있다.

중국 자서는 동한 허신(許愼)이 편찬한 『설문해자(說文解字)』의 체제를 계승해, 부수에 따라 글자를 배열하여 '일(一)'에서 시작하여 '해(亥)'에서 끝나는데, 이러한 방식은 송대에도 변함이 없었다. 그러나 귀진사본은 이러한 전통적 분류방식을 완전히 따른 것은 아니다. 전통적인 자서들에 있어 부수분류의 기준으로 삼았던 자형분류의 원칙을 바탕으로 하고, 다시 평상거입(平上去入)의 사성(四聲)을 이용하여 부수를 정리하였다. 사성과 부수를 서로 결합시켜 배열한 방법은 종전에는 없던 방법이었다. 권1-3에 평성 97부, 권4-5에 상성 60부, 권6에 거성 26부, 권7-8에 입성 59부, 잡 1부, 합해 243부이다. 평성의 '金'부에서 시작하여 입성의 '不'부에 이은 잡부에서 끝났다.

부를 분류한 것도 『설문해자』나 『옥편(玉篇)』과는 큰 차이가 있다. '齊', '高', '亶', '享', '亢', '毫'와 같은 글자는 윗부분을 부수로 취해 'ㅗ'로 설정하고 있다. 그러나 '高'는 별도로 부수를 설정하였다. 부수 '其'에는 '碁', '基', '朞'를 배정한 것과 같이 자형과 발음의 결구 관계를 전혀 고려하지 않은 것은 전통의 분류법과 일치되지 않는다.

수록되어 있는 글자는 허신(許愼)의 『설문해자』와 고야왕(顧野王)의 『옥편』 외에 채록한 것도 많다. 글자는 정체(正體)·속체(俗體)·통체(通體)·고체(古體)·금체(今體)·혹체(或體)·역체(亦體)까지 상세하게 수록하고, 아울러 간명한 음의(音義)를 주석하였다. 여러 자체(字體)의 각 글자마다 반절(反切)로 발음을 표기하고, 글자의 해석은 간결하고도 요점이 분명한 특징을 보이고 있다. 수당대(隋唐代)에 통용되던 속자와 이체자도 수록하여, 자형이 복잡한 속문자를 용이하게 검색할 수 있게 하였다. 여러 자체(字體)의 글자를 배열한 것은 당나라 안원손(顔元孫)이 편찬한 『간록자서(干

隷字書)』를 따르면서 조금 변경시킨 것이다. 속체를 상당히 참고하였지만 간혹 오류가 있다.

5. 서지적 특성 및 자료적 가치

『龍龕手鑑』은 불경에 나오는 어려운 한자 26,430여 본자(本字)를 주해한 자전으로서, 요나라의 음운 연구에 있어 유일한 자료란 점에서 귀중한 가치가 있다. 조선본은 고려본과 송본의 전통을 계승하면서도 편집체제와 내용면에 대대적인 증보를 한 것이다. 불서의 용어를 해석했다는 점 외에도, 고체자·이체자·속체·혹체·고문이 많이 수록되어 있다는 평판을 받고 있다. 이를테면, '바르지 않다'의 왜(歪)자, '쓰지 않다'의 용(甭)자, 그리고 '좋지 않다'의 왜(孬)자 등이 이 책에 처음으로 등장하였는데, 이는 후대에 『강희자전(康熙字典)』 등 방대한 자서를 편찬할 때 반영되었다. 발음표기에 있어서도 고려본과 송본에서는 '反'으로 표기되어 있는 데 비해, 조선본에는 '切'로 표기되어 있다. 이처럼 민간의 방언과 속자 해석에도 주목하고 있으나, 다만 의미 해석이 지나치게 간단한 점이 단점이다.

본서는 조선 1563년(명종 18) 황해도 귀진사 복각판의 후쇄본이다. 본서는 불경의 자서(字書) 또는 음의서(音義書)로서의 역할을 하였다. 문자학 연구에 많은 참고가 될 자료로서 이체자를 확인하고 글자의 근원을 고증하는 데 중요한 자료가 되며, 대장경에 수록된 이체자를 대상으로 한 것으로 현대에 불경을 번역함에 있어서도 어려운 글자를 해독하는 지침서의 역할을 할 것이다. 우리나라에서 후대에 만든 고유한자나 속자의 음의를 규명하는 데도 활용할 수 있는 자료이다. 또한 언어문자, 고대사 저작, 불경 열독과 연구에 중요한 참고서이다. 오류도 있지만 돈황문헌의 글자체를 해독하는 데도 중요한 기능을 함에 따라 그 중요성은 증대되고 있다.

배현숙

[핵심어]

용감수감, 용감수경, 행균

[참고문헌]

김경일, 「용감수감 소고」, 『중국어문학』 13집, 영남중국어문학회, 1987.

반중규, 「용감수감과 사본각본의 관계」, 『민족문화논총』 4집, 영남대 민족문화연구소, 1983.

신상현, 「조선본 용감수감 판본과 특징에 대한 고찰」, 『한문학보』 14집, 우리한문학회, 2006.

정광, 「고려본 『용감수경』에 대하여」, 『국어국문학』 161호, 국어국문학회, 2012.

牛馬羊猪染疫病治療方

서　　　명：牛馬羊猪染疫病治療方

편 저 자：未詳

판 사 항：筆寫本

발행사항：1755年

형태사항：1冊(19張)：無界, 12行 18字(小字雙行)；25.2×21.2 cm

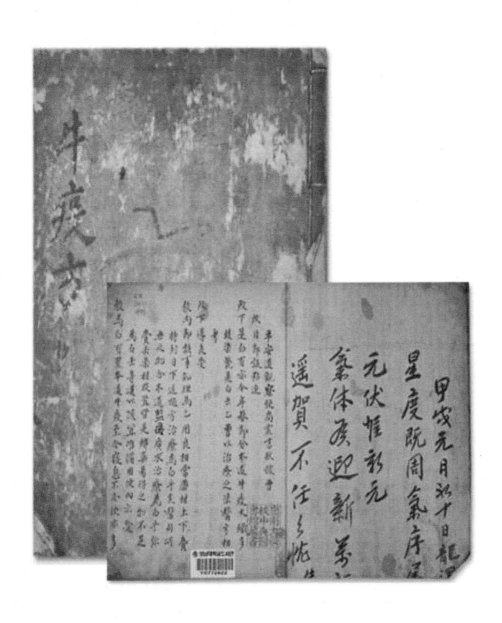

1. 개요

『우마양저염역병치료방(牛馬羊猪染疫病治療方)』은 가축의 전염병을 치료하는 방문(方文)을 담아 간행한 것이다. 1541년(중종 36) 봄부터 평안도에서 창궐한 소의 전염병이 점차 다른 지역과 가축들에게까지 퍼짐에 따라 치료 방문을 이두와 언문으로 번역하고 약명(藥名), 향명(鄕名)을 기재하여 교서관(校書館)에서 인출하도록 한 책이다. 병의 증세에 따른 간략한 치료법을 본초(本草), 우마의방(牛馬醫方), 사림광기(事林廣記) 등의 한적(漢籍)에서 추려 뽑았으며 한문 원문에 이어 한 자(字)씩 낮추어 이두와 한글로 번역문을 달았고 향명(鄕名)에 대해서는 차자 표기와 한글 표기를 함께 제시하였다.

이 책은 1541년 처음 간행된 이후 몇 차례 복각본이 간행되었으며, 1644년(인조 22) 방문을 덧붙여 증보(增補)되기도 하였다. 영남대본은 1755년(영조 31)에 1644년 증보본을 저본으로 필사된 것으로 1644년 간본의 체재와 내용을 상정하는 데 귀중한 책이다. 초간본과 동일한 서문과 최명길과 이식의 발문, 그리고 본문이 온전히 필사되었기 때문이다. 최명길의 발문은 1636년 9월 교서관에서 개간될 때 썼고, 이식의 발문은 1644년 증보본을 간행하며 덧붙여졌다.

2. 편 · 저자 및 편찬 경위

『우마양저염역병치료방』 서문에 따르면 이 책의 간행 경위는 다음과 같다. 1541년(중종 36) 봄과 가을에 평안도에서 소의 전염병이 돌아서 수천여 마리의 소가 병들어 죽자, 평안도 관찰사 상진(尙震)이 이를 조정에 보고하였다. 호조(戶曹)에서는 평안도뿐 아니라 다른 도에도 비슷한 일이 많이 일어나고 있고 여러 책에 6축의 전염병 치료 방법이 실려 있으니 이것을 종합하여 이두 및 언문으로 번역하여 책으로 간행할 것을 건의하였고, 임금이 이를 허락하였다(1541년 11월 25일). 이 때 호조의 건의 내용 중에, 이 책을 교서관에서 19건 인출하여 10건은 호조, 전생서(典牲

署), 사축서(司畜署), 5부, 전의감(典醫監), 혜민서(惠民署) 등에 나눠주고, 9건은 개성부(開城府) 및 8도에 보내어 각도에서 목판으로 새겨서 많이 인출하여 각 관아에 보내도록 하자고 되어 있는 것으로 보아, 이대로 시행된 것으로 추측된다.

당시 호조(戶曹)에서 건의할 때 의약(醫藥)을 맡은 관사(官司)에서 약(藥)과 한문에 두루 통하는 의원을 가려 뽑아 가축 전염병 치료 방문을 이두와 언해로 풀어 새기고, 약명도 향약명을 사용하여 책을 편찬하자고 하였으나, 정확한 편찬자는 책에 기재되어 있지 않다.

이 책은 여러 차례에 걸쳐 간행되었는데, 1541년(중종 36) 활자로 처음 간행된 이후, 1578년(선조 11)에 을해자로 중간되었다. 또, 1636년(인조 14)에 1578년본을 저본으로 하여 해주와 교서관에서 각각 목판으로 개간되었으며, 1644년(인조 22)에 몇 가지 처방을 추가하여 증보본(增補本)이 간행되었다. 영남대본은 1644년 증보본을 저본으로 하여 1755년(영조 31) 필사된 책이다. 최명길의 발문과 이식의 발문이 실려 있고, 1578년본에 9개의 방문(方文)이 추가되어 있다. 현재 1644년본이 전해지고 있지 않아 영남대본이 1644년본의 모습을 가장 잘 보여주고 있을 것으로 추측된다.

발문은 최명길과 이식이 쓴 것으로 각각의 내용은 다음과 같다. 최명길 발문은 '牛疫方後跋'이라는 제목으로 1636년 9월 17일자로 되어 있고, 이식의 발문은 '今附牛疫方跋'이라는 제목으로 1644년 12월 15일자로 수록되어 있다. 최명길의 발문은 1636년(인조 14) 여름 평안도와 황해도에 우역이 번져 경기도에까지 미쳐 윤의립이 소장하고 있던 『언해마우치료방(諺解馬牛治療方)』을 교서관에서 복각하여 배포한다는 내용이다. 또 이식의 발문은 1636년과 1637년에 소의 전염병이 창궐하여 그 치료방을 간행하였으나 병란으로 전하지 않으므로 병조에서 교정을 보아 수백 건 인출하여 각 주현(州縣)에 배포하는데, 그 내용 가운데 몇 개의 방문을 추가하였다는 내용이다. 또 영남대본에는 "乾隆二十(1755)年乙亥三月日書"라는 필사기가 있어 그 필사연대는 정확히 알 수 있으나, 필사자는 알 수 없다.

3. 구성 및 내용

이 책은 서문, 권두 서명, 염역병(染疫病) 설명, 본문, 발문, 필사기로 구성되어 있다. 한문 원문에 이어 한 자(字)씩 낮추어 이두와 한글로 번역문을 달았고 향명(鄕名)에 대해서는 차자표기와 한글 표기를 함께 제시하였다.

서문은 평안도 관찰사가 보낸 장계(狀啓)를 근거로 병조에서 작성한 계목(啓目)과 이에 대한 판부(判付)를 내용으로 한다. 판부(判付)를 담당한 이가 승정원(承政院) 좌승지(左承旨) 권응창(權應昌)이었으므로 흔히 권응창(權應昌)이 서문을 쓴 것으로 알려져 있다. 서문은 한문 원문 없이 이두만으로 이루어져 있다. 그 내용은 소의 전염병이 퍼져 치료 방문을 이두, 언해로 번역하고, 향명까지 더하여 간행·보급한다는 간행 경위에 대한 것이다.

이어서 권두 서명, 염역병에 대한 설명이 이어져 나오고 본문이 바로 시작된다. 본문은 『본초(本草)』, 『우마의방(牛馬醫方)』, 『신응(神鷹)』, 『사림광기(事林廣記)』, 『편민도찬(便民圖纂)』, 『산거사요(山居四要)』 등에서 뽑아낸 치료 방문으로 한문 원문-이두-언해의 순으로 기록되어 있다. 이후 '牛馬羊猪染疫病治療方 終'이라 쓰여 있는데, 그 뒤에 '今附牛疫治療方'이 뒤이어 나와 증보(增補)되었음을 알 수 있다. 뒤이어 최명길과 이식의 발문이 나오고, 마지막으로 필사기가 있어 정확한 필사 연대를 확인할 수 있다.

본문의 내용을 좀더 자세히 살펴보면 본초편에는 15가지의 단방 치료방이 수재되어 있다. 대개 간단한 유효약물을 활용한 방법으로 달육(獺肉), 달시(獺屎), 호장(狐腸)이나 호두미 소존성(狐頭尾 燒存性), 솔옷[羊蹄汁], 붉나무[千金木], 유엽(柳葉), 참깨잎[靑], 흑두(黑豆), 사향(麝香), 중황토(中黃土) 등이 사용되었다. 이어 우마의방(牛馬醫方)편에는 복합방이 열거되어 있는데, 백출, 여로, 천궁 등의 약재를 태워 그 연기를 코로 들이마시게 하는 방법, 종기가 생긴 곳에 뜨겁게 달군 쇠꼬챙이로 살을 지지는 방법, 쑥뜸으로 배꼽에 뜸을 뜨는 방법 등이 소개되어 있다. 또 신응(神鷹)편에는 4가지 처방이 실려 있고, 『사림광기(事林廣記)』, 『편민도찬(便民圖纂)』, 『산거사요(山居四要)』 등에 나오는 각각의 처방을 싣고 있다. 증보된 금부우역치료방(今附牛疫治

療方)편에서는 출처 표시 없이 9개의 처방이 추가되어 있다.

4. 가치 및 의의

이 책은 가축의 전염병에 대한 수의학사상의 중요한 문헌이며, 한문으로 된 원문을 이두와 한글로 함께 번역한 특이한 체재를 지니고 있다는 점에서 특이하고 중요한 문헌이라 할 수 있다. 이두 번역문에서 한자어 약재명(藥材名) 등에 대해 쌍행(雙行)의 협주(夾註)로 우리말 대역어(對譯語)를 제시한 것도 많이 있다. 대역어를 차자 표기 및 한글로 제시하기도 하고(獺肉[汝古里古其 너고리고기], 獺糞[汝古里叱同 너고리쫑], 羊蹄[所乙古叱 솔옷], 千金木[火乙叱羅毛 붉나모], 藜蘆[朴沙伊 박새], 菖蒲[宋衣亇叱根 송의맛불휘]), 한글로만 제시하기도 하였다(淸蜜 [쑬], 人蔘 [심], 桔梗 [돌앗], 蒼朮 [두 히 무근 삽둇 불휘], 眞茶 [됴흔 쟉설차]). 이러한 부분은 차자 표기 연구 등 국어학적으로도 주목을 받아 왔다.

이 책의 알려진 판본으로 일본 개인소장본(1541년 초간 추정본), 고려대 만송문고본(1578년 을해자본 내사본), 일본 궁내청(宮內廳) 소장본(1578년 을해자본), 서울대 일사문고본(1636년 목판본 해주목 개간본), 교서관 활자본(1636년 활자본), 삼목영(三木榮) 소장 필사본(1644년), 영남대 소장 필사본(1755년) 등이 있다. 이 가운데 1541년본은 고(故) 강전신리(岡田信利) 소장본으로 전모가 알려진 바는 없으나 소창진평(小昌進平)이 필사해 둔 것이 남아 있어 도움이 된다. 또 1636년 교서관 활자본은 삼목영(三木榮)이 오평무언(奧平武彦) 소장본을 보았다고 소개한 바 있다.

영남대본은, 전해지지 않고 있는 1644년 간본의 체재와 내용을 상정하는 데 더할 나위 없이 귀중한 문헌이다. 서문과 2개의 발문, 그리고 본문이 온전히 필사되었기 때문이다. 특히 추가된 방문에 대해서도 이두문이 달려 있다는 사실이 주목된다. 증보하는 과정에서 앞선 1636년 복간 활자본의 체재를 그대로 따른 것임을 일러주기 때문이다. 또, 영남대본은 1644년 간본을 필사하되 언해문은 필사 당대의 국어를 반영한 것으로 보인다. 이것은 동일 간본을 저본으로 필사된 삼목영(三木榮) 소장 필사본과는 구별되는 점이다. 예컨대 삼목영 소장본에서 '됴ᄂ니라, 됴ᄒ리라'로 나타나는 데 반해 영남대본에서는 '좃ᄂ이라, 죠ᄒ니라' 등으로 나타나 영남대본에서 구개음화가 표기에 반영되었음을 확인할 수 있다.

　이상의 내용을 종합하여 볼 때 영남대본은 본문 내용이나 그 체제가 현전하는 간본과 거의 같지만 다른 활자본, 목판본에서 볼 수 없는 내용(이식의 발문, 추가된 치료방 등)을 포함하고 있고, 1755년 기록 당시의 언어 현상을 파악할 수 있는 자료로서 가치를 지니며, 번역된 다른 수의서(獸醫書)와의 내용 및 편찬체제의 비교를 통한 종합적인 연구에도 활용될 수 있을 것으로 여겨진다.

정은영

[핵심어]

우마양저염역병치료방, 우역방, 수의서, 삼목영, 소창진평, 이두, 이두 번역

[참고문헌]

김영진, 「조선전기의 수의서와 우마양저염역병치료방에 관한 연구」, 『고서연구』 18, 한국고서
    연구회, 2001.

박성종, 「『우마양저염역병치료방』과 그 이두에 대하여」, 『국어사 연구』 12, 국어사학회, 2011.

손병태, 「『우역방』의 이두문 연구」, 『영남어문학』 16, 영남어문학회, 1989.

심재완 · 조규설, 「우마양저염역병치료방에 대하여」, 『논문집』 9, 청구대학, 1966.

안병희, 「양잠경험촬요와 우역방의 이두의 연구」, 『동양학』 7, 단국대 동양학연구소, 1977.

영남대학교 중앙도서관, 『고서 · 고문서목록 : 미산문고』, 영남대학교 중앙도서관, 2000.

옥영정, 「함양박씨 가전 고문헌의 내용과 자료적 특성」, 『서지학연구』 19, 서지학회, 2000.

이은규, 「필사본 『우역방』의 전산처리」, 『한국전통문화연구』 12, 전통문화연구소, 1997.

──── , 「필사본 『우역방』 연구-이본과의 비교를 중심으로」, 『어문학』 63, 한국어문학회,
    1998.

──── , 「소창문고본 『우역방』에 대하여」, 『국어교육연구』 36, 국어교육학회, 2004.

홍윤표, 「우마양저염역병치료방」, 『분문온역역해방 우마양저염역병치료방 간이벽온방 벽온신
    방』, 홍문각, 1984.

類合

서　　　명 : 類合
편 저 자 : 未詳
판 사 항 : 木版本
발행사항 : 1764年(英祖 40)
형태사항 : 1卷1冊 : 四周單邊. 半郭 : 21.9×18 ㎝. 有界, 6行6字. 上下內向一葉花紋
　　　　　 魚尾 ; 35.8×22.7 ㎝

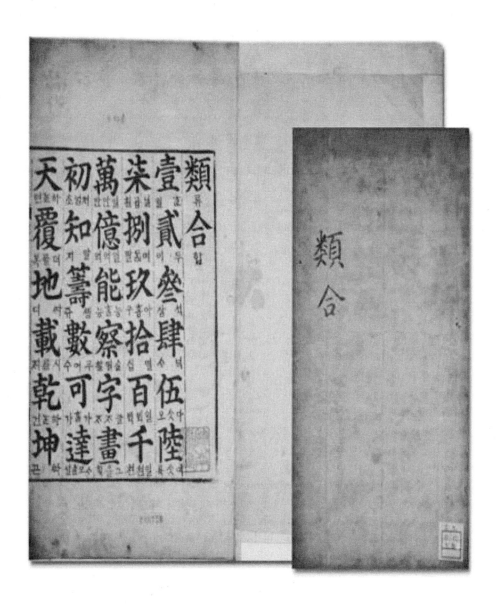

1. 개요

『유합(類合)』은 어린이용 한자 학습서이다. 한자를 처음 배우는 학습자가 한자의 형태, 의미, 음을 빠르게 학습할 수 있도록 만들어진 한자 분류어휘집에 속한다. 이와 같은 한자 분류어휘집으로는 최세진 「훈몽자회(訓蒙字會)」(1527), 유희춘 「신증유합(新增類合)」(1576) 등이 있다. 『유합(類合)』의 저자는 미상이나 서거정이라는 설도 있다.

『유합(類合)』의 이본은 한문본, 한글 주석본, 방각본, 필사본 등 여러 종류가 있는데, 칠장사판(七長寺板, 1664), 선암사판(仙巖寺板, 17세기), 영장사판(靈長寺板, 1700), 송광사판(松廣寺板, 1730) 등이 있다. 한문본 『유합』으로 일본의 대동급기념문고본(大同急記念文庫本)이 가장 오래된 것으로 알려져 있으나 16세기 후반으로 추정하고 있을 뿐이다.

영남대본은 1권 1책의 목판본으로, 표제에 '類合'이라 필사되어 있다. 서문과 발문이 들어 있지 않아 간기나 저자를 알 수 없다. 체재는 6행 6자이며, 한자를 크게 제시하고 그 아래 작은 글자로 한글로 된 훈과 음을 달고 있다. 첫 장에는 '類類合合'이라는 내제가 있다. 처음으로 제시하는 것은 '수목(數目)'인데, '壹(일)'부터 시작하여, 모두 1,512자를 싣고 있다.

2. 편·저자 및 편찬 경위

『유합(類合)』의 저자는 밝혀지지 않고 있다. 1574년에 간행된 『신증유합(新增類合)』의 서문에서 『유합』의 저자가 알려져 있지 않다는 점을 밝히고 있다. 그러나 저자가 서거정(徐居正, 1420~1488)이라는 설이 있다. 정약용의 『아언각비(雅言覺非)』(1819년)에는 서거정을 『유합』의 저자로 볼 수 있는 내용이 있다. 『아언각비』의 권1에서 "무릇 이와 같은 종류를 어린아이들이 알지 못하니 어찌 구분할 수 있겠는가? 모아서 이와 같이 분류하면 서로 빛을 내게 되고 흩어서 이를 섞어 놓으면 현혹

하게 된다. 나는 주흥사의 『천자문』은 서거정의 『유합』만 못하다고 말하겠다"라고 하여, 서거정을 『유합』의 저자로 파악할 수 있는 단서를 주었다. 서거정은 1420년에 태어나 1488년 사이의 사람으로 이러한 추정은 가능하다. 그런데 정약용의 언급에 대하여는 확실한 증거가 없어 지금까지 받아들여지지 않고 있다. 또한 이보다 이른 시기인 최세진의 『훈몽자회』에서도 『유합』의 저자가 누구인지 모른다고 하였으므로, 『유합』의 저자가 서거정이라는 설은 입증되지 않고 있다. 『유합』의 저자에 관한 이러한 의문은 『유합』이 우리나라에서 저술된 것인가 하는 의심으로도 이어졌는데, 우리나라에만 사용했던 한자인 '娚'가 있는 점으로 우리나라에서 제작된 것임을 확신할 수 있다.

　『유합』의 사용 시기는 이본들의 편찬 연대를 통하여 짐작할 수 있는데, 17세기 중반부터 20세기 초반까지 『유합』이 사용되었음을 확인할 수 있다. 『신증유합』의 발문에서 유희춘은 1543년 동궁(인종)이 배우는 『유합』에는 불교를 존숭하고 유교를 배척하는 내용이 포함되어 있으므로 『유합』을 수정할 마음을 가지게 되었다고 밝히고 있다. 따라서 『유합』은 적어도 1543년 이전에 편찬된 것임을 알 수 있다. 또 중종실록 12년 4월 무오조에도 3살인 원자가 『천자문』과 『유합』을 학습했다는 기록이 있으므로 『유합』의 사용 시기는 『유합』의 이본들의 편찬 시기보다 앞선다. 게다가 최세진이 1527년에 지은 『훈몽자회』의 "훈몽자회인"에서 "신이 가만히 보니 세상에서 아동들에게 글을 배우게 하는 데에는 반드시 『천자문』을 우선 배우고 그 다음에 『유합』을 마친 후에 비로소 여러 책을 읽게 합니다."라고 하였다. 따라서 『유합』은 『훈몽자회』보다 앞선 시기에 간행되었으므로 1527년 이전에 『유합』이 간행되었음을 알 수 있다. 그러나 『유합』의 초간본이 아직까지 발견되지 않아 『유합』의 정확한 편찬 시기를 알 수 없다.

3. 구성 및 내용

　『유합』은 1권 1책이며, 서문과 발문이 없다. 모두 1,512자의 한자를 등재하고 있다. 한자를 의미장 별로 분류하여 제시하고 있으나 항목이나 표제어 등을 제시하지 않고 있어, 『신증유합』의 표제어에 따라 내용을 파악할 수 있다. 『신증유합(新增)』은 유합의 내용을 증보하였으므로 내용 면에서 그 체계가 같기 때문이다.

다음은 『신증유합』의 표제어를 활용하여 『유합』의 구성과 내용을 파악한 것이다. 표제어 다음의 숫자는 『유합』에 열거된 해당 한자의 개수를 표시한 것이다.

수목(數目) - 24, 천문(天文) - 104, 중색(衆色) - 16, 지리(地理) - 56,

초훼(草卉) - 48, 수목(樹木) - 16, 과실(果實) - 24, 화곡(禾穀) - 16,

채소(菜蔬) - 24, 금조(禽鳥) - 48, 수축(獸畜) - 48, 인개(鱗介) - 16,

충치(蟲豸) - 24, 인륜(人倫) - 16, 도읍(都邑) - 48, 권속(眷屬) - 24,

신체(身體) - 56, 실옥(室屋) - 40, 포진(鋪陳) - 40, 금백(金帛) - 24,

자용(資用) - 24, 기계(器械) - 64, 식찬(食饌) - 28, 의복(衣服) - 32,

심술(心術) - 4, 동지(動止) - 476, 사물(事物) - 152

분류 항목 '동지'에 해당하는 표제자가 수적으로는 가장 많다. 그러나 뒤쪽에 배열하고 있어, 분류 항목의 배열 순서는 표제자의 수와는 관련이 없음을 알 수 있다. 또한 숫자, 천문, 색, 지리 등을 나타내는 글자를 우선적으로 배치하여 생활에서 긴요하게 사용하는 것을 먼저 배열하고자 하였음을 짐작할 수 있다.

항목별로 유사한 의미로 묶을 수 있는 것들을 모으고, 배열한 후 분류항목을 설명하는 한자들을 배열하고 있다. 따라서 『유합』에서 표제자의 배열 기준은 분류항목의 순서, 새김의 의미 등이다. 또한 각 항목마다 다른 배열 기준을 적용하였는데, 분류 항목별로 배열의 기준을 파악할 수 있다.

수목(數目)에서는 14개의 숫자를 나타내는 한자의 어휘장으로 구성되어 있는데, 하나에서 열까지를 제시하고, 일, 천, 만, 억을 나열하였다. 적은 수부터 큰 수의 차례로 한 행에 6자씩 배열하고 있다. 숫자 어휘장이 끝나면, '能 능홀 능, 察 슬필 찰, 字 글즈 즈, 劃 그을 획'과 같이 항목을 설명하는 어휘를 배열하였다.

천문(天文)에서는 천문에 관한 어휘를 수집한 다음, 4자구의 의미를 고려하여 음을 기준으로 배열하였다. '동서남북, 샹하둥외, 좌우젼후, 츈하추동, 듀야묘셕' 등이 구를 이룬다.

지리(地理)에서는 '골, 나모, 들, 믈근, 시내, 아득홀, 이렁, 일홈'을 의미하는 한자를 각각 2회, '두던, 못, 뫼, 믈결'을 의미하는 한자를 각각 3회씩 배열하였다.

초훼(草卉)에서는 식물 관련 한자를 배열하였다. '게오목, 굴, 년, 대, 말암, 매, 모란, 샤약, 잇기, 쟝미, 쳑쵹, 파쵸'를 의미하는 한자를 각각 2회씩 배열하였다.

수목(樹木)에서는 '머귀, 버들, ㄱ즐'을 의미하는 한자를 2회씩 배열하였다.

4. 가치 및 의의

『유합』은 『천자문』의 단점을 보완하기 위하여 『천자문』과는 전혀 다른 편찬 목적과 방식으로 간행되었다. 우리나라의 실태에 맞게 실생활에서 사용되는 한자를 익히게 하기 위한 학습서이다. 『유합』은 학습자에게 『천자문』에 없는 중요한 어휘를 학습하게 함으로써 『천자문』과 상호보완적인 관계를 가지는 책이다. 『천자문』과 『유합』에 공통으로 수록된 표제자 571자는 아동을 위한 기초 학습 한자로 볼 수 있어, 그 당시 기초 학습 한자를 짐작하게 하는 가치를 가진다. 또한 『천자문』을 학습한 후에 『유합』을 학습한다면 학습자는 반복적인 학습 효과를 얻을 수 있으며, 학습자의 학습 부담량을 줄이게 할 수 있는 한자 학습서임을 짐작할 수 있다. 그러므로 유합은 한자음 연구, 국어사 연구, 교재론 및 교육학 분야에도 그 자료적 가치를 찾을 수 있다.

『유합』의 이본은 한문본, 한글 주석본, 방각본, 필사본 등 여러 종류가 있는데, 칠장사판(七長寺板, 1664), 선암사판(仙巖寺板, 17세기), 영장사판(靈長寺板, 1700), 송광사판(松廣寺板, 1730) 등이 있다. 한문본 『유합』으로 일본의 대동급기념문고본(大同急記念文

庫本)이 가장 오래된 것으로 알려져 있으나 16세기 후반으로 추정하고 있을 뿐이다.

영남대본은 1권 1책의 목판본으로, 내제에 '類류合합'이라 새겨져 있다. 보존상태가 매우 좋을 뿐 아니라, 탈획이나 오각 등도 찾아보기 힘들다. 중세국어 음운 현상인 두음에서 'ㄹ'이 보존되어 있고, 'ㄷ'구개음화가 일어나지 않고 있으며, 원순모음화 역시 나타나지 않고 있어, 비교적 이른 시기의 이본으로 파악된다.

국어사 자료로서 가치가 높으며, 한자의 음과 훈의 연구에도 그 자료적 가치가 크다.

김 남 경

[핵심어]

유합, 신증유합, 분류어휘집, 서거정, 천자문

[참고문헌]

김남경, 「영남대 도남문고본 『유합(類合)』의 국어학적 고찰」, 『민족문화논총』 제 54집, 영남대
    민족문화연구소, 2013.

디지털 한글박물관(http://www.hangeulmuseum.org).

박형익, 「『유합』의 표제자 선정과 배열」, 『이중언어학』 23호, 이중언어학회, 2003.

배현숙, 「『신증유합』 판본고」, 『민족문화연구』 39, 고려대학교 민족문화연구소, 2003.

한국정신문화연구원, 『한국민족문화대백과사전』, 한국정신문화연구원, 1996.

六典條例

서　　　명：六典條例

편 저 자：高宗命編

판 사 항：全史字

발행사항：[刊地未詳]：[刊者未詳], [1867年]

형태사항：10卷 10册：四周單邊. 半郭：21.3×15.0 cm. 有界, 10行20字. 上下向白
魚尾；29.7×19.5 cm

장 서 인：宣賜之記 祗受珍藏 金賢根印, 陶南書堂

내 사 기：同治六年五月十八日 內賜東寧尉金賢根六典條例一件 命除謝 恩 右副承
旨臣趙(手決)

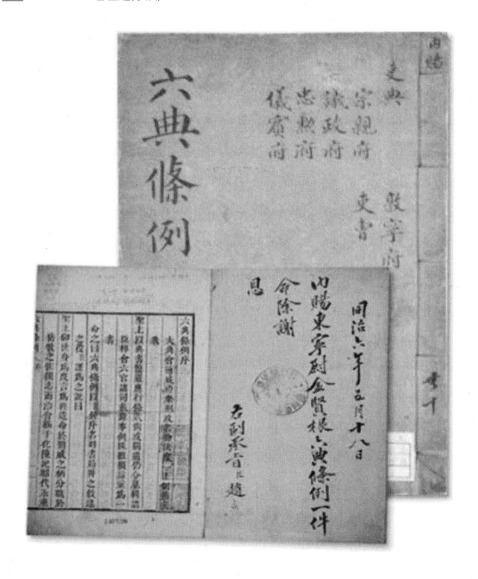

1. 개요

『육전조례』는 1865년(고종 2) 9월 국가의 기본 법전인『대전회통(大典會通)』이 완성되었으나 실무자를 위한 예규집(例規集)이 필요하여『대전회통(大典會通)』찬집(纂輯) 제신(諸臣)들로 하여금 육조(六曹) 및 제사(諸司)의 현행사례들을 선집하여 재록하도록 한 것이다. 1867년(고종 4) 5월에 인서체 동활자인 전사자(全史字)로 10권 10책으로 간행되었다. 권1, 2는 이전(吏典), 권3, 4는 호전(戶典), 권5, 6은 예전(禮典), 권7, 8은 병전(兵典), 권9는 형전(刑典), 권10은 공전(工典)이다. 영남대본은 1867년 5월 18일에 동녕위(東寧尉) 김현근(金賢根)에게 내사한 것이다. 표지는 만(卍)자의 회문이 있는 황지를 사용하였고 황색실로 오침안본하였다. 묵서된 표제 아래에 권차 수를 표시하였고 우측 상단에 해당 육전에 관아명을 적어 수록 범위를 알게 하였다. 서뇌(書腦) 위쪽에는 '內賜'를 표기하여 내사본임을 나타내었고 아래쪽에는 '共十'을 표기하여 책수를 나타내었다. 또한 서근(書根)에도 권차수와『條例』의 간략제명을 묵서하였다.

2. 편ㆍ저자 및 편찬 경위

『육전조례』는 조선 후기 국가의 전반적인 혼란을 극복하기 위한 새로운 법전 편찬의 필요성에 따라『대전회통』이 완성된 이후, 실제에 행해지고 있는 행정법규집이 없어 법전을 시행하는 데 불편이 많아 육조 및 제사의 현행사례들을 일괄 정리하여 편집한 것이다. 조선시대 법전은, 1394년(태조 3) 정도전(鄭道傳)이 조선 개국의 기본 강령과 육전에 관한 사무를 규정한『조선경국전(朝鮮經國典)』을 찬집한 이후 여러 차례 편찬되었다. 1397년(태조 6)에 정도전ㆍ조준(趙浚) 등이 1388년(고려 우왕(禑王) 14)부터 당시까지 반포 실시된 여러 조례를 분류하여『경제육전(經濟六典)』을 편찬하였고, 이어 1413년(태종 13) 하륜(河崙) 등이『경제육전속전(經濟六典續典)』을, 1428년(세종 10) 이직(李稷) 등이『신속육전등록(新續六典謄錄)』을, 1433년(세종 15)

황희(黃喜) 등이 『신찬경제속육전(新撰經濟續六典)』을 편찬하였으나 지금은 전해지지 않고 단편적인 내용만 전해질 뿐이다. 세조는 즉위하자마자 새로운 법령이 계속 쌓이고 그것들이 전후 모순되거나 미비해 결함이 발견될 때마다 속전을 간행하는 고식적 법전 편찬 방법을 지양하고, 육전상정소(六典詳定所)를 설치하여 당시까지의 모든 법을 전체적으로 조화시켜 통일 법전인 『경국대전(經國大典)』편찬에 착수하였다. 1466년(세조 12)에 전체적으로 완성되어 시행하면서 몇 차례의 수정을 걸쳐 1485년(성종 16)에 최종적으로 확정되어 간행되었다. 이 『경국대전』은 조선시대 통치의 기준이 된 명실상부한 훌륭한 기본 법전이 되었다. 이후 여러 차례 보완되었지만 그 기본 골격은 유지되었다. 1492년(성종 23) 『경국대전속록(經國大典續錄)』, 1543년(중종 38) 『경국대전후속록(經國大典後續錄)』, 1585년(선조 18) 『사송유취(詞訟類聚)』, 1698년(숙종 24) 『수교집록(受敎輯錄)』, 1708년(숙종 34) 『전록통고(典錄通考)』에 이어 1746년(영조 22)에는 『경국대전』 이후의 모든 법규를 정리하여 『속대전(續大典)』을 편찬하였고, 1786년(정조 10)에는 『경국대전』, 『속대전』과 이후에 제정된 법규를 모아 『대전통편(大典通編)』을 편찬하였다. 순조 이후 삼정(三政)이 극도로 문란해졌고 이를 혁신하기 위한 새로운 법령이 필요하게 되었다. 그리하여 1865년(고종 2) 3월에 영의정 조두순(趙斗淳)의 건의에 따라 『대전통편』 이후 80여 년 사이에 새로 반포된 조례, 개정된 조례 및 각종의 교지(敎旨) 등을 『대전통편』 아래 추보하여 9월에 교서관(校書館)에서 『대전회통』이라는 이름으로 간행하게 되었다. 그러나 『대전회통』에는 이미 사문화(死文化)된 조문도 재록하여 실무에 임하는 관리들의 이용에 불편이 많았고 조문 자체도 이해하기 어려운 점이 많아 구체적으로 실무에 적용할 수 있는 사례들을 정리 편집할 필요가 있었다. 그리하여 『대전회통』 반포 후 고종 2년 12월에 영의정 조두순이 『육전조례』의 찬집을 건의하였다. 남릉군(南綾君) 홍종서(洪鍾序)는 고종의 명을 받아 주편찬자로서 2년간의 작업 끝에 1867년(고종 4) 5월 인쇄를 마치고 경외(京外) 각 아문(衙門)에 나누어 주었다. 홍종서의 『육전조례』 서문에 '『대전회통』이 완성되니 예악·형정·명물·법도 등 한 왕조의 제도가 갖추어지게 되었다. 우리 성상께서 『대전회통』의 글이 간략하고 엄명(嚴明)하여 마땅히 시행되어야 할 조문과 격식이 아직 더러 빠진 것이 있다 하여 『대전회통』을 찬집한 여러 신하들로 하여금 육관의 모든 관아의 기록한 사례들을 모아 취사증감하여 한 책으로 편집하게 하고 『육전조례』라고 명하였다. … 『육전조례』의 저작은 『대전회통』과 안팎으로 서로 어울리게 하고 본원과 지류가 서로 보완되도록 하였으니 마치 복희씨의 『역』이 십익에 연결되어 있고 대씨의 『예기』가 삼례에 보완되는 것과 같다.(大典會通成 禮樂刑政名物法度 一王制備矣 我聖上以典書簡嚴 應行條式 尙或闕遺 仍令纂輯諸臣 ■會六官諸司 載錄事例 採摭損益 彙爲一書 命之曰六典條例 … 有條例之作 與會通表裏相須 源流互濟 猶羲易之繫十翼 戴記之補三禮)'라고 하여 편찬의도를 밝히고 있다.

이러한 취지에 따라 「범례」에 서술 방법을 설명하고 있는데 그 중요한 것은 다음과 같다. 첫째 각 아문의 대소 사례는 옛 조문은 등록되어 전하는 것이 혼란스럽고 구전되는 것은 잘못되거나 빠뜨리기 쉬우므로 그 강령을 뽑아 그 모범을 드러내어 부분 편집하여 참고가 되도록 하였다. 둘째 종부(宗府) 정부(政府)의 오상사(五上司)는 이전(吏典)의 첫머리에 두었고, 정원(政院) 내각(內閣) 이하는 각 전(典)에 나누어 싣고서 무슨 아(衙), 무슨 사(司)는 당연히 무슨 전에 속한다는 것을 나타내었다. 셋째 아문(衙門)의 이름은 음각하여 첫머리에 게시하고 맡은 일은 대자(大字)로 그 아래에 연결하였고 아문 내의 분장(分掌)한 제색(諸色), 이를테면 이조의 문선사(文選司) 고훈사(考勳司), 호조의 판적사(版籍司) 전례방(前例房) 같은 부류는 한 글자 낮추어 음각하여 게시하였다. 이 외에 각사(各司)에서 행하는 일의 조목이 매우 번잡한 것은 명목(名目)으로 다시 세목(細目)으로 나누어 한 자 낮추어 재록(載錄)하는 등 자세하게 설명하고 있다.

주편찬자 홍종서(1819~?)는 본관은 남양(南陽), 자는 사빈(士賓)으로 서울 출신이다. 1850년(철종 1) 증광별시 갑과에 급제하고 이듬해 규장각직각으로서 규장각의 관원 후보자 중 권점(圈點)을 행하는 각권(閣圈)에 김병국(金炳國) 등과 함께 올랐다. 1855년 성균관대사성, 이조참의를 거쳐 1857년 개성부유수, 1858년 이조참판, 1863년 도총관, 한성부판윤, 형조판서, 1864년(고종 1) 홍문관제학, 1865년 예조판서, 이조판서에 중임되고 남릉군(南綾君)의 작위를 받았으며, 이어 형조판서, 홍문관제학, 감인당상(監印堂上) 등과 1866년 선혜청제조, 예문관제학 등 벼슬에서 물러날 때까지 요직에 중용되었다. 1875년 임금이 판서를 역임한 인물들에게 시호를 내릴 때 정문(貞文)이란 시호를 받았다

3. 구성 및 내용

『육전조례』의 구성은 서(序), 범례(凡例)에 이어 『경제육전』과 같이 6분 방식에 따라 「이전(吏典)」, 「호전(戶典)」, 「예전(禮典)」, 「병전(兵典)」, 「형전(刑典)」, 「공전(工典)」의 순서로 되어 있다. 각 전에 속하는 관청을 전 안에 분속시키고 관직과 직원의 수, 직무·권한의 분장, 임면·징계의 절차, 경비의 수입·지출에 관한 법규를 관청마다 상세히 수록하였다. 모두 10권 10책으로 동활자인 전사자로 간행되었다. 앞에서 소개한 범례에 따르면 아문의 이름은 묵위(墨圍)에 음각하여 첫머리에 게시하고 관장한 일은 대자로 묵위 아래에 연결하여 설명하였고, 아문 내의 제색(諸色)은 한 글자 낮추어 역시 묵위에 음각하여 게시하였다. 각 조목은 백원(白圓)으로 표시하였고, 명목 및 세목도 역시 백원으로 구분하였다.

참고로 전사자는 순조(純祖)의 생모인 원빈(媛嬪)박씨의 오라버니 박종경(朴宗慶)이 물재(物財)를 모아 1816년(순조 16)에 청나라 취진자(聚珍字) 전사(全史)의 글자를 바탕으로 20만 자를 주성한 인서체 동활자를 말한다. 이렇게 사사로이 만든 활자는 대원군이 집정할 때 운현궁(雲峴宮)에 몰수되어 사용되고, 대원군이 실각한 뒤에는 또 다시 여러 곳에서 개인의 편저서, 불교서 등의 인쇄에 폭넓게 쓰였다.

각 권에 수록된 관청은 다음과 같다.

① 이전(권1, 2): 권1에는 서, 범례, 종친부(宗親府), 의정부(議政府), 충훈부(忠勳府), 의빈부(儀賓府), 돈녕부(敦寧府), 이조(吏曹)[문선사(文選司), 고훈사(考勳司), 고공사(考功司)], 권2에는 사헌부(司憲府), 승정원(承政院), 사간원(司諫院), 사옹원(司饔院), 상서원(尙瑞院), 내수사(內需司), 내시부(內侍府), 액정서(掖庭署)를 수록하였다.

② 호전(권3, 4): 권3에는 호조(戶曹)[판적사(版籍司), 회계사(會計司), 전례방(前例

房), 별례방(別例房), 판별방(版別房), 세폐색(歲幣色), 응판색(應辦色), 은색(銀色), 요록색(料祿色), 잡물색(雜物色), 주전소(鑄錢所), 별영(別營), 산학청(算學廳), 구사섬시(舊司贍寺), 구사축서(舊司畜署)], 권4에는 선혜청(宣惠廳)[균역청(均役廳), 상평청(常平廳), 진휼청(賑恤廳), 별하고(別下庫), 공잉색(公剩色)], 양향청(糧餉廳), 한성부(漢城府), 군자감(軍資監), 광흥창(廣興倉), 사도시(司䆃寺), 사재감(司宰監), 제용감(濟用監), 평시서(平市署), 내자시(內資寺), 내섬시(內贍寺), 전설사(典設司), 의영고(義盈庫), 장흥고(長興庫: 풍저창豊儲倉 합병), 사포서(司圃署), 양현고(養賢庫), 오부(五部)를 수록하였다.

③ 예전(권5, 6): 권5에는 예조(禮曹)[계제사(稽制司), 전향사(典享司), 전객사(典客司)], 사직서(社稷署), 종묘서(宗廟署), 영희전(永禧殿), 경모궁(景慕宮), 봉상시(奉常寺), 장악원(掌樂院), 권6에는 기로소(耆老所), 규장각(奎章閣), 교서관(校書館), 경연청(經筵廳), 홍문관(弘文館), 예문관(藝文館), 춘추관(春秋館), 성균관(成均館), 세자시강원(世子侍講院), 보양청(輔養廳), 강학청(講學廳), 세손강서원(世孫講書院), 관상감(觀象監), 내의원(內醫院), 승문원(承文院), 통례원(通禮院), 전의감(典醫監), 사역원(司譯院), 전생서(典牲署), 예빈시(禮賓寺), 빙고(氷庫), 혜민서(惠民署), 도화서(圖畵署), 활인서(活人署), 사학(四學)을 수록하였다.

④ 병전(권7, 8): 권7에는 중추부(中樞府), 병조(兵曹)[정색(政色), 마색(馬色), 무비사(武備司), 일군색(一軍色), 용호영(龍虎營), 이군색(二軍色), 유청색(有廳色), 도안색(都案色), 결속색(結束色), 성기색(省記色), 경생색(梗栍色), 형방(刑房), 예방(禮房)], 세자익위사(世子翊衛司), 세손위종사(世孫衛從司), 권8에는 도총부(都摠府), 오위장(五衛將)[위장소(衛將所)], 부장(部長), 훈련원(訓鍊院), 능마아청(能麼兒廳), 사복시(司僕寺)[마적색(馬籍色), 타락색(駝酪色), 목장색(牧場色), 군색(軍色), 공방(工房), 호방(戶房)], 내시(內寺), 군기시(軍器寺)[장무색(掌務色), 총계(銃契), 화약계(火藥契), 궁전색(弓箭色), 별조색(別造色), 주성염초색(鑄成焰硝色), 노야색(爐冶色)], 훈련도감(訓鍊都監), 금위영(禁衛營), 어영청(御營廳), 총융청(摠戎廳), 북한산성(北漢山城), 호위청(扈衛廳), 포도청(捕盜廳), 선전관청(宣傳官廳), 수문장청(守門將廳), 별군직청(別軍職廳), 충장충익위청(忠壯忠翊衛廳: 충장위장忠壯衛將, 충익위장忠翊衛將), 공궐위장(空闕衛將: 경복궁위장景福宮衛將, 경희궁위장慶熙宮衛將),

의장고(儀仗庫), 순청(巡廳), 무신당상군직청(武臣堂上軍職廳), 문신당하군직청(文臣堂下軍職廳), 대보단(大報壇), 선무사(宣武祠)를 수록하였다.

⑤ 형전(권9): 형조(刑曹)[상복사(詳覆司), 고률사(考律司), 장금사(掌禁司), 장예사(掌隸司), 형방(刑房), 율학청(律學廳)], 의금부(義禁府), 전옥서(典獄署)를 수록하였다.

⑥ 공전(권10): 공조(工曹)[영조사(營造司), 공야사(攻冶司), 산택사(山澤司)], 준천사(濬川司), 주교사(舟橋司), 장생전(長生殿), 상의원(尙衣院)[의대색(衣襨色), 교자색(轎子色), 직조색(織造色), 금은색(金銀色)], 선공감(繕工監)[탄색(炭色), 압도색(鴨島色), 철물색(鐵物色), 공작색(工作色), 죽색(竹色), 장목색(長木色), 색색(索色), 재목색(材木色), 환하색(還下色), 장인색(匠人色)], 분선공감(分繕工監), 영선(營繕), 오소장(五所掌), 자문감(紫門監), 장원서(掌苑署)[과원색(果園色), 건과색(乾果色), 작미색(作米色)], 조지서(造紙署), 와서(瓦署)를 수록하였다.

4. 가치 및 의의

『육전조례』는 『대전회통』이 발간된 이후, 급변하는 국내외 정세에 부응할 수 있도록 『대전회통』 편찬 시 빠진 조례와 격식 등을 새로이 취사선택 보완하여 편찬한 조선왕조 마지막 행정법규집인 법전인 것이다. 『대전회통』은 『경국대전』, 『속대전』, 『대전통편』에 새로 반포된 조례, 개정된 조례 및 각종의 교지(敎旨) 등을 아울러서 엮은 훌륭한 법전이었지만, 관리들이 법의 운용과 행정사무의 실무를 집행하는 데 그 법원(法源)이 되기에는 오히려 혼선이 있었다. 이러한 혼선을 최소화하기 위해 법 적용의 일관성과 법 운용의 간결성을 반영시킨 법전이 바로 이 『육전조례』라고 할 수 있다. 조선 말기의 급변하는 국내외 정세와 사회혼란을 혁신하고자 하는 조선 조정의 고민이 반영된, 그리고 종래의 다른 법전에 비해 진일보한 입법정신(立法精神)이 투영된 법전이라는 점에 그 가치를 부여할 수 있겠다. 또한 육조를 비롯한 여러 관청의 기록에 실려 있는 사례를 정리하였으므로 당시의 행정 실례를 참고하는 데 큰 의의가 있다 하겠다.

영남대본 『육전조례』는 동녕위(東寧尉) 김현근에게 내사한 내사본으로 보존상태가 양호한 10권 10책 완질본이다. 내사기(內賜記) 「同治六年五月十八日 內賜東寧尉 金賢根六典條例一件 命除謝 恩 右副承旨臣趙(手決)」와 보인(寶印) 「宣賜之記」로 보아 고종 4년 5월 18일에 인쇄되어 나온 즉시 동녕위에게 내사된 것임을 알 수 있다.

김현근(1810~1868)의 자는 성희(聖希), 본관은 안동(安東), 부친은 김한순(金漢淳)이다. 1823년 순조의 딸인 명온공주(明溫公主)와 혼인하여 부마가 되었고, 동녕위로 임명되었다. 1834년 11월에 순조의 국상에 종척집사와 빈전향관(殯殿享官)으로 임명되었다. 1837년에 주청정사(奏請正使)로, 1846년에 동지 겸 사은정사(冬至兼謝恩正使)로 청나라에 다녀왔다. 1863년 12월에 철종(哲宗)의 국상에 종척집사로 임명되고, 1865년 10월에 판의금부사(判義禁府事)로 임명되었다. 1868년 8월에 영의정(領議政)으로 증직되었다.

각 권의 첫 장에는 장서인 「金賢根印(2.9×2.9cm)」, 「祗受珍藏(2.7×2.7cm)」이 날인되어 있는데, 특히 「지수진장」은 '임금이 내려주시는 것을 공경하게 받아 보배스럽게 간직하다.'라는 의미로 이 소장본에 대한 정성을 엿볼 수 있다. 이 외에 「陶南書堂(3.0×3.0cm)」 즉 도남 조윤제(趙潤濟) 선생의 장서인이 있다.

동일한 간본이 서울대 규장각을 비롯하여 장서각, 연세대, 고려대 등에 소장되어 있지만, 영남대본은 순조의 부마인 동녕위 김현근에게 내사한 내사본으로 내사기와 장서인뿐만 아니라 보존상태로 봐서 더욱 가치 높은 판본이라 할 수 있다.

곽해영

[핵심어]

유합, 신증유합, 분류어휘집, 서거정, 천자문

[참고문헌]

서울대학교 奎章閣, 『奎章閣韓國本圖書解題 史部 4』, 서울: 서울대학교 규장각, 1984.

서울대학교 奎章閣, 『奎章閣韓國本圖書解題 續集 史部 2』, 서울: 서울대학교 규장각, 1995.

한국학중앙연구원, 『한국민족문화대백과』, 2010.

二倫行實圖

서　　　명：二倫行實圖

편 저 자：金安國, 曹伸

판 사 항：木板本

발행사항：未詳

형태사항：1册：插圖, 四周雙邊, 半廓 23.6×16.6 cm, 有界, 13行22字, 注雙行, 上
下內向黑魚尾(部分 上下大黑口)；34.8×20.8 cm

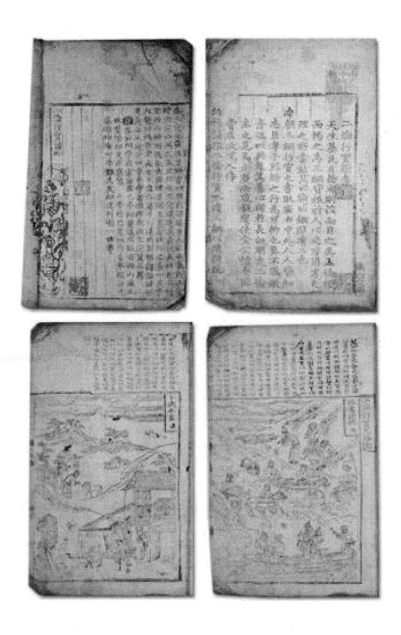

1. 개요

『이륜행실도(二倫行實圖)』는 유교의 기본 윤리인 오륜(五倫) 중에 이륜(二倫)인 장유유서(長幼有序)와 붕우유신(朋友有信)을 민간에 널리 가르치기 위해 편찬·언해하여 간행한 책이다. 중국의 역대 문헌에서 이륜의 행실(行實)이 뛰어난 인물을 가려 뽑아 그 인물의 사적(事蹟)을 찬시(讚詩)와 더불어 엮은 교화서(敎化書)이다. 불분권(不分卷) 1책으로 모두 48건의 사적을 형제(兄弟)·종족(宗族)·붕우(朋友)·사생(師生) 네 편으로 나누어 실었는데, 이들 사적은 모두 중국 사람의 것이고 우리나라 사람의 사적은 실려 있지 않다. 체재는 『삼강행실도(三綱行實圖)』, 『속삼강행실도(續三綱行實圖)』를 따라서 사적마다 언해(諺解)를 붙이고, 사적 내용이 요약된 도판(圖版)을 사적 앞에 실어 이해를 도왔다.

이 책은 본래 김안국(金安國)이 중종에게 그 가치를 상계(上啓)하여 왕명으로 편찬이 결정되었다. 그러나 왕명이 채 시행되기 전인 1517년 3월 김안국이 경상감사(慶尙監司)로 가게 되자 조신(曺伸)에게 편찬을 부탁하여 이듬해 1518년(중종 13) 김산(金山, 現 金泉)에서 간행되었다.

현재 1518년 김산(金山)에서 간행된 초간본이 옥산서원과 이화여대도서관에 소장되어 있고, 개간본과 중간본 등 다양한 간본이 각지에 소장되어 있다. 영남대본은 간행 기록은 남아 있지 않으나, 판식이 다양하게 나타나는 등 특이한 점이 있어 여러 이본 간의 비교 연구에 중요한 문헌으로 여겨진다.

2. 편·저자 및 편찬 경위

이 책의 편찬 경위에 대해서는 강혼(姜渾)의 서문(序文)을 통해 알아 볼 수 있다. 이 책은 본래 김안국(金安國)이 경연(經筵)에서 중종에게 그 가치를 상계(上啓)하여 왕명으로 편찬이 결정되었다. 그러나 왕명이 채 시행되기 전인 1517년 3월 김안국이 경상감사(慶尙監司)로 가게 되자 전 사역원정(前司譯院正) 조신(曺伸)에게 편찬을 부탁하여 이듬해 1518년(중종 13) 김산(金山)에서 간행되었다.

조선왕조는 성리학을 통치이념으로 삼고 숭유억불정책을 썼다. 유교에서는 삼강오륜(三綱五倫)을 윤리규범으로 삼고 있다. 조선조에서는 유교윤리인 삼강오륜을 국민윤리로 정착시키기 위해 몇 가지 정책을 펼쳤는데, 그 가운데 하나가 행실도류(行實圖類)와 같은 윤리서를 간행하는 것이었다. 간행된 행실도는 『삼강행실도』, 『속삼강행실도』, 『이륜행실도』, 『동국신속삼강행실도(東國新續三綱行實圖)』, 『오륜행실도(五倫行實圖)』로 다섯 가지가 있다. 『삼강행실도』가 가장 먼저 간행되었고, 『이륜행실도』는 앞서 간행된 『삼강행실도』의 체제에 따라 중종 때 간행되었다.

『이륜행실도』가 간행된 때는 기묘사화(己卯士禍, 1519년)가 일어나기 바로 전으로, 조광조(趙光祖)의 개혁 정치가 강력한 영향력을 행사하던 무렵이다. 중종은 연산군(燕山君) 당시의 극도로 문란해진 정치 질서를 바로잡기 위하여 조광조 등의 신진 사류(士類)로 하여금 전통적인 유교 정치를 회복하고 민간 생활에 있어서도 윤리적 규범을 확립하도록 요구하였다. 이러한 사회적배경 하에 조광조와 함께 지치주의(至治主義)를 표방하던 김안국은 자신의 이상을 실현하는 정치의 한 방편으로써 이 책을 편찬하게 되었던 것이다.

김안국은 승지(承旨)로 있을 당시 삼강의 윤리와 달리 장유(長幼)와 붕우(朋友)에 관한 윤리에 대해 사람들이 잘 모르고 있기에 교과서가 필요하다 느껴 1516년(중종 11) 이 책의 편찬을 왕에게 건의하여 윤허받았다. 그러나 책이 간행되기 전 1517년(중종 12) 김안국은 경상감사로 부임하게 되었다. 김안국은 경상감사로 부임한 후 그의 관할지역 내에서 만년(晩年)을 보내고 있던 조신(曺伸)에게 편찬의 실무를 위탁(委託)하였다. 그러나 김안국은 이후에도 『이륜행실도』의 편찬에 직·간접적으로 관여한 것으로 추정된다.

이상과 같이 『이륜행실도』는 여타 행실도류 서적이 조정에서 주관하여 중앙에서 간행된 데 반해 김안국이 주도적으로 관여하여 지방에서 먼저 간행을 하였다. 이는 당시 김안국이 경상감사로 부임 중이었으므로 조신에게 업무를 위탁하였고, 또 원간본을 경상도 김산(金山)에서 간행하게 된 것이다.

3. 구성 및 내용

『이륜행실도』는 목판본 1책으로 간행되었는데, 권차(卷次)는 없으나 내용(內容)은 형제편(兄弟篇)·종족편(宗族篇)·붕우편(朋友篇)·사생편(師生篇)으로 나누어져 있다. 주가 되는 것은 형제와 붕우 간의 도리에 관한 것이며, 종족에 관한 것은 형제편의 부록으로, 사생에 관한 것은 붕우편의 부록으로서 다루어져 있다.

권수(卷首)에는 "正德戊寅 三月"에 쓴 강혼의 "二倫行實圖序"가 있고 그 다음에 "二倫行實圖目錄"이 수록되어 있다. 본문에는 형제편에 "伋壽同死"외 24편, 종족편에 "君良斥妻"외 6편, 붕우편에 "范張死友"외 10편, 사생편에 "云敬自劾"외 4편 등 총 48편의 행적기사(行蹟記事)가 수록되어 있다. 각각의 행적기사는 각기 양면(兩面) 1장(張)으로 되어 있는데, 앞면에는 기사의 내용을 압축한 삽화(揷畵)가 있고, 삽화의 상단 여백에는 언해문이 수록되어 있다. 뒷면에는 한문으로 된 행적기사와 그 내용을 시(詩)로 찬양한 찬시(讚詩)가 수록되어 있다. 한문기사는 1행 22자로 60~120자 정도이며, 찬시는 사언절구(四言絶句) 2수로 되어 있다. 매 기사마다 앞면 삽화의 우측 상단에 네 글자로 된 기사명(記事名)이 기재되어 있고 기사명에 이어 해당 인물의 국적이 기록되어 있다. 수록된 인물은 모두 중국인으로 정사(正史)의 시대순으로 배열되어 있으며, 각 시대별로 고르게 선정된 편이나 숫자적으로는 한(漢)·당(唐)·송(宋)의 인물들이 많다.

이상의 『이륜행실도』의 구성체제는 성종조(成宗朝)에 산정(刪定)·언해(諺解)된 『삼강행실도』의 체제를 그대로 모방한 것이며, 1797년(정조 21)에 『삼강행실도』와 합편(合編)·개정(改訂)되어 『오륜행실도(五倫行實圖)』가 되었다.

4. 가치 및 의의

『이륜행실도』는 조선조에서 가장 많은 이본을 가진 문헌에 속한다. 현전하는 판본은 크게 유방점(有傍點) 계통과 무방점(無傍點) 계통으로 나누어 볼 수 있다. 유방점

계통으로는 원간본(原刊本)이 현재 옥산서원(玉山書院)과 이화여대도서관에 각각 한 책씩 보존되어 있으며, 중간본으로는 현재 일본의 내각문고(현 일본국립공문서관)에 그 전본(傳本)이 남아 있다. 이후로 1579년(선조 12) 이전에 간행되었을 것으로 추정되는 무방점 계통의 원간본이 현재 학봉종가문고(鶴峰宗家文庫)에 보존되어 있으며, 중간본으로는 영조 3년(1727)에 기영(箕營)에서 간행된 판본을 비롯하여 1730년(영조 6) 각도 감영(各道監營: 嶺營·海營·江原道監營 등) 간본 등이 있다. 이 외에도 간행시기를 확인할 수 없는 여러 간본(刊本)이 도판(圖版), 어미(語尾), 언해 등에서 조금씩 차이를 보이며 여러 도서관과 개인에게 소장되어 있고, 『고사촬요(攷事撮要)』의 책판 목록에 원간본의 간행지로 알려진 김산(金山) 외에도 보성(寶城), 남원(南原)에 각각 책판이 소장되어 있었음을 확인할 수 있다.

이와 같이 이 책은 오랜 기간에 걸쳐 다양한 판본으로 간행되었을 뿐만 아니라, 이후 『오륜행실도』로 합편되어 간행되기도 하였기에 한글변천사를 비교·연구할 수 있는 국어학 자료로서 매우 귀중한 가치를 지니고 있다. 또한 조선시대의 대표적 삽화본(揷畵本)으로서 판본이 다양하여 서지학적인 가치도 매우 높다. 그리고 조선조 간행된 행실도 전반에 대해서 종합적으로 연구하는 데도 중요한 문헌으로 평가받고 있다.

영남대본 『이륜행실도』는 간행시기를 확인할 수 없는 여러 간본 중 하나이다. 판식이 다양하게 나타나는 점이 특징적인데, 특히 판심(版心)에서 전체 48장의 본문 중 상하대흑구(上下大黑口)의 판심이 13장으로 그 중 10장은 대흑구에 상하내향흑어미(上下內向黑魚尾), 3장은 대흑구에 상하내향화문어미(上下內向花紋魚尾)이며, 7장이 상하내향사판흑어미(上下內向四瓣黑魚尾)이고 나머지 28장이 상하내향흑어미이다. 즉 기존의 여러 책판을 모았거나,부분적으로 보판(保板)이나 복각본(覆刻本)을 제작하여 맞추었을 가능성, 기존의 도판, 한문설명, 찬시의 판(板)에 그 시대 언해로 난상 언해 부분만 새로이 판각하여 짜 맞추어 인쇄하였을 가능성을 내포하고 있다. 이에 대해서는 현존하는 『이륜행실도』 제 판본(諸板本)에 대한 종합적인 연구가 뒷받침되어야 보다 정확한 결과를 얻을 수 있을 것으로 여겨진다. 다만 영남대본이 순천대본 『이륜행실도』와 동일 판본으로 추정되기에 두 간본에 대해 면밀히 비교한 후 국어학적 연구와 도판 등에 대한 서지학적 연구를 행하여 영남대본의 간행시기를 추정해 볼 수 있으리라 기대된다.

정은영

[핵심어]

이륜행실도, 삼강행실도, 오륜행실도, 미산문고, 김안국, 조신, 김산

[참고문헌]

김영배, 「외솔 최현배 선생 20주기 추모 논총 :『이륜행실도』의 원간본과 중간본의 비교」,『동방학지』71·72, 연세대학교 국학연구원, 1991.

송일기·이태호, 「조선시대 '행실도'판본 및 판화에 관한 연구」,『서지학연구』21, 서지학회, 2001.

송종숙, 「『이륜행실도』고」,『서지학연구』4, 서지학회, 1989.

여찬영, 「언해서『이륜행실도』와『오륜행실도』연구 : 원문비평적·효용비평적 관점에서」,『배달말』35, 배달말학회, 2004.

영남대학교 중앙도서관,『고서·고문서목록 : 미산문고』, 영남대학교 중앙도서관, 2000.

옥영정, 「함양박씨 가전 고문헌의 내용과 자료적 특성」,『서지학연구』19, 서지학회, 2000.

정연정, 「순천대 소장『이륜행실도』의 간행 시기 고찰」,『어문학』102, 한국어문학회, 2008.

壬辰錄

서　　　명：壬辰錄
편 저 자：未詳
판 사 항：漢文筆寫本
발행사항：[刊地未詳]：[刊所未詳], [刊年未詳]
형태사항：1册(18張)；28×20.9 cm

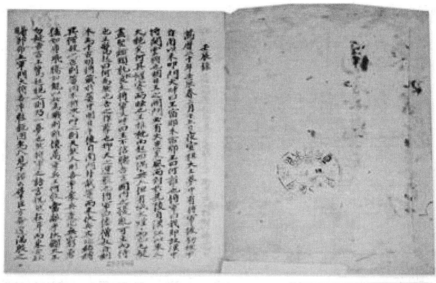

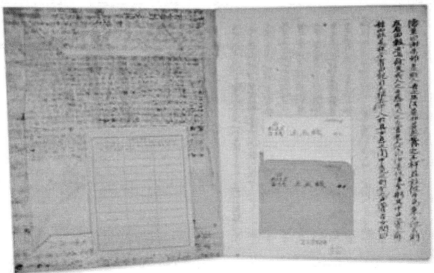

1. 개요

『임진록(王辰錄)』은 임진왜란의 역사적 사실을 배경으로 한 고소설이다. 왜적과 대결하는 인물의 활약상을 흥미진진하게 담고 있기에 독자들에게 많은 사랑을 받았다. 현전 『임진록』의 이본은 50여 종이다. 이본이 많은 만큼, 그 판본도 다양하다. 목판본도 있고, 필사본도 있고, 활자본도 있다. 세 가지 판본 가운데서 필사본이 가장 많다. 목판본이나 활자본은 3~4종이다. 필사본으로는 국문본과 한문본이 있다. 한문본은 10종 미만이니, 국문본이 대대수를 차지한다고 보면 된다. 대체적으로 국문본과 활자본은 서민이 향수자이고 한문본은 중인 혹은 양반이 향수자이므로, 정도의 차이는 있을지언정 전 계층이 『임진록』을 향수했다고 할 수 있다.

영남대본 『임진록』은 한문본이다. 서체는 정자체이고 페이지당 12행이고 각 행당 30자 내외이다. 필사기라든가 필사자에 대한 정보를 담고 있지 않기 때문에 정확하게 알 수는 없지만, 아마도 영남지역의 어느 향수자가 필사했으리라 여겨진다. 그 근거는 두 가지이다. 우선, 주동적 인물이 영남지역 출신이다. 전라도 출신인 김덕령을 고령 출신이라고 한다든지 현풍 출신의 의병장인 곽재우를 상층 장수로 빈번하게 등장시킨다든지 하는 데서 이 점이 드러난다. 그 다음으로, 영남지역의 특정 공간이 상당히 상세하게 나타난다. 제2차 진주성 싸움의 서술에서 지리적 정황을 구체적으로 담았기 때문에 이런 언급이 가능하다. 이렇게 보니, 영남대본 『임진록』은 사실과 허구를 교묘하게 배합하고 있다. 아마도 필사자는 영남지역 출신으로서 중인 이상의 계층에 속하며 역사와 문학의 경계를 넘나들며 상상력을 발휘하는 능력을 지니지 않았을까 하고 추론해본다.

2. 편 · 저자 및 편찬 경위

영남대본 『임진록』의 필사자에 대한 정보는 없다. 필사자와 관련된 어떤 기록도 전하지 않기 때문이다. 한문본이라는 점에서 중인 이상의 계층이었으리라는 추론만 가능하다. 물론, 필사자에 대한 기록이 없다고 해서 필사자의 문학의식을 알 수 없는 것은 아니다. 『임진록』 그 자체는 필사자가 남긴 구체적인 증거물이므로, 증거물인 작품의 내용을 일반적인 『임진록』에 비추어보면, 필사자가 어떤 문학의식을 가졌는지를 알 수 있다.

일반적인 『임진록』은 두 가지의 특징을 지니고 있다. 한 가지는, 서두 부분을 기준으로 분류한 이본 유형이다. 서두 부분에 등장하는 인물이 주동적 인물이기 때문에 이런 분류가 가능하다. 역사적 사실에 비교적 충실한 이본군, 허구적 인물인 최일영이 주동적 인물로 등장하는 이본군, 해전의 영웅인 이순신이 주동적 인물로 등장하는 이본군, 『삼국지연의』의 관운장이 주동적 인물로 등장하는 이본군이 그 대표적인 유형이다. 다른 한 가지는, 이본에 따라 등장인물의 신분과 능력이 일치하거나 불일치하는 현상이다. 중세사회에서는 통상적으로 신분이 높으면 능력도 뛰어나다고 하게 마련이지만, 『임진록』의 경우는 그렇지 않다. 역사적 사실을 근거로 할 때 신분에 따라 능력이 달라지는 인물이 있는가 하면, 신분이 달라져도 능력은 고정되는 인물도 있고, 신분과 능력이 고정되는 인물도 있다. 두 가지 요건이 『임진록』의 특성을 규정하는 근거가 되므로, 이 근거를 활용해서 영남대본 『임진록』의 필사자가 지닌 문학의식을 확인해볼 수 있다.

영남대본 『임진록』은 이본 유형으로 보아 관운장 계열에 속하고, 신분과 능력의 관계가 아주 다양하게 나타난다. 관운장 계열에 속하는 근거로는 작품의 서두 부분에 관운장이 등장한다는 점이다. 관운장이 단순히 등장하기만 하지 않고 눈부신 활약을 한다. 임금의 꿈에 나타나서 전란을 예언하기도 하고 중대사마다 현몽하여 국면을 전환시키는 데 크게 기여하기 때문에 이렇게 볼 수 있다. 신분과 능력의 관계가 아주 다양하게 나타나는 근거로는 역사적 사실과는 다른 신분과 능력의 관계가 조성된다는 점이다. 곽재우와 김덕령이 그 대표적인 경우이다. 곽재우의 경우는 상층신분인데도 능력이 부족하고, 김덕령의 경우는 하층신분인데도 능력이 출중하다. 신분이 낮아야 능력이 뛰어나다고 볼 때, 상층신분에 대한 필사자의 불신이 얼마나 강한지를 알 수 있다. 요컨대, 필사자는 상층인에 대해 부정적으로 인식하고 있었고, 그런 인식을 영남대본 『임진록』에 담았으리라 본다.

3. 구성 및 내용

영남대본 『임진록』은 관운장 계열의 여타 이본에서 나타나는 구성 및 내용과 거의 동일하다. 어느 관운장 계열이든 간에 여러 삽화가 유기적으로 연결된 형태를 보인다. 삽화는 실기로부터 온 경우도 있고, 설화로부터 온 경우도 있는데, 관운장 계열은 이런 삽화를 적극적으로 수용해서 모든 이본의 구성이 대동소이한 양상을 보인다. 즉, 삽화를 더하거나 빼거나 하는 경우는 있어도 삽화의 순서가 뒤바뀌는 경우는 없는 편이다. 주된 삽화로는 관운장 이야기, 곽재우 이야기, 삼장사·논개 이야기, 선조 이야기, 이여송 이야기, 김덕령 이야기, 이순신 이야기 등을 들 수 있다. 이 삽화는 각기 하나의 완결체는 아니다. 곽재우 이야기, 김덕령 이야기, 이여송 이야기는 임진왜란의 경과와 추이에 따라 둘 혹은 셋으로 나누어져 있다. 몇몇 인물 이야기를 나누어서 여타 인물 이야기와 연관시킨다는 점에서 필사자 나름대로 서사 의식이 뚜렷하다고 해도 좋을 것 같다. 이 삽화 가운데서 영남대본 『임진록』의 특징을 가장 잘 드러내는 곽재우·김덕령 이야기를 소개하기로 한다.

곽재우 이야기의 특징은 곽재우가 상층신분으로서 수많은 군병을 거느리고도 왜적에게 대패한다는 데 있다. 임진왜란 발발 당시, 곽재우는 신분이 상당히 높은 장수이다. 선조가 왜침 보고를 받는 즉시 곽재우에게 2만 명의 군병을 주는 데서 이 점이 확인된다. 대병을 거느렸다면 승리할 법도 한데, 의외로 연전연패한다. 패배하는 데는 이유가 있게 마련이다. 화왕산성 전투 장면에 그 이유가 나타난다. 왜장이 나무로 사람의 형상을 만들어 성중에 던져 넣자 일대 소란이 일어나고, 곽재우가 손 쓸 겨를도 없이 아군 진영이 무너졌다고 한다. 왜장의 위계전술에 대처하지 못했기 때문에 패배하고 말았으니, 곽재우의 상황 판단이나 대처 능력이 부족하다고 하지 않을 수 없다. 역사 기록에 의하면 곽재우는 연전연승한 인물인데도 불구하고 『임진록』에서는 상층신분으로서 수만 군병을 거느리고도 왜적에게 대패했다고 하니, 역사적 정황과 많이 어긋난다.

　김덕령 이야기의 특징은 하층신분의 장수로서 임진왜란의 주역 노릇을 감당한다는 데 있다. 김덕령은 이여송의 천거로 세상에 나온다. 이여송이 천기를 보고 조서비(鳥西飛)를 살해할 장수는 김덕령밖에 없다고 깨닫고 조선 조정에 적극적으로 주청한다. 이여송 또한 명장이되 김덕령만이 조서비를 처치할 수 있다고 하므로, 김덕령은 이여송보다 더 뛰어난 장수인 셈이 된다. 김덕령은 조서비를 처치하고 난 뒤 대동강 전투에서는 선봉장이 되어 대병과 맞선다. 정면으로 싸움을 걸어서는 승패를 가늠하기 어렵다고 여기고, 피포된 체하다가 적장 앞에 끌려나가자마자 곧 바로 일어나 왜장을 찔러 죽인다. 목숨을 건 용전부투로 인해 전세는 역전되고 아군은 승기를 잡는다. 이 내용은 역사적 사실과는 많이 어긋난다. 역사적으로 김덕령이 제대로 싸워보지도 못한 채 역적으로 몰려 목숨을 잃었음을 감안하면, 하층장수의 위용을 드러내는 방향으로 김덕령을 활용했다고 할 수 있다.

4. 가치 및 의의

　영남대본 『임진록』은 관운장 계열에 속하기 때문에 영남대본 『임진록』의 의의는 곧 관운장 계열 이본의 의의이기도 하다. 주지하다시피 중세시대 내지 중세에서 근대로의 이행기에는 문학담당층이 가치관과 의식을 공유하는 경향이 강했다. 영남대본 『임진록』을 통해 드러나는 문학담당층의 가치관과 의식은 '민족의식과 앙양과 사회구조에 대한 반성'이라 할 수 있다. 관운장 계열의 문학담당층이 공유하는 이런 가치관과 의식이 영남대본 『임진록』의 의의이기도 하므로, 구체적으로 살피기로 한다.

　첫째, 전대 서사물에 비해 하층인을 대거 등장시키고 그 능력을 크게 중시했다. 곽재우가 상층신분일 때는 연전연패하고 김덕령이 하층신분일 때는 연전연승한다는 점이 그 근거이다. 인물의 됨됨이는 신분이 아니라 능력에 의해 좌우된다는 인식이 작품 전체에 깔려 있고, 그 비중이 너무나 높기 때문에 소설사에 있어서 새로운 변화가 아닐 수 없다.

둘째, 전대 하층 영웅소설의 전통을 계승하면서도 한 단계 발전시키는 성공을 거두었다. 다층적 인물의 형상화, 시공간의 확대, 능력 중시의 상황 전개를 통해 현실주의를 극대화함으로써 하층영웅소설의 판도를 결정적으로 넓히고 여타 소설 창작에 필요한 요소를 제공했던 바이다.

셋째, 상층인뿐만 아니라 하층인도 숭고한 이념을 지니고 있다는 점을 밝혔다. 기존의 관념대로라면 하층인은 비속의 대상일지언정 숭고의 대상이기는 어려운데, 영남대본 『임진록』의 경우는 그렇지 않다. 하층인인 김덕령이 충이라는 이념을 확고하게 가졌다는 점이 그 근거이다. 기존 인식을 과감히 뒤집고 비속의 대상이 사실은 숭고의 대상임을 드러내었기 때문에 이와 같은 성과를 거두었다고 생각된다.

신 태 수

[핵심어]

임진왜란, 관운장, 곽재우, 김덕령, 민족의식

[참고문헌]

신태수, 『하층영웅소설의 역사적 성격』, 아세아문화사, 1995.

임철호, 『임진록 연구』, 정음사, 1986.

조동일, 『한국문학통사』 3, 지식산업사, 1984.

積古齋鐘鼎彝器款識

서　　명：積古齋鐘鼎彝器款識

편 저 자：阮元(清)

판 사 항：木板本(中國本)

형태사항：10卷4册, 插圖, 四周單邊, 半廓 19.5×14.3 cm, 有界, 12行 24字, 上黑魚
尾；25.6×16.5cm

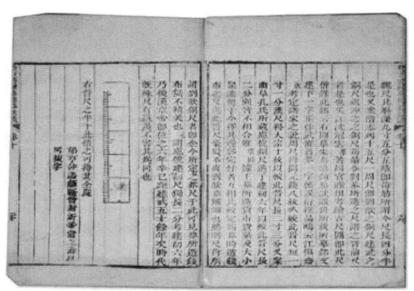

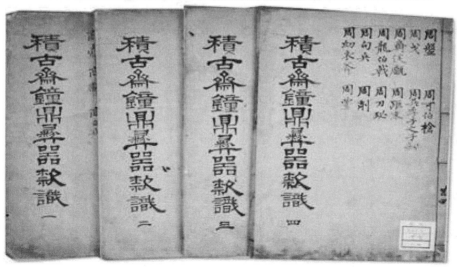

1. 개요

청나라의 완원(阮元, 1764~1849)이 상주(商周)에서 위진(魏晉)까지의 길금(吉金)과 이기(彝器)의 명문(銘文)을 수집해서 판독하고 주석한 서적이다. 송(宋)나라 설상공(薛尚功)의 『역대종정이기관지법첩(歷代鐘鼎彝器款識法帖)』 이후의 가장 중요한 저작으로 완원(阮元)의 자각본(自刻本)이다. 중국 역대의 전서(篆書), 금문(金文), 각장(刻章), 고문자(古文字)를 망라하여 10권에 수록하였으므로, 서체를 연구할 때 참고할 수 있는 자료이다.

2. 저자사항

완원은 청대의 명신, 학자, 저작가, 사상가, 출판자로 경사, 수학, 천문학, 지리, 금석, 교감 등 방면에 조예가 깊었다. 양주시(揚州市) 한강현(邗江縣) 출신이다. 조부가 무거(武擧)에 응해 의징현(儀徵縣)에 적을 두었으므로, 강소성 의징인(儀徵人)이라고 한다. 자는 백원(伯元)이고, 호는 운대(芸臺), 양백(良伯), 뇌당암주(雷塘庵主), 이성노인(頤性老人)이다. 1789년(건륭 54) 진사가 되고 이후 요직을 두루 역임하여, 가경·도광년간에 절강(浙江)의 학정(學政), 병부·예부·호부의 시랑(侍郎), 절강·하남·강서의 순무(巡撫), 조운총독(漕運總督), 호광(湖廣)·양광(兩廣)·운귀(雲貴)의 총독(總督) 등의 관직에 있을 때엔 지방행정 분야에서 공을 세웠다. 1835년(도광 15) 이후는 형부, 병부, 도찰원좌도어사(都察院左都御史), 1836년(도광 16) 경연 강관, 전시(殿試) 독권관(讀卷官), 교습서길사(敎習庶吉士)를 지내고, 1838년(도광 18) 노환으로 사직을 청했으나 태자태보(太子少保)에 임명되었다.

관직에 있는 50년간 정무에 바쁜 가운데 학자들을 우대하고 학문을 진흥키 위해 노력하였고, 아울러 학술연구와 저술에도 많은 노력을 하였다. 박학하여 경사, 소학, 역산, 여지, 금석, 교감 등 섭렵하지 않은 분야가 없었으며, 시문을 잘 짓고 금석문에 정통했다. 전서(篆書), 예서(隸書), 행서(行書), 해서(楷書)를 잘 썼으며, 화조, 수목도 잘 그렸다. 화가라기보다 감식가라 할 정도로 서화의 감정에도 뛰어났다. 그는 한(漢)나라의 훈고학(訓詁學)을 이상적인 학문방법으로 삼은 청나라의 고증학풍을 충실히 따랐다. 따라서 고대의 제도와 사상에 대한 객관적 탐구를 해서『국사유림전(國史儒林傳)』을 편찬했다. 광동(廣東)에 학해당(學海堂)과 항주(杭州)에 고경정사(詁經精舍)를 설립하여, 학자들을 모아『경적찬고(經籍纂詁)』와『십삼경주소교감기(十三經註疏校勘記)』를 편찬하였다. 또한 청나라 학자들의 경학(經學)과 관련한 여러 저술들을 집대성하여『황청경해(皇淸經解)』를 편찬하였다.

그는 민간에서는 보기 드물게 많은 종정과 고물을 수장하였다. 그는 수장품을『적고재장기목(積古齋藏器目)』과『적고재종정이기관지(積古齋鐘鼎彝器款識)』에 반영하였다.『적고재장기목』에는 청동기 74건,『적고재종정이기관지』에는 상주의 청동기 446건, 기타 105건을 수록하였다. 금석문 관련 연구서인 이들 서적은 청나라의 고증학을 집대성한 결과물이라 할 수 있다. 양주에 은퇴한 후에도 고서와 고물의 정리와 연구에 전념해서 상주동기설(商周銅器說)과 상주병기설(商周兵器說)을 편찬하였다. 이 밖에도『연경실집(擘經室集)』,『소창랑필담(小滄浪筆談)』,『주인전(疇人傳)』,『산좌금석지(山左金石志)』,『양절금석지(兩浙金石志)』,『광릉시사(廣陵詩事)』,『잠연당집(潛研堂集)』,『북비남첩론(北碑南帖論)』,『남북서파론(南北書派論)』,『성명고훈(性命古訓)』,『회해영령집(淮海英靈集)』,『양절유헌록(兩浙輶軒錄)』 등 방대한 양의 서적을 편찬하였다.

3. 편찬 경위

적고재(積古齋)는 원래 제남부(濟南府)의 산동학정서(山東學政署, 省敎育廳에 해당)에 있던 작은 건물이었다. 1794년(건륭 59)에 완원이 여기서『산좌금석지(山左金石志)』를 편찬하였는데, 그때 적고재라 명명하였다. 1793년(건륭 58) 첨사부첨사(詹事府詹事)인 완원이 저명한 서예가이며 금석학자인 옹방강(翁方綱)의 후임으로 산동학정(山東學政)으로 임명되었다. 학정의 청사는 양주(揚州) 대명호(大明湖) 남쪽에 있어서 조용하고 그윽하여 독서하기 좋은 곳이었다. 공무의 여가 틈틈이 비명과 고적을 심방하고, 금석탁본을 수집하여 적고재에서 대교하고 비점하였다. 현재는 적고재가 훼철되어 강표(江標)가 그린 적고도와 적고재도를 통해 짐작할 수 있다.

종정(鐘鼎)은 각해진 글씨가 있는 금속제의 종이나 솥이며, 이기(彝器)는 고대에 청동으로 만든 제기이다. 이들은 나라의 의식에 사용하던 예기(禮器)의 통칭이다. 청동기를 제작한 선진(先秦) 시대 이후 종이나 솥 등 청동제기에 새겨 넣은 그림이나 명문(銘文)을 종정문(鐘鼎文) 혹은 금문(金文)이라고 부른다. 종정문의 글자 모양은 당시의 사회적인 요인 때문에 다분히 장식적인 형태를 띠고 있어서, 판독이 어렵지만 문자의 예술성과 풍격은 다양하다. 금문에 대한 연구는 서한시대 장창(張敞)이 미양(美陽)에서 출토된 주(周)대의 시신정(尸臣鼎)을 고증한 것에서 비롯되었다.

송대(宋代)에는 골동품의 수집이 성행하고, 동시에 금석학이 흥성하여 청동기를 연구한 전문서적이 저작되기 시작하였다. 초기 저작은 담천(湛淀)의 『주진고기명비(周秦古器銘碑)』, 양원명(楊元明)의 『황우삼관고기도(皇祐三館古器圖)』, 유창(劉敞)의 『선진고기도(先秦古器圖)』 등이다. 대표적인 송대 저술로 북송 왕보(王甫)의 『선화박고도(宣和博古圖)』, 1092년(元祐 7) 여대림(呂大臨)의 『고고도(考古圖)』, 조구성(趙九成)의 『속고고도(續考古圖)』, 구양수(歐陽修, 1007~1072)의 『집고록(集古錄)』, 조명성(趙明誠, 1081~1129)의 『금석록(金石錄)』, 황백사(黃伯思)의 『동관여론(東觀餘論)』, 왕구소(王求嘯)의 『소당집고록(嘯堂集古錄)』, 복재(復齋) 왕후지(王厚之)의 『종정관지(鐘鼎款識)』 등을 들 수 있다. 전래본의 최고본은 여대림(呂大臨)의 『고고도(考古圖)』인데, 도상, 명문, 석문 등 모두 구비되어 체제가 상당히 완비된 것이다. 이후 명문을 저록한 전문서적 가운데 설상공(薛尚功)의 『역대종정이기관지법첩(歷代鐘鼎彝器款識法帖)』의 내용이 상당히 풍부하여 가장 널리 유행하였다. 송원대에도 금문문자를 편집한 자서가 편찬되었는데, 여대림의 『고고도석문(考古圖釋文)』이다.

원명대(元明代)를 지나면서 금석학은 조금 쇠퇴되었다가, 청초 고염무(顧炎武)와 같은 대유학자들이 박학(樸學)을 제창하여, 고증학이 발달하면서 부흥되기 시작하여 명문의 저록과 고석을 한 서적이 많이 저작되었다. 건륭 이전 금석학자는 주로 비판(碑版)과 석판(石版)을 연구하였고, 청동기와 명문의 연구는 보편적인 현상이 아니었다. 당시 금석학 서적의 명칭은 금석이지만 내용은 대개 '石'에 치중하고 '金'은 없었다. 건륭 때 박학(樸學)이 흥기하면서 양시정(梁詩正)과 장부(蔣溥)가 편찬한 『서청고감(西淸古鑒)』40권, 『영수고감(寧壽古鑑)』16권, 『서청속감(西淸續鑑)』갑을편 각 20권 등의 서적이 편찬되자, 금문에 흥미를 가진 사람들이 날로 증가하였다. 금석 고고학 연구를 통해 문물의 감상 풍조는 더욱 흥성하게 되었다. 이로써 수장가와 연구자가 많이 배출되어 학술적 가치가 높은 저술도 저작되었다. 이 중 전점(錢坫)은 『십육장락당고기관지고(十六長樂堂古器款識考)』, 옹방강은 『양한금석기(兩漢金石記)』22권, 전대흔(錢大昕)은 『잠연당금석발미(潛硏堂金石跋尾)』25권, 완원(阮元)은 『적고재종정이기관지(積古齋鐘鼎彝器款識)』10권 등 금석문 연구에서 많은 성과를 내었다. 이 가운데 완원의 저작은 청대 종정이기관지 연구의 대표적인 작품이라 할 수 있다.

고대의 역사서인 『좌전(左傳)』, 『국어(國語)』, 『한서(漢書)』 등에 수록된 기명일지라도 송대의 『선화전도(宣和殿圖)』에 수록된 것은 없었다. 다만 양송의 여대방(呂大防), 왕구(王俅), 설상공(薛尙功), 왕순백(王順伯)의 서적에 수록된 기명만 겨우 전래되고 있었다. 종정이기는 유일의 기물이어서 각판도서와 같이 광범하고 장구하게 유통될 수 없는 것이다. 또한 청동기 명문은 비록 견고하고 내구성이 있어서 수명이 길고 오랜 시간이 지나도 변하지 않지만, 전쟁, 수재, 화재, 도적을 만나면 파괴되거나 소실될 수 있는 기물이었다. 더구나 상인이 녹여버린다면 그 원형을 보장할 수 없는 것이다. 이 점을 인식한 완원은 이들 기물이 일실될 것을 우려하여, 역대의 종정명문을 수집하여 탁본하고 고석(考釋)해서 서적을 편찬하고자 하였다. 고대 종정이기의 명문을 모사하고 판각해 서적으로 만든다면 영구히 전승시킬 수 있고, 경사의 교감과 고문자의 연구에 큰 도움이 될 것이라 생각한 것이었다. 이에 동호인인 강덕량(江德量), 주위필(朱爲弼), 손성연(孫星衍), 조품충(趙稟冲), 옹수배(翁樹培), 진은복(秦恩復), 송보순(宋葆醇), 전점(錢坫), 조위(趙魏), 하원석(何元錫), 강번(江藩), 장정제(張廷濟) 등이 수장하고 있던 기명과 탁본을 망라하여 주위필과 함께 편찬하였다. 고기물에 있는 문자의 태반은 조지침(趙之琛, 齋號 補補羅羅迦室, 자 次閑, 호 獻父, 獻甫, 寶月山人)이 탁본하였다. 마침내 1804년(가경 9) 『적고재종정이기관지』 10권을 완성하였다.

4. 구성 및 내용

권두에는 완원의 자서, 상주동기설(商周銅器說) 상하편, 상주병기설(商周兵器說), 주위필(朱爲弼)의 후서(後敍), 목록에 이어 본문이 수록되었다. 상주동기설(商周銅器說) 상편에는 고동기 명문의 역사적인 가치를 논하여 그 중요성은 구경(九經)과 같다고 인정하였고, 하편에는 삼대(三代)의 종정 가운데 가장 중요한 기명을 논하였다. 아울러 주대 동기와 관련 있는 기록과 한당시대에 출토된 동기에 대해 열거하였다. 이은 상주병기설(商周兵器說)에서는 상주시대의 병기의 발전 상황을 논하였다. 주위필(朱爲弼)은 완원의 막우(幕友)로서 이 책의 편찬과 주석에 조력하였으므로 후서에 그 편찬 의도를 반영하였다. 권두서명에서 공간을 두고 아래 광곽에 가깝게 양주완씨편록(揚州阮氏編錄)이란 저작자 표기가 있다.

본문에 수록된 종정과 이기의 명문자료는 3종류로 나눌 수 있다. 1. 동무종(董武鐘)과 같이 송대 왕복재(王復齋)의 『종정관지(鐘鼎款識)』에 수록된 탁본을 편입시킨 것, 2. 강덕량(江德量)을 위시한 동호인의 탁본과 모본을 편입시킨 것, 3. 부거이(婦擧彝), 보반(寶盤)과 같이 자신이 구장한 탁본, 손수 탁본한 것과 모본을 편입시킨 것이다. 이들 명문은 시대순으로 권1, 2에는 상기(商器) 173건, 권3-8에는 주기(周器) 273건, 권9에는 진기(秦器) 5건과 한기(漢器) 9건, 권10에는 위기(魏器) 3건과 진기(晉器) 4건의 관지, 합계 550건이 수록되었다. 명문에는 탁본 또는 모본(摹本)을 토대로 석문을 첨부했고, 아울러 경사와 결합해 고증한 것이다. 동일시대의 기물은 기물의 종류별로 商(鐘, 鼎, 尊, 彝, 卣, 壺, 爵, 觚, 觶, 角, 敦, 甗, 鬲, 盂, 匜, 盤, 戈, 句兵), 周(鐘, 鼎, 尊, 卣, 壺, 銒, 爵, 斝, 觶, 觚, 彝, 敦, 簠, 簋, 盂, 甗, 鬲, 匜, 蓋, 盤, 甌, 戈, 戟, 句兵, 斧, 槍, 劍, 距末, 刀, 珌, 削, 豊), 秦(權, 斤, 量, 秦平陽封宮銅器, 戈), 漢(鐘, 鼎, 鼏, 鑪, 壺, 卣, 洗, 匜, 鐙, 燭盤, 甌, 鋗, 弩機, 戈, 劍, 刀, 尺, 節, 符, 鐎斗, 鉤, 鈴, 鐸, 染桮, 車釭, 權, 斗檢封, 尚方銅器, 宜子孫銅器, 湯金銅器, 吉利銅器, 壽命昌銅器, 內者樂臥銅器), 魏(鐘, 鑪, 帳構銅), 晋(滲㯶, 椎, 釜, 尺)으로 구분해 수록되어 있다. 전반적으로 기물의 수록에는 엄격한 표준이 없어 분류방법에 혼란스러운 곳도 보이고 있다.

해설을 편찬한 체제는 기물의 역조와 유별을 명시하고, 다음에 기물명, 탁본이나 모록한 관지의 순으로 수록한 후, 명문의 위치, 글자수, 글자의 판독여부, 탁본 또는 모본의 내력, 자신의 견해, 석문과 고증, 판독여부를 수록하였다. 고증에는 상략에 차이가 있고, 명문을 해석함에 있어 통상적으로 동시대인의 대표적인 고석을 수록하고, 이어 자신의 해석을 수록하고, 혹 보충, 반박하고, 마지막으로 평가를 수록하였다. 종정이기의 그림은 서양 투시법으로 그려 입체감이 있으며, 기물의 문양은 생동감이 있다. 문자고석에는 통상적으로 먼저 허신의 『설문해자(說文解字)』, 경전, 사적 등의 서적으로 문자의 형체를 확인하고, 마지막으로 '안어(案語)'의 형식으로 판단하였다. 예로 '아작(亞爵)'에 대해 '이 기명은 궐리(闕里) 공농부(孔農部) 상임(尚任)이 수장하고 있으며, 자신이 수장하고 있는 모본을 편입시킨 것'임을 밝혔다. 이어 '『설문해자』에 "爵은 예기(禮器)"라고 설명되어 있고, 글자 가운데 창주(鬯酒)를 잡고 있는 모습이 그려져 있는데, 아작에도 爵의 모양 아래에 손 모양이 새겨져 있다. 이는 『설문해자』와 합치되는 것'이라고 자신의 견해를 첨부해 놓았다.

5. 서지적 특성 및 사료적 가치

본서는 상주(商周)에서 위진(魏晉)까지의 길금(吉金)과 이기(彝器)의 명문(銘文) 수백자를 수록하고 석문을 주석한 것이다. 청색비단으로 포각을 하고 중국식의 4침안정법(4針眼釘法)으로 편철한 중국본이다.

본서가 간행된 후 연구자들이 다투어 연구하여 주석, 비평, 서발을 가하였고, 사본, 목판본, 번각본, 영인본 등의 판본이 연이어 간행되었다. 주요한 판본은 1804년(가경 9) 완원 자각본(自刻本), 1829년(도광 9) 『황청경해본(黃淸經解本)』, 1879년(광서 5) 번각본, 1882년(광서 8) 후지부족재(後知不足齋) 번각본이 있다.

본서는 1804년(가경 9) 완원 자각본(自刻本)으로서, 판심 상부에는 서명이 기록되어 있고, 사주단변, 상흑어미본이다. 권두에는 완원의 서문, 상주동기설, 상주병기설, 주위필의 후서가 있다.

완원의 서적에 수록된 명문은 신빙성이 있다는 특징이 있다. 전점(錢坫)의『십육장락당고기관지고(十六長樂堂古器款識考)』를 계승한 이후 탁본과 모본에 의거해 명문을 수록했으므로 신빙성이 높아졌다. 완원 이전에는 탁본해서 사용하지 않고, 명문을 일률적으로 축소해서 필사했으므로, 간혹 개사(改寫), 결필, 결획, 오류가 있었다. 완원은 명문의 대다수를 탁본에 근거해서 편찬하였으므로 정확한 것이 특징이다. 둘째는 경사 연구의 증거자료가 된다는 점이다. 완원이 종정의 명문을 연구한 중요한 목적이 고문자를 연구해서 경사 서적을 교감하는 데 조력하기 위한 것이었다. 따라서 명문의 고석으로 경전의 증거를 얻을 수 있게 된 것이다. 이로써 억측을 피할 수 있어서 과학적인 연구가 가능하게 된 것이다.

부족한 부분도 있다. 주대의 동무종(董武鐘)을 상대(商代), 상대의 목종(木鐘)을 주대(周代)로 추정하는 등 기물의 연대 추정에서 오류가 보이는 점이다. 감별이 정밀하지 못해 진품과 안품이 뒤바뀌기도 하였다. 명청대에 상인들이 송대 여대림(呂大臨)의 『고고도(考古圖)』나 휘종이 칙찬한 『박고도록(博古圖錄)』을 저본으로 상주시대의 이기를 대량으로 모조하였었다. 이들의 진위가 바뀐 것이다. 이기의 종류도 다양하여 오류를 범하기도 하였다. '우화(尤盉)'는 실은 "반(盤)"이고, '간이(柬彝)'는 "두(豆)"이며, '부정이(父丁彝)'는 "정(鼎)", '장자종(長子鐘)'의 "鐘"은 "鐘鈁"의 "鐘"이어서, "종경(鐘磬)"의 "鐘"과는 다른 것이다. 금석학에 정통해도 감별의 실수를 면하기는 어려웠을 것이고, 결점에도 불구하고 이 책은 금석학 연구의 고전으로 가치가 있다.

완원이 수집한 각각의 명문을 저록함과 동시에 고석(考釋)을 가한 것인데, 송대 설상공(薛尙功)이 편찬한『역대종정이기관지법첩(歷代鐘鼎彝器款識法帖)』의 속편인 셈이다. 또한 본서는 초판본으로서 오식이 적다는 점이 장점이다. 가경 이후의 금문 연구에 커다란 영향을 미친 금석학, 문자학의 연구에 중요한 참고서적이다. 미진한 점이 있긴 하지만 청대 고동기 명문의 연구에서 새로운 방법을 개척한 공로가 있는 것으로 결코 무시할 수 없는 것이다. 권두에 수록된 상주동기설(商周銅器說)과 상주병기설(商周兵器說)도 후세에 이기를 연구하는 데 참고자료가 된다.

316

본서에는 완당(阮堂), 추사진장(秋史珍藏), 소봉래학인(小蓬萊學人), 도남진장(陶南珍藏) 외에 인문미상의 장서인이 날인되어 있다. 추사 김정희(金正喜)의 장서인 3종은 매권 권두의 하방에 번갈아 날인되어 있고, 도남 조윤제(趙潤濟)의 장서인은 매책 권두에만 날인되어 있다. 이들 장서인은 본서의 중요성을 단적으로 나타내고 있다고 하겠다.

배현숙

[핵심어]

완원, 종정, 이기, 명문, 관지

[참고문헌]

『積古齋鐘鼎彝器款識』考述(http://www.jiguzhai.net/jiguzi×unye.asp×?pid=89)
2013.04.23.19:00.)

訂窩辨書

서　　　명：訂窩辨書
편 저 자：미상
판 사 항：筆寫本
발행사항：1905년 이후
형태사항：1冊(29張)：無界, 12行 19字；19.5×19.6 cm

1. 개요

이 책은 안동의 '병호시비(屏虎是非)', 성주의 '한려시비(寒旅是非)'와 함께 영남지역의 대표적인 문중시비(門中是非)의 하나인 경주지역 '손이시비(孫李是非)'에 관한 기록이다. 손이시비는 경주지역 양동(良洞)마을에 약 500여 년간 공거해 왔던 월성손씨(月城孫氏)와 여주이씨(驪州李氏) 간에 각 성씨의 현조(顯祖)인 손중돈(孫仲暾)과 이언적(李彦迪) 구생(舅甥)간의 학문적 연원문제로 야기된 것이다. 이 시비가 나오게 된 배경은 이언적의 출사와 그가 대학자로 성장하는 데 외삼촌인 손중돈의 역할이 컸다는 데 있었다. 이 같은 사정이 향권의 주도권 문제와 관련하여 학문적 연원문제가 중요시되는 18~19세기의 시대적 상황과 맞물리면서 나타난 것이다.

손이시비가 본격화된 것은 1905년부터이지만, 이미 그 이전부터 논란이 있어 왔다. 1773년에 손중돈을 배향하는 동강서원(東江書院) 묘우(廟宇) 중건 시에 작성된 이상정(李象靖)이 지은 묘우중건상량문(廟宇重建上樑文)으로 논란이 있었다. 그러나 당시 문제가 된 상량문은 이씨 측의 강력한 항의와 여론의 압박에 굴복해 당일에 감정(勘定)하여 본가로 되돌렸다고 한다. 이후 이 문제는 잠복되어 있다가, 1845년 손중돈의 문집인 『우재실기(愚齋實紀)』를 증보하여 간행할 당시에 이상정이 지은 동강서원 묘우중건상량문의 삽입 문제로 또 한차례 논란이 되었다. 이 상량문에서 문제가 된 부분은 이언적이 손중돈의 도맥(道脈)을 적수(的授)했다는 내용이다. 1845년 『우재실기』 간행 당시에 손씨 측이 이 상량문을 삽입하려고 하자 이씨 측은 강력히 항의하면서, 이 문제의 해결을 위해 향내뿐만 아니라 도내 전역에 통문을 돌려 손씨 측을 압박해 나갔다. 이때의 시비가 어떻게 전개되었는지 그 구체적인 전말에 대해서는 알 수 없지만, 대체로 상량문 작성 당시와 마찬가지로 이씨 측과 도내 유림들의 여론에 굴복해 손씨 측의 의도대로 진행되지는 못했다고 보인다. 이 같은 상황은 이 시기 경주지역 내지 도내에서의 사회적 위상에 있어서 이씨가 손씨를 압도하고 있었던 당시의 사정이 반영된 결과라고 보인다.

이후 이 문제가 다시 양 문중 간의 격렬한 시비로 확대된 것은, 1904년 이씨 종가[無忝堂]에서 이언적이 쓴 손중돈에 대한 장문(狀文)과 만사(輓詞)가 발견되면서,

이를 계기로 손씨 측에서 손중돈의 문집인『경절공실기(京節公實紀)』를 중간하면서부터이다. 1905년 4월에 손씨 측에서『경절공실기』를 중간하면서 이 장문과 만사를 삽입하고, 또 그전에 문제가 되었던 이상정이 쓴 상량문의 연원도맥구(淵源道脈句)를 부주(附註)하고, 나아가 이들 자료에 근거하여 이언적의 학문이 손중돈에 연원하고 있다는 내용의 진성이씨(眞城李氏) 이만도(李晩燾), 이병호(李炳鎬), 이만규(李晩煃)의 서(序)와 발(跋)을 얻어 싣고 이를 반포하였다.

이 같은 내용을 담은『경절공실기』가 중간되고 반포되자, 이 문제는 유림사회의 학문적 연원과 관련된 사안이기 때문에 문중 차원의 문제가 아닌 사림사회의 도맥과 관계된다는 점에서, 향내뿐만 아니라 초기부터 곧바로 경상도 전역으로 확산되어 양 측 간에 통문 등을 통한 치열한 공방전이 전개되었다. 이씨 측은 곧바로 인근 향내 14문중에 회문(回文)을 돌려 옥산서원에서 이를 성토하는 모임을 가졌다. 이후 이 시비에 대한 향내의 여론은 이씨 측의 압도적인 우세로 전개되어 나갔다. 시비 초기에 향내(鄕內)와 도내에서 중재의 움직임이 있었지만 힘을 발휘하지 못하고 계속 갈등이 증폭되어 갔다. 이후 이 시비는 타도지역까지 확산되면서 태학(太學)과 호서유생(湖西儒生)·호남유회소(湖南儒會所)에서도 손씨 측을 강력히 성토하는 통문을 보내기도 하였다.

2. 편·저자 및 편찬 경위

『정와변서』는 손이시비에 있어서 손씨 측의 주장이 허구임을 조목조목 반박하는 내용을 적은 것이다. 시기와 필자는 확인할 수 없지만, 그 내용으로 보아 1845년에 손씨 측에서 손중돈의 문집인『우재실기(愚齋實紀)』를 증보하여 간행할 당시에, 이씨 측에서 이를 반박하기 위해 그들의 주장을 기록한 것으로 보인다.

손이시비의 핵심이 되는 이언적이 손중돈의 도맥을 적수(的授)했다는 논란이 본격적으로 제기된 것은, 1773년에 손중돈을 배향하는 동강서원(東江書院) 묘우(廟宇) 중건 시에 작성된 이상정(李象靖)이 지은 묘우중건상량문(廟宇重建上樑文)이었다. 당시의 사정을 구체적으로 알 수는 없지만 문제가 된 상량문은 당시 이씨 측의 강력한 항의와 여론의 압박에 굴복해 당일에 감정(勘定)하여 본가로 되돌렸다고 한다. 이후 이 문제는 잠복되어 있다가, 1845년『우재실기』를 증보하여 간행할 당시에 이상정이 지은 동강서원 묘우중건상량문의 삽입 문제로 또 다시 논란이 되었다.

당시 이상정이 지은 묘우중건상량문의 원본은 확인할 길이 없지만, 1905년『경절공실기』에 실린 묘우중건상량문을 보면 그 대체적인 내용은 확인할 수 있다. 이 상량문에서 문제가 된 부분은 이언적이 손중돈의 도맥(道脈)을 적수(的授)했다는 내용이다. 1845년『우재실기』간행 당시에 손씨 측이 이 상량문을 삽입하려고 하자 이씨 측은 강력히 항의하면서, 이 문제의 해결을 위해 향내뿐만 아니라 도내 전역에 통문을 돌려 손씨 측을 압박해 나갔다. 그 과정에서 삼계(三溪)·동락(東洛)·낙봉(洛峰)·남강(南江)서원 등에서 이씨 측에 통문을 보내 손씨 측을 압박하였으며, 노계서원(虎溪書院)에서는 양자를 중재하는 통문을 보내오기도 하였지만, 이씨 측이 이를 모두 거부하고 강경하게 대처하였다.

이때의 시비가 어떻게 전개되었는지 그 구체적인 전말에 대해서는 알 수 없지만, 대체로 상량문 작성 당시와 마찬가지로 이씨 측과 도내 유림들의 여론에 굴복해 손씨 측의 의도대로 진행되지는 못했다고 보인다. 이 같은 상황은 이 시기 경주지역 내지 도내에서의 사회적 위상에 있어서 이씨가 손씨를 압도하고 있었던 당시의 사정이 반영된 결과라고 보인다.『정와변서』는 이러한 분위기 속에서 여주이씨 측에서 손씨 측 주장을 조목조목 비판하면서 자기들의 정당성을 주장하기 위해 기록으로 정리한 것이다.

3. 구성 및 내용

이 책은 1905년 이후 손이시비가 격화되어 이씨와 손씨 양 측 간에 통문을 발하는 등 치열한 공방전이 전개되자, 이씨 측이 손씨 측의 주장이 허구임을 조목조목 반박하고 밝히기 위해 그들의 주장을 기록한 것이다. 그 형식은 '첨유(僉諭)'라 하여 당시 이씨 측의 논의에서 나온 많은 유림들의 의견이라는 형식으로 적고 있다.

『정와변서』에 나오는 손이시비에 대한 이씨 측 주장의 핵심은 첫째, 이 시비에 문제가 된 동강서원 묘우상량문은 이상정이 1773년에 찬술한 것인데, 당초에 왕복하면서 곡절이 있어 교감하고 바로잡았다. 그래서 동강서원에 걸려 있는 상량문의 의방(義方) 2자는 향촌유림들에 의해 그 잘못이 지적되어 이미 그 기둥에 새긴 부분을 깎아내고 고쳤다. 그런데 손씨가 『우재실기』를 편찬하면서도 상량문을 고치고 이를 싣도록 했다는 것이다. 둘째, 손씨 측이 상량문 중 '방계회옹지연원 고명정학(傍啓晦翁之淵源 高明正學)'에 주석을 붙여 '구본에는 또 곁으로 회재선생의 연원을 열고 도맥을 적수시켰다는(傍啓晦翁之淵源 的授道脉)' 구절을 첨부했다. 또 그 아래에 원래 있던 의방 2자는 영구히 삭제해버렸다고 비판하고 있다.

이와 같이 『정와변서』에서는 이언적이 손중돈의 도맥(道脈)을 적수(的授)했다는 내용을 상량문에 개서(改書)하여 삽입하였다고 강력하게 비판하고 있다. 이언적의 학문은 연원이 없다는 것은 퇴계 장문(狀文) 중에 이미 나와 있어 변할 수 없는 것이라 하며 손씨 측 주장을 강력하게 비판하는 내용을 기록하고 있다.

4. 가치 및 의의

조선시대 17세기까지의 수령-사족 주도의 향촌지배체제는 지역 간 편차는 있으나 대체로 18세기부터 신흥세력의 성장과 향론의 분열로 점차 약화되기 시작하였다. 이 시기 이러한 사족지배체제의 약화를 가속화한 것은 재지세력 상호간의 향중쟁단(鄕中爭端)인 향전(鄕戰)이다. 향전은 시기별·지역별로 그 내용이나 양상이 매우 다양한 형태로 전개되었는데, 크게 보면 이 시기 사회·경제적 변화 속에서 새롭게 성장한 신흥세력인 신향(新鄕)과 기존 사족인 구향(舊鄕) 간의 향권을 둘러싼 분쟁 및 향론의 분열에 따른 재지사족 간의 향촌 내 주도권 장악을 위한 갈등 즉 문중시비로 나타난다.

영남지역 내 문중간의 각종 시비의 내용은 주로 서원(書院)·사우(祠宇)의 배향

(配享)·추향(追享), 위패의 서차(序次)문제 및 선조의 학통과 사우연원문제, 문집간행과 문자시비(文字是非) 등을 두고 씨족·학파·문중 간에 야기되는 우열 경쟁이었다. 19세기 중반 이후가 되면 영남 내 반촌(班村)을 형성하고 있는 곳은 정도의 차이는 있지만 빠짐없이 크고 작은 시비와 갈등이 있었다. 이 시기 폭발적인 문중 서원·사우의 남설도 이와 연관되어 나타난 현상이다. 서원·사우로 대표되는 문중조직은 향촌에서 문중의 우위권 경쟁을 위한 도구로 이용됨으로써 이들 시비를 더욱 치열하고 장기화시키는 요인으로 작용하였다.

이러한 문중시비는 이 시기 전국적인 현상이었지만, 특히 영남의 경우 인조반정·갑술환국·무신난(戊申亂)을 거치면서 사실상 중앙정계로의 진출이 막히고 여기에 집권노론이 영남남인 견제책의 일환으로 향촌문제에 개입함으로써, 생존권의 차원에서 향촌사회에 대한 관심이 클 수밖에 없었다는 점에서 이러한 문중시비가 여타 지역에 비해 더욱 확산되고 또한 치열하게 전개될 수밖에 없었다.

조선후기 향촌사회사 연구에 있어서 이러한 문중시비가 갖는 연구의 중요성에도 불구하고 이에 대한 연구는 많지 않다. 이는 기본적으로 자료의 부족에 기인한다. 재지사족 간의 문중시비는 관권이 개입할 문제가 아니었기 때문에 특별히 중앙 관료사회에까지 확대된 경우를 제외하면 그 사실내용이 관찬사료에는 잘 나타나지 않았다. 따라서 이러한 문중시비에 대한 연구는 다양한 사례의 발굴이 중요하다. 이런 점에서 볼 때 안동의 '병호시비', 성주의 '한려시비'와 함께 영남의 대표적인 시비인 손이시비의 전개과정을 기록한 『정와변서』는 이씨 측 기록으로 일정한 한계가 있지만 이 시기 문중시비의 한 양상을 파악할 수 있는 중요한 자료적 가치가 있다. 이 시비와 관련하여 무첨당(여주이씨 종택)에는 통문(通文) 20건, 회문(回文) 3건, 패지(牌旨) 1건이, 옥산서원에는 통문 26건이 소장되어 있고, 또 손이시비 당시 양 문중을 조정하고자 하였던 오천정씨(烏川鄭氏) 문중에서 이 시비를 기록한 영남대 문파문고(汶坡文庫) 소장 『전말록(顚末錄), 鄭基洛·鄭龍洛』이 있다.

이수환

[핵심어]

손이시비(孫李是非), 이언적(李彦迪), 손중돈(孫仲暾), 이상정(李象靖), 무첨당(無忝堂)

[참고문헌]

이수환, 「경주지역 孫李是非의 전말」, 『민족문화논총』 제30집, 영남대학교 민족문화연구소, 2002.

———, 「경주 驪州李氏 無忝堂(宗家) 및 李泳煥 소장 자료 해제」, 『수집사료해제집(3)』, 국사편찬위원회, 2009.

朝鮮詩文變遷

서　　명 : 朝鮮詩文變遷
편 저 자 : 鄭萬朝
판 사 항 : 漢文謄寫本
발행사항 : 1927년경
형태사항 : 1冊(6張) : 無界, 12行20字 ; 27.7×20 cm

1. 개요

『조선시문변천(朝鮮詩文變遷)』은 무정(茂亭) 정만조(鄭萬朝, 1858~1936)가 기자조선을 시작으로 하여 삼국·고려·조선 등 20세기 초까지 우리나라 시문의 흐름을 사적으로 개괄한 것이다. 무정은 1926년 경성제국대학에 어윤적과 함께 법문학부의 강사로 활동하면서 '조선시문, 조선역대시선' 등의 과목을 맡았다. 영남대 소장『조선시문변천』에는 '정만조(鄭萬朝) 강술(講述)'이라는 첨언이 있어, 도남 조윤제가 경성제국대학시절 무정에게 강의 받았던 내용을 기술한 것으로 보인다. 도남은 1924년에 경성제국대학 예과에 입학하고, 1926년에는 법문학부 문학과에 진학하여 조선어문조선문학을 전공하는 유일한 학생으로 1929년에 문학사의 학위를 취득하였다. 따라서『조선시문변천』은 무정이 '조선시문' 강의를 맡았을 당시 작성했던 원고로 보인다.

이 원고는 1927년 발행된『조선급조선민족(朝鮮及朝鮮民族)』이란 잡지에 일본어로 게재되어 있으며, 같은 해에 발행된『경학원잡지』28호에 한문으로 수록되어 있을 만큼 대내외적으로 널리 공개되었던 글이다. 곧 근대식 대학교육의 첫출발인 경성제국대학에서 이루어진 한문학사에 관한 정리노트로, 한문학 수강생이었던 조윤제, 김태준을 비롯하여 교수로 재직했던 다카하시 등이 조선후기 한문학을 바라보는 시각을 정립하는 데에도 일조했던 것으로 판단된다.

2. 편·저자 및 편찬 경위

정만조의 자는 대경(大卿), 호는 무정(茂亭)이다. 무정은 동래정씨 정태화(鄭太和, 1602~1673)의 후손으로, 그의 가문은 조선후기 대표적 소론 집안으로 손꼽힌다. 그의 선대들은 서울 남산 아래 세거하며 고위관료를 지내거나 아니면 학술적으로 중요한 업적을 남겨 주목을 받았다. 무정의 부친은 정기우(鄭基雨, 1832~1890, 초명 基生)이고 조부는 정윤용(鄭允容)이다. 조부 정윤용은 정계에 나가 공조참의까지 지내기도 하였으나, 특히 학문과 저서에 힘을 기울인 인물이다.

무정은 젊은 시절 부친은 물론이거니와 강위(姜瑋, 1820~1884)에게 시를 배웠고 이건창(李建昌, 1852~1898) · 황현(黃玹, 1855~1910) · 김택영(金澤榮, 1850~1927) · 이규형(呂圭亨, 1849~1922) 등과 한문학적 소양을 구축하여, 변려문(騈儷文)에 뛰어났으며 시문(詩文)으로 명성을 떨쳤다. 그의 생애는 아래와 같이 총 4기로 나눌 수 있다.

기간	생애 중요 사실
1858(철종9년, 1세) ~1881(고종18년, 25세) 수학기	* 철종9년(1858, 1세) : 3월 안성 출생 * 고종8(1871, 14세) : 반남(潘南) 박제순(朴齊恂)의 딸과 결혼
1882(고종19년, 25세) ~1895(고종32년, 38) 사환기	* 고종 19년(1882, 25세) : 통리교섭통상사무아문 주사 임명 * 고종 21년(1885, 27세) : 군사마로 임명 * 고종 26년(1889, 31세) : 전시에서 급제→ 부교리 임명, 이후 내무부 주사 역임 * 고종 31년(1894, 37세) : 김홍집 내각의 수립. 내무아문참의에 임명 * 고종 32년(1895, 38세) : 민비 시해 사건에 연루되어 감옥으로 이송되어 재판을 받고 이듬해 1896년 4월 15년 유배형
1896(고종33년, 39) ~1907(순종즉위년, 49세) 유배기	* 고종 33년(1896, 39세) : 전라도 진도 금갑도로 유배 * 순종 즉위년(1907, 50세) : 11월 해배
1908(순종1년, 51세) ~1936(일제강점기, 79세) 친일기	* 순종 1년(1908) : 헌종 · 철종 당시의 『국조보감』 편찬위원이 되어 순종2년(1909) 6월 「진국조보감표」를 올림 * 국권피탈 후 이왕직전사관, 조선총독부중추원 촉탁, 조선사편수회 위원 등을 역임하고 1926년 경성제국대학 강사 역임 * 1929년에는 일제가 식민정책의 일환으로 기존의 성균관을 개편해 신설한 경학원의 대제학이 되어 명륜학원 총재를 겸임 * 『이왕가실록』 편찬위원을 맡아 『고종실록』 · 『순종실록』 편찬주재

『조선시문변천』은 제4기에 속하는 친일기에 작성한 것으로, 경성제국대학 설립 당시의 강의 원고이다. 무정은 1926년 경성제국대학이 본격적으로 출발되자 법문학부 조선어학조선문학 과목의 강사로 위촉되었는데, 문헌상 1934년까지의 강의

기록이 남아있다. 도남 조윤제는 무정의 강의를 수강했던 학생으로, 당시의 강의 원고를 등사본의 형태로 남겼다. 무정은 어윤적과 함께 법문학부의 강사로 활동하면서 '조선시문', '조선역대시선' 등의 과목을 맡았다. 「조선근대문장가약서」는 『조선시문변천』이 발간되던 1927년 무렵에 작성된 것으로, 순한문으로 이루어져 있다.

3. 구성 및 내용

『조선시문변천』은 특별한 목차나 구성이 있는 것이 아니고, 다만 조선시문에 대한 사적 흐름을 정만조의 논리에 따라 서술해가는 방식을 택하였다. 이 글 첫머리에서 경학을 중시하는 도문일치의 문학론을 개진하고 동양에서 한문학이 발생한 과정을 설명한 부분과 기자조선부터 20세기에 이르는 과정의 한문학사를 약술한 부분으로 나눌 수 있다. 그는 시문일치의 논점을 지니고 경학을 시와 문의 핵심요소로 파악하고 있다. 경성제국대학이라고 하는 근대식 교육기관에서 이루어진 강의원고였지만, 철저히 전통식 방식에 의거하여 근대적인 장르의식을 가지지 못하고 자신의 한문학적 지식을 약술하는 형식을 취하였다.

특히 주목할 것은 영·정조 시기를 매우 높이 평가하고 한문학의 절정기로 평가하고 있는데, 이는 무정의 또 다른 원고인 「조선근대문장가약서」에서도 드러나는 모습이다. 무정은 일제강점기 시절 대표적인 친일인사로, 문학사를 서술하는 데에 있어서도 일본의 논리를 받아들여 중국을 지나(支那)라고 표현하면서 기존의 중국 중심의 천하관을 종식하려는 자세를 보이고 있다. 아울러 한문학의 출발을 지나로 설정하고, 기자조선·위만조선을 인정하며 우리 한문학은 기자가 동래하여 「맥수가(麥秀歌)」 등의 작품을 남기며 그 출발이 이루어졌다고 판단하였다. 하지만 당시는 본격적인 한문학이 발생했다고 볼 수 없고, 조선의 한문학은 삼국이 정립되어 한문학도 본격적으로 발달하여 아래와 같이 20세기까지 명맥을 이어왔다고 기술하고 있다. 그 개략을 제시하면 다음과 같다.

시기	언급문인	중요내용
삼국	최치원	* 최치원의 문학적 경향 분석. 최치원이 중국 유학 당시 당나라는 만당 시기여서 한유와 유종원의 고문을 익히지 못하고, 남북조시대의 변려문의 풍기를 때게 됨.
고려	김부식, 정지상, 진화 정몽주, 이색	* 불법(佛法)과 문학을 서로 배타적인 것으로 인식(유학과 경전 중시의 입장) -고려 중엽을 문학의 초보적 발달과 유학 존중의 시기로 평가 * 고려에서 시(詩) 최고봉으로 진화와 정지상을 거명 -진화와 정지상을 '법도'에 맞는 「대아(大雅)」의 기풍이 있음을 강조 * 유학을 중시하여 정몽주·이색의 문학을 중시
조선 (전기)	권근, 변계량	* 정몽주, 이색의 문하생으로 규정
	김종직, 서거정, 이황, 이이	* 김종직은 문장에 뛰어나고, 서거정은 시로 뛰어남을 부각 * 이황과 이이의 학설이 정몽주와 이색을 뛰어넘는 것으로 파악
	박은, 신광한, 정사룡	* 명나라 사신 접대 시 시명을 떨친 인물로 평가
	최경창, 백광훈, 이달 이안눌, 권필	* 관직은 한미하지만 시로 이름을 떨침 * 시단의 맹주역할
	최립, 신흠, 이정귀, 김상헌, 장유, 이식	* 조선에서 고문이 있게 된 것은 이 인물로부터 시작된다고 하며, 고문 작가로 부각 ▶ 선조·인조 시대를 문화의 전성기로 파악
조선 (후기)	허목, 송시열, 윤증	* 허목은 이황을 근원으로 삼고, 송시열과 윤증은 이이를 근원으로 삼음. 문장의 스타일과 후대 학문 연원이 달라져 이들을 중심으로 당파가 생김
	김창협, 김창흡, 박세당	* 김창협은 당송팔가를 배우고, 박세당과 김창협은 성정이 묻어나는 시를 지음. ▶ 정만조는 이때부터 아래와 같은 문화계의 3가지 병폐가 있다고 판단 ① 시문 창작은 배제하고, 오직 성리를 얘기하고 훈고만 하는 것 ② 격식에 과도하게 구애받는 과거제도 ③ 과도한 당쟁 구도

	박지원, 정약용, 이광려	* 정조시대를 가장 문화의 전성기로 파악 * 노론 박지원, 남인 정약용, 소론 이광려로 문학사의 구도 설정
	홍양호, 김매순, 홍석주	* 문장가로 분류하고 각각의 특성 부각
조선 (후기)	이덕무, 박제가, 유득공, 이서구, 신위	* 이덕무, 박제가, 유득공, 이서구가 시에 뛰어났다고 평가하고 사가(四家)로 분류함 * 사가의 시가 훌륭하지만, 신위에 와서 독보적인 위치가 되었다고 봄 * 여전히 이들의 시가 경학을 근본했다는 주장을 함
	유신환, 이건창, 강위	* 학문과 문장에서 뛰어남. 시는 유신환보다 이건창이 우세 * 강위가 시로 유명. 문인이 많음. 용학경위(庸學經緯) 작품 언급
당대		* 개항 이후 학교가 설치되면서 한문무용지설이 제기되고, 소학교에서는 한문교과가 폐지됨 * 정만조는 한문 폐지는 불가하다는 입장을 제기함 * 문화계의 3가지 병폐가 사라졌으니, 지금이야말로 한문을 부흥시킬 시대라고 인식함

『조선시문변천』은 체계적으로 원고를 기획했다기보다, 기억력에 의존하여 원고를 작성했던 듯하다. 표에 나타나듯이 등장하는 인물 역시 많은 것은 아니다. 삼국시대는 유일하게 최치원만을 언급하고 있고, 고려시대 역시 매우 소략하게 언급하고 있다. 한문학 융성의 요인으로 쌍기가 건의한 과거제를 언급하고 있지만, 간략한 수준이다. 고려시대는 정몽주와 이색을 주목하면서 특히 이들이 이룬 성리학적 성과를 주목하였다.

조선시대는 삼국시대나 고려시대에 비해 인물들이 풍부한데, 위 분류표에 보이듯이 비슷하거나 같은 시기에 주목해야 할 인물들을 그룹으로 묶어 시대별로 설명하는 방식을 택하고 있다. 조선전기의 인물로 문형을 담당했던 권근과 변계량을 언급하면서, 고려의 정몽주와 이색의 성리학적 전통을 계승했다고 판단했다. 이들은 관각의 대표적 인물로 알려져 있어, 국가체재 확립시기 이들의 역할을 주목했다. 이후 김종직·서거정을 대별시켜 설명하였고, 이황과 이이를 성리학의 완성자로 파악했다. 그리고 박은·신광한·정사룡을 시인으로 주목하고 특히 명나라와의 시문수창 등 외교자리에서 활약했던 이들의 역할을 했다고 판단하고, 아울러 현재 삼당파 시인으로 주목받고 있는 최경창·백광훈·이달이 관직은 미미했지만 시에 있어 두드러진 역할을 했고, 흔히 고문 사대가로 알려진 신흠·이정귀·장유·이식을 비롯해서 최립·김상헌을 고문의 중요작가로 설명했다. 그의 말대로 『조선시문변천』이다 보니 시와 문을 대별시키거나 작가에 따라 시와 문의 성과를 각각 따로 조망하기도 하였다. 흔히 선조시대를 목릉시대라고 하는데, 정만조는 선조와 인조시대를 문화의 전성기로 파악하였다.

조선후기는 크게 허목, 송시열, 윤증을 위시로 한 당파적 구도로 이해하고 있다. 곧 허목은 이황을 근원으로 삼고, 송시열과 윤증은 이이를 근원으로 삼았다고 하면서, 문장의 스타일과 후대 학문 연원이 달라져 이들을 중심으로 당파가 생기고 학문적 차별성이 생겼다고 본 것이다. 곧 남인, 노론, 소론의 당파적 분파를 염두에 둔 발언이다. 또한 김창협과 김창흡 형제의 문학적 성과를 높이 평가하면서 이들이 성정의 참됨, 곧 성정지진(性情之眞)을 추구했다고 보았다. 무정은 특히 효종, 현종, 숙종, 경종 시대 무렵에 조선사회의 고질병이 발생했다고 진단하였다. 그 첫째는 경학과 시문이 하나라는 생각을 벗어나 오직 성리를 얘기하고 훈고만 하는 풍조, 둘째는 격식에 과도하게 구애받는 과거제도, 셋째는 과도한 당쟁 구도를 예로 들었다. 그는 이러한 병폐 속에서도 노론 박지원, 남인 정약용, 소론 이광려는 18세기 문단의 보배와 같은 존재로 정조 시기 문화를 부흥시킨 장본인으로 선정하기도 하였다. 이후 문에서는 홍석주·김매순을, 시에서는 박제가·유득공·이서구·이덕무를 언급했고 신위를 이들을 뛰어넘는 시의 대가로 설정했다. 한문학의 마지막 세대라고 하는 19세기 인물로는 유신환, 이건창, 강위를 들고 있다. 유신환은 19세기 경학뿐 아니라 문장에서 두각을 드러냈고, 이건창 역시 마찬가지이다. 정만조와 이건창은 사돈지간으로 막역한 사이였는데, 정만조는 이건창이 시에서 유신환을 뛰어넘는다고 판단했다. 아울러 마지막으로 언급한 강위는 바로 정만조의 스승이기도 하다. 정만조는 강위가 시로 유명했을 뿐만 아니라 『용학경위』라고 하는 문장을 통해 경세적인 뜻을 표현하기도 하였다고 하였다.

이처럼 『조선시문변천』은 경학과 시문이 서로 상반된 것이 아니라 서로 밀접한 관계를 가진 것이라는 입장 아래, 조선시대 시문의 흐름을 그룹화해서 표현하고 있다. 하지만 이들의 문학적 특징을 분류화하고 특징을 설명했지만, 상호 차별되거나 구체적인 문학적 특징은 밝혀두지 않았다. 그 이유는 이 원고 자체가 책을 발간할 목적보다는 경성제국대학 학생들을 대상으로 한 강의원고로 작성되었기 때문이라고 생각된다. 정만조의 저작으로 『조선시문변천』과 함께 기술된 「조선근대문장가약서」는 주로 18~20세기에 걸친 39인의 문학적 연원을 밝힌 것인데, 『조선시문변천』과 비교해보면 인물도 풍부할 뿐 아니라 문학적 특질도 나름 규명하고 있다.

그는 『조선시문변천』 과목을 담당하면서, 한문학의 재건에 굉장히 힘을 기울였다. 그 자신이 이건창, 강위 등과 함께 조선말기 대표적 한문학 세대라는 점도 이유이겠지만, 주지하듯이 그는 1907년 진도에서 해배된 이후 일제에 동조하였고, 적극적으로 친일에 앞장섰다. 특히 1926년 일제가 경성제국 대학을 창설하자 이곳의 강사로 일하면서, 일본과 우리는 한문의 전통을 공유하는 국가라는 동아시아 연대를 외치며 한문의 중요성을 강조하기도 하였다.

그의 말대로 개항 이후 학교가 설치되면서 한문무용지설이 제기되고, 소학교에서는 한문교과가 폐지되자, 정만조는 한문 폐지는 불가하다는 입장을 제기한다. 그는 1927년 당대야말로 조선후기 발생했던 조선 문화계의 병폐가 사라졌으니, 한문을 부흥시킬 시대라고 주장하였다. 때문에 일제가 1929년 기존의 성균관을 개편해 신설한 경학원의 대제학이 되어 명륜학원 총재를 겸임하면서, 일제에 동조하는 유학 진흥 운동 및 천황을 찬미하거나 이문회와 같은 친일단체를 조직하여 한시 부흥 운동을 펼쳤던 것이다.

4. 가치 및 의의

정만조 이전에도 김윤식의 「답인논청구문장원류(答人論靑邱文章源流)」라든가 김택

영의 「잡언(雜言)」 등에 우리나라 문학사의 흐름을 언급한 내용이 있지만, 1931년 김태준이 『조선한문학사(朝鮮漢文學史)』를 편찬하기 이전에 무정처럼 체계적으로 우리나라 시문의 변천을 논한 글은 드물었다. 『조선시문변천』은 「조선근대문장가약서」와 함께 무정이 생각했던 한문학사 구도에서 출현했던 것으로 보인다. 근대식 대학교육의 첫출발인 경성제국대학에서 이루어진 조선후기 한문 작가에 대한 정리 노트로, 친일에 동조하는 입장과 경술을 중시하거나 순한문으로 작성되는 등 식민 논리나 전통적 틀을 벗어나지 못한 측면이 있다. 아울러 문학사의 전반을 정치하게 분석하지 못한 측면이 있지만, 삼국시대부터 20세기 당대까지의 조선의 중요 시문의 작가를 유형화하고 그 특징을 제시함으로, 일제시기 한문학의 유산을 정리했다는 데서 주목할 만한 저작이다. 아울러 그에게 수강했던 조윤제나 김태준과 같은 학생들에게 부정적이든 긍정적이든 역할을 하면서, 차기 한문학사나 국문학사 저술에도 영향을 끼쳤음은 부인할 수 없다. 특히 조윤제는 정만조에게 직접 강의를 들은 학생이다. 현재 도남문고에는 정만조의 또 다른 강의노트가 남아 있는바, 추후 이 둘의 관계 연구에도 본 자료는 도움이 되리라 판단된다.

정은진

[핵심어]

무정, 정만조, 경성제국대학, 경술, 시문, 조선

[참고문헌]

다카하시 도루[高橋亨], 「茂亭遺草」, 『朝鮮學報』 제11집, 조선학회, 1957.

정만조, 「朝鮮詩文の變遷」, 『朝鮮及朝鮮民族』 제1집, 朝鮮思想通信社, 1927.

──, 「朝鮮詩文變遷」, 『經學院雜誌』 제28호, 經學院, 1927.

정은진, 「무정 정만조의 친일로 가는 사유」, 『대동한문학』 33집, 대동한문학회, 2010.

──, 「무정 정만조의 '조선근대문장가약서' 연구」, 『한문학논집』 36집, 근역한문학회, 2013.

조성면, 「정만조의 '조선시문변천'과 근대 한국문학 연구 -'조선시문변천'이 조윤제와 김태준의 문학사에 끼친 영향을 중심으로」, 『한국문학·대중문학·문화콘텐츠』, 소명출판사, 2006.

斥邪綸音

서 　　명 : 斥邪綸音

편 저 자 : 高宗 撰

판 사 항 : 金屬活字本(壬辰字)

발행사항 : 1881年(光緒七年)

형태사항 : 1冊(零本) : 四周單邊. 半廓 : 24.9×17.0 cm. 有界, 10行18字. 上下向四葉
　　　　　　花紋魚尾 ; 34.4×22.0 cm

1. 개요

척사(斥邪)는 위정척사(衛正斥邪)의 준말로 악하고 나쁜 것을 배척하여 백성을 정도로 돌아오게 하라는 뜻이다. 윤음(綸音)은 임금이 백성들에게 내리는 교지이므로, 척사윤음(斥邪綸音)이란 모든 백성들이 천주교를 배척하고 정도인 유학의 가르침과 전통 질서 속으로 돌아오게 하라는 뜻에서 고종 황제가 내린 말씀이다.

천주교가 우리나라에 전래된 이래 『척사윤음』은 1801년 신유박해 때, 1839년 기해박해, 1866년 병인박해, 그리고 1881년 신사년 영남 만인소 사건 때 반포되었다. 이 가운데 기해박해 때와 만인소 사건 때의 『척사윤음』은 한문 원본 뒤에 언해본이 함께 엮여 있어 일반 백성에게 널리 알리고자 했음을 알 수 있다. 헌종 5년 기해박해 때의 『척사윤음』으로 인해 당시 우리나라에서 활동하던 앵베르(L. M. J. Imbert) 주교, 프랑스 신부 모방(Maubant), 샤스탕(J. H. Chastan) 신부와 정약종(丁若鍾)의 차남인 정하상(丁夏祥) 등 70여 명의 천주교인들이 처형당하기도 하였다.

1880년에 제1차 신사유람단원(紳士遊覽團員)으로 일본에 갔던 김홍집(金弘集)이 청국의 외교관 황준헌(黃遵憲)이 지은 『사의조선책략(私擬朝鮮策略)』을 가져 왔는데, 이 책이 불씨가 되어 경상도 유생 이만손(李晚孫) 등이 올린 만인소 '신사척사운동'이 일어나게 되었다. 이에 고종이 척사상소를 중지시키기 위한 방편으로 『척사윤음』을 발표하기에 이른다. 이때의 『척사윤음』은 천주교의 현실적 탄압이라기보다는 유림을 무마시키는 용도로 반포되었다.

영남대본 『척사윤음』은 전체 1책, 영본으로 구성되어 있으며, 활자는 금속활자 임진자본(壬辰字本)이다. 표지에 있는 '內賜本'이라는 기록과 내지에 있는 '光緒七年 十月日 副護軍 徐光斗 內賜 斥邪綸音 一件 命除謝'라는 기록을 참고해 볼 때, 이 책은 고종이 1881년 10월에 부호군 서광두에게 내사한 것임을 알 수 있다.

임진자는 1772년(영조 48) 갑인자(甲寅字)로 찍은 『심경(心經)』과 『만병회춘(萬病回春)』을 자본(字本)으로 주조한 15만 자의 동활자를 그해의 간지를 붙여 '임진자'라 하고, 갑인자의 개주 차례에 따라 '오주갑인자(五鑄甲寅字)'라 한다. 현재 국립중앙박물관에 활자의 실물이 남아 있다.

2. 편 · 저자 및 편찬 경위

1880년과 1881년에 걸쳐 고종은 일본에 신사유람단을 파견하였고, 청에는 영선사(領選使)를 파견하였다. 이때 1880년에 제1차 신사유람단원으로 일본에 갔던 김홍집이 청국의 외교관 황준헌이 지은『사의조선책략』을 가져 왔다. 이 책은 청국이 러시아를 견제하려는 의도가 담긴 것으로, 청국, 일본, 미국과 우호적인 관계를 통해 러시아를 견제하라는 내용의 책이었다. 이 책이 불씨가 되어 경상도 유생 이만손(李晩孫) 등이 올린 만인소 '신사척사운동'이 일어나게 되자 고종이 척사상소를 중지시키기 위한 방편으로 척사윤음을 발표하기에 이른다.

『척사윤음』을 지은이는 당시 홍문관 제학(弘文館提學)이었던 신석희(申錫禧)로 알려져 있다. 신석희는 시호가 효문(孝文)으로 1848년(현종 14) 5월 병과로 급제하였다. 이후 황해도암행어사, 규장각직각, 도청응교(都廳應敎) 등을 역임하였고, 홍문관 부제학, 이조참의, 규장각직제학, 이조참판, 황해도관찰사, 예조판서, 한성부판윤 등을 거쳐 1863년 형조판서에 이르렀다. 고종 1년인 1864년에는 김병학(金炳學), 강시영(姜時永) 등과 함께 실록교정청의 당상이 되었으며, 홍문관제학, 예문관제학, 대사헌, 규장각제학, 이조판서, 예조판서 등을 역임하였다.

영남대본『척사윤음』 내사기에는 부호군 서광두에 대한 기록이 있다.『승정원일기』고종 1년 갑자(1864, 동치3) 2월 5일(병자)자 기록에서부터 고종 17년 경진(1880, 광서6) 8월 24일(경신)자 기록까지를 참조해 볼 때, 고종 1년에 원주 판관을 지내던 서광두가 부호군의 벼슬을 하사받은 것은 고종 17년 8월 24일임을 알 수 있다. 서광두는 이후 고종 21년 갑신(1884, 광서10) 11월 7일(정미)에 이름을 병두(丙斗)로 바꿔 달라는 고장을 고종에게 올려 이를 윤허받게 된다.

영남대본은 규장각본이나 장서각본, 그리고 절두산순교자박물관에 소장되어 있는『척사윤음』과 같은 판본이다. 그러나 규장각본에는 내사 기록이 없고, 장서각본은 '額外武勇衛 申○○'에게 내사한 것이며, 절두산순교자박물관 소장본은 1881년 10월에 '前承旨 南章熙'에게 내사한 것으로, 1881년 10월에 부호군 서광두에게 내사한 영남대본과는 내사 기록이 다르다. 다만 영남대본과 장서각본, 그리고 절두산

순교자박물관 소장본은 '光緒七年十月日 內賜 斥邪綸音 一件 命除謝 恩 待敎 臣閔' 이라는 내사 기록을 참조할 때, 모두 고종 18년인 1881년 10월에 동시에 내사된 것임을 추정할 수 있다.

3. 구성 및 내용

『척사윤음』의 본문은 전체 7장으로 구성되어 있는데, 이 가운데 앞의 3장은 한문 문장이고 뒤의 4장은 언해본이다. 한문 원문의 마지막 장인 3장 뒷면에는 '光緒七年五月十六日'이라는 기록이 있고, 언해본의 마직막 장인 4장 앞면에는 '광셔칠년오월십륙일'이라는 기록이 있어 이를 참조해 볼 때 『척사윤음』의 원문은 1881년 5월 16일에 쓴 것임을 알 수 있다.

'우리 렬성죠겨오샤 셩명ᄒ오신 ᄃᄉ리심과 희흡ᄒ오신 교화로 이 빅셩을 도주 ᄒ오시미 빅셩이 빗둘고 악ᄒ오미 업셔 츄향이 뎡직ᄒ고 풍속이 순박ᄒ야 삼고의 붓그러오미 업기로 텬하에 들니고 아희와 어린 것과 부녀와 쳡이라도 공밍이 셩인 이시라 놉힐 줄을 다 알고 향촌에 슈지와 몽이ᄒ 션비라도 뎡쥬에 학문을 슝샹치 아니리 업스니 이거시뼈 그 친을 친ᄒ고 그 현을 현ᄒ고 그 락을 락ᄒ고 그 리를 리 ᄒ야 오홉다 잇지 못ᄒ옵는 밧 재라 오즉 나 쇼지 렬셩의 큰 긔업을 외람이 이어뼈 렬셩의 기치오신 빅셩을 무슌ᄒ 즉 ᄌᄌ헌 ᄒ 싱각이 엇지 감히 빅셩을 용납ᄒ야 보젼홈으로뼈 계술ᄒ올 도모를 아니 ᄒ리오[우리 열성조께서 성명하신 다스리심과 빛나는 가르치심으로 이 백성을 양성(인재양성)하심에 백성이 비뚤고 악함이 없어 세태를 쫓음이 정직하고 풍속이 순박하여 역사에 부끄러움이 없기로 천하에 들리고 아이와 어린 자와 부녀와 첩이라도 공맹이 성인이시라고 높일 줄을 모두 알고 향촌에 수재와 어리석은 선비라도 정주[정자와 주자]의 학문을 숭상하지 아니하는 자 없으니 이것으로써 그 친함을 친하고 그 어짊을 어질어 하고 그 즐거움을 즐거워하고 그 이치를 깨달아 아아[탄식] 잊지 못하는바 그것이라. 오직 나 소자가 열성의 큰 기업을 외람되게 이어서 열성의 끼치신 백성을 어루만져 복종하게 한 즉 꾸준한

한 생각이 어찌 감히 백성을 용납하여 보전함으로써 뜻을 이어나갈 도모를 아니 하리오]'라 하여 반포의 정당성과 취지를 밝히고 있다.

1881년에 반포된 영남대본 『척사윤음』은 1839년(헌종 5) 헌종이 천주교의 폐해를 막기 위해 백성에게 내린 교지 『척사윤음』과는 그 취지나 내용 면에서 크게 차이를 나타낸다. 1839년에 반포된 『척사윤음』의 주요 내용은 첫째, 정학(正學 : 性理學)의 연원과 사람의 성품됨이 사단(四端 : 仁義禮智에서 우러나오는 惻隱 · 羞惡 · 辭讓 · 是非之心) · 오륜(五倫 : 父子 · 君臣 · 夫婦 · 長幼 · 朋友)에 있음을 들어 윤음 반포의 배경과 취지를 밝히고 있다. 둘째, 천주교의 논리를 조목조목 반박하는 조항이 다섯 가지이다. 셋째, 천주교도들도 이 나라의 백성이요 임금의 적자(赤子 : 임금이 백성을 '갓난 아이'로 여기어 백성을 사랑한다는 뜻)이니, 이들에게 개전을 회유한다는 내용으로 이루어져 있다.

그런데 고종 18년인 1881년에 내려진 『척사윤음』은 첫째, 공맹(孔孟)과 정주(程朱) 학문의 정당성을 밝힘과 동시에 사교가 들어와 세상을 미혹시키고 백성들을 속여 백성이 물든 지 백여 년이 지나, 선대왕들이 미리 방비하고 막은 바가 있지만 음성적으로 모습을 감추고 숨었던 사교가 자신의 대에 다시 고개를 들어 풍속을 어지럽히기에 이를 깨닫게 하기 위해 윤음을 내린다고 그 취지를 밝히고 있다. 둘째, 천주교의 논리는 스스로 하늘을 공경한다고 하지만 하늘에 무례하고 거만하다는 점과 스스로 착한 것을 권한다고 하지만 마침내는 악한 것을 펼친다는 점의 두 가지 항목으로 집중하고 있다. 셋째, 천주교도들도 원래는 다 어질고 선량한 백성이기에 죽이고 매질하지 않아도 사특함이 사라질 것이며, 캐묻고 조사하여 밝히지 않아도 침식하여 순박한 풍속이 다시 돌아올 것이라 하였다. 그리고 특히 마지막 부분에는 '우리 대쇼신셔야 우흘 향ᄒᆞᆫ 마음이 게으르지 아니ᄒᆞ여 나의 과궁을 돕기를 싱각ᄒᆞᄂᆞᆫ 재 엇지 덧덧ᄒᆞᆫ 법이 명ᄒᆞ면 빅셩이 흥ᄒᆞᄆᆞ로써 모든 말에 웃씀을 삼지 아니ᄒᆞᄂᆞ냐 이를 지나뼈 가오므로 만일 다시 샤교에 깁히 물드러 그 젼습을 곤치지 아니ᄒᆞ고 어리고 몽이ᄒᆞᆫ 거슬 속이고 달ᄂᆞ며 맑고 밝은 거슬 흐리고 더러오미 이슨즉 왼집을 다 쥭이고 일족을 명ᄒᆞ오미 또한 마지 못ᄒᆞ야 법을 쓰ᄂᆞᆫ 거시 잇ᄂᆞ니라'라

하여 만일 다시 사교에 깊이 물들어 그 전습을 고치지 아니하고 어리고 몽매한 것을 속이고 달래며 맑고 밝은 것을 흐리고 더러움이 있으면 다 죽이고 일족을 멸하겠다는 강한 어조의 경고를 하고 있다는 점에서 큰 차이를 보인다.

4. 가치 및 의의

영남대본 『척사윤음』은 전체 1책, 영본으로 구성되어 있으며, 활자는 금속활자 임진자본이다. 표지에는 있는 '內賜本'이라는 기록과 내지에 있는 '光緒七年十月日 副護軍 徐光斗 內賜 斥邪綸音 一件 命除謝'라는 기록을 참고해 볼 때, 이 책은 고종이 1881년 10월에 부호군 서광두에게 내사한 것임을 알 수 있다.

영남대본은 규장각본이나 장서각본, 그리고 절두산순교자박물관에 소장되어 있는 『척사윤음』과 같은 판본이다. 그러나 규장각본에는 내사 기록이 없고, 장서각본은 '額外武勇衛 申○○'에게 내사한 것이며, 절두산순교자박물관 소장본은 1881년 10월에 '前承旨 南章熙'에게 내사한 것으로, 1881년 10월에 부호군 서광두에게 내사한 영남대본과는 내사 기록이 다르다. 다만 영남대본과 장서각본, 그리고 절두산 순교자박물관 소장본은 '光緒七年十月日 內賜 斥邪綸音 一件 命除謝 恩 待敎 臣閔' 이라는 내사 기록을 참조할 때 이 소장본들은 고종 18년인 1881년 10월에 동시에 내사된 것임을 추정할 수 있다.

이 『척사윤음』은 간기존의 『척사윤음』과 달리 공맹(孔孟)과 정주(程朱) 학문의 정당성을 밝힘과 동시에 사교가 들어와 세상을 미혹시키고 백성들을 속여 백성이 물든 지 백여 년이 지나, 선대왕들이 미리 방비하고 막은 바가 있지만 음성적으로 모습을 감추고 숨었던 사교가 자신의 대에 다시 고개를 들어 풍속을 어지럽히기에 이를 깨닫게 하기 위해 윤음을 내린다고 하여 그 취지에서 차이가 있으며, 만일 다시 사교에 깊이 물들어 그 전습을 고치지 아니하고 어리고 몽매한 것을 속이고 달래며 맑고 밝은 것을 흐리고 더러움이 있으면 다 죽이고 일족을 멸하겠다는 강한 어조의 경고를 하고 있다는 점에서도 큰 차이를 보인다.

남 경 란

[핵심어]

척사윤음, 내사본, 서광두, 정유자, 이만손, 만인소, 고종

[참고문헌]

『일성록』

『조선왕조실록』

서울대학교 규장각 한국학연구원(http://e-kyujanggak.snu.ac.kr).

學稧案

서　　명 : 1. 學稧案 / 2. 學稧置簿册
판 사 항 : 筆寫本
발행사항 : 1907~1928
형태사항 : 2册：無界；1. 學稧案(4張) 19.0×20.0 cm / 2. 學稧置簿册(13張) 22.0×
　　　　　　21.0 cm

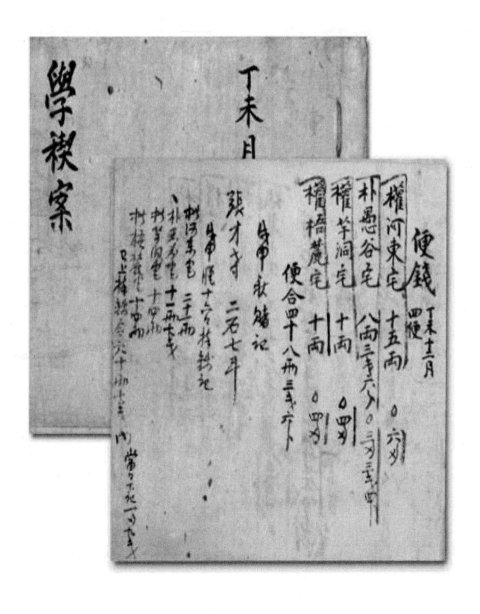

1. 개요

지금의 경상북도 예천군 용문면 대제리 일대에 세거하고 있는 함양박씨(咸陽朴氏) 일족의 학계(學契) 관련 장부이다. 함양박씨 일족은 18세기 초반 박세주(朴世柱, 1652~1727)가 대제리의 맛질에 정착한 이래, 현재까지 이곳에 세거지를 형성해 오고 있다. 맛질에서 함양박씨 일족은 사회·경제적 기반을 확보하기 위해, 일종의 계(契)와 같은 각종 결사 조직을 결성하였는데, 학계 역시 그 중 하나이다.

현재까지 맛질에서 운영된 학계(學契) 관련 자료는 십 수종이 알려져 있는데, 이 중 영남대학교 중앙도서관 미산문고(味山文庫)에 20세기 초반 작성된 두 편의 학계 자료가 전하고 있다. 각각 『학계안(學稧案)』과 『학계치부책(學稧置簿冊)』이라는 제목으로 엮여져 있으나, 정확히 어떠한 학계 조직의 자료인지는 확인되지 않는다. 다만 맛질 함양박씨가의 자료 중 용문면 금곡리와 능천리에 위치했었던 수동서당(水東書堂)과 능천서당(能川書堂)이 자주 등장하는 것으로 보아, 이들 서당과 연관 지어 살펴볼 필요는 있다.

2. 편·저자 및 편찬 경위

『학계안』과 『학계치부책』은 학계를 운영하면서, 재정 관련 사항을 그때그때 기록하기 위해 만들어진 일종의 장부이다. 일반적으로 학계는 구성원 자제들의 교육을 위한 자금 증식을 위해 결성되었다. 지역 단위나 일족 단위로 결성하는 경우가 많았는데, 본 학계의 경우 맛질의 함양박씨 자제 교육을 위해 결성되었을 것으로 추정된다. 다만, 자료의 명칭이 '계안(稧案)'이나, 구성원의 명단을 기재한 좌목(座目)은 수록되어 있지 않아 학계 주도자들의 인적 사항은 명확하게 파악할 수는 없다는 한계가 있다.

『학계안』과 『학계치부책』의 작성 시기는 20세기 초반이다. 『학계안』의 표제는 '정미 월 일(丁未 月 日)'이며, 『학계치부책』의 표제는 '을묘 11월 일(乙卯 十一月 日)'인데 각각 1907년과 1915년으로, 해당 자료에서 첫 기록이 이루어지는 시기이다. 즉 『학계안』의 경우 1907년부터 1913년까지의 기록을 수록하고 있으며, 『학계치부책』은 1915년부터 1928년까지의 기록을 수록해 놓았다. 성책(成冊)된 본 자료에 기록이 이루어지는 시기가 주로 연말로 나타나는데, 이를 미루어 보아 연말에 학계의 재정 상황을 결산하면서 기록이 이루어졌음을 알 수 있다.

3. 구성 및 내용

『학계안』과 『학계치부책』이 동일한 계 조직의 장부인지는 명확하지 않다. 두 자료 간에 1년간의 공백이 있는 것도 애매한 부분이다. 다만, 학계로부터 자본을 대부한 뒤 원금과 이자를 납부하는 이들 가운데 두 자료에 걸쳐 중복되게 거론되는 인물이 있다는 점과 두 자료 모두 학계의 전답으로 적제답(赤堤畓) 또는 적제원(赤堤員)이 확인된다는 점으로 보아, 동일한 계 조직의 장부일 가능성이 높다.

매 해의 기록은 연말에 이루어졌다. 기록은 대부분 학계 수입을 기재한 것인데, 이를 통해 학계의 자금 증식 양상을 살펴볼 수 있다. 증식된 자금은 크게 추도기(秋賭記), 봉전기(捧錢記), 편전기(便錢記)로 항목을 구분해서 기재해 놓았다. 추도기는 계가 보유하고 있는 전답의 소출이며, 봉전기는 전년도 대부(貸付) 또는 계원에게 유치(留置)한 계전(契錢)의 상환 내용으로 생각된다. 편전기는 계의 자본 가운데 각종 지출을 제한 잔액의 대부 기록으로, 봉전기와 편전기를 통해 대부 시의 이자율이 대략적으로 확인된다.

『학계안』의 첫 번째 기록인 1907년 12월에는 권하동댁(權河東宅), 박우곡댁(朴愚谷宅), 권우동댁(權芋洞宅), 권오록댁(權梧麓宅) 네 집에 편전한 48냥 3전을 기재해 놓았다. 1908년 기록부터는 추도기와 봉전기가 기재되어 있다. 1908년 추도기에 2석(石) 7두(斗)가 기재되어 있는데, 이는 학계에서 전답을 보유하고 있음을 뜻한다. 학계의 결성 시기는 명확하지 않으나 1907년 편전이 이루어진 시기부터로 생각된다. 이때 편전한 자금과 추도기에 기재된 전답이 해당 학계의 기본 자금이었던 것이다.

이어 1908년 봉전기에는 1907년 대부한 네 집의 상환 금액을 각기 기재하였는데, 모두 60냥 7전으로 나타난다. 그리고 당일 하기(下記)로 1냥 9전을 집행하여 실 잔액은 58냥 8전이라 하였다. 당일 하기는 연말에 실시된 계회(契會) 때 집행된 비용을 뜻한다. 이어 해당 연도의 말미에는 편도기를 기재하였는데 권하동댁 15냥, 권우동댁 10냥, 권오록댁 4냥, 장금동(張琴洞) 29냥 8전씩을 대부하였으며, 그 아래에는 각 집에 거두어들이는 이자를 부기해 놓았다.

이상과 같은 방식으로 『학계안』은 1913년까지 추도기, 봉전기, 편전기의 순으로 자금 활용 사항이 기재되어 있다. 특이한 점은 1909년의 경우 추도기와 봉전기를 합쳐 그해 도합 자금이 120냥 3전 8푼이었는데, 이 중 90냥으로 적제답(赤堤畓) 2두락(斗落)을 매입했다는 사실이다. 그리고 수계(修禊), 즉 계회 때의 비용 등을 제한 20냥 1전을 권하동댁과 권오록댁에 편전했다고 기재해 놓았다. 대부를 통해 자금을 증식하였고, 일정 부분 자금이 증식되면 전답을 매입하고, 나머지 잔액으로 다시 대부를 시작했던 것이다. 전답에서 소출된 자금의 지출은 자료상에서는 확인되지 않으나, 대체로 학계 본연의 목적대로 집행했거나 계원의 몫으로 배당하였을 것으로 추정된다. 즉 전답 소출은 학계의 각종 기금으로 활용하고, 대부 이자는 계의 자금 증식으로 활용했던 것이다.

한편, 학계 채무인들의 명기 방식은 성과 택호(宅號)를 기재하거나, 성명을 그대로 기재하는 두 가지 방식으로 이루어져 있다. 전자의 경우 성명을 기재하지 않고 성과 택호를 쓴 까닭은 학계 주도 세력과 마찬가지로 전통시대 사족의 반열에 있던 인사들이었기 때문이라 생각된다. 아울러 채무인들의 거주지는 학계의 중심지인 맛질이나 그 인근 동리였을 것이다. 대부 때의 이자율은 각 연도마다 차이가 나며, 채무인들에 따라 다시 차이가 나서, 일정하지 않다. 1907년에 대부하여 1년 후인 1908년에 상환한 기록을 보면 박우곡댁은 28%의 이자율이나, 나머지 세 집은 모두 40%의 높은 이자율이다. 반면 1909년에 권하동댁은 15냥을 대부하고 이듬해 16냥을 상환하여, 이번에는 이자율이 7%가 채 되지 않는다. 또한 1911년에 56냥 7전을 대부하여 그 해 12월 67냥 1푼을 상환한 장경달(張敬達)의 이자율은 18%이다. 비록 장경달의 경우는 1년 상환이 아니나, 채무 시기나 채무인에 따라 이자율에 변동이 있음을 알 수 있다.

『학계치부책』은 1915년부터 1928년까지의 기록인데, 『학계안』의 기록과는 1년 간의 공백이 있다. 서두에는 계일(稧日)을 명기하였는데 11월 25일로 항정(恒定)할 것이라고 하였다. 『학계치부책』의 기재 방식도 『학계안』과 동일하다. 추도기, 봉전 기, 편전기가 각 해마다 순서대로 나열되어 있다. 편전, 즉 대부는 연말에 이루어져 이듬해 연말에 상환되는 경우가 대부분이지만 3월에 대부하여 연말에 상환받는 경 우도 확인된다. 대부하는 자금도 『학계안』과 같이 봉전기에 기재된 상환받은 자금 중 '당일하기(當日下記)'나 '당일용하(當日用下)'처럼 계회 때의 비용 등을 제한 것으로 충당하였다. 전반적으로 학계의 재정 규모는 『학계안』을 작성할 때보다 크게 증가 한 것으로 나타난다.

먼저 『학계치부책』에서 학계의 기본 전답은 『학계안』에서처럼 문치원(文峙員)과 1909년에 매입한 적제원(赤堤員)이다. 해당 전답의 소출을 기재할 때에는 실 경작자 를 기재하였는데, 문치원의 경우 최술이(崔述伊), 적제원은 추산댁(秋山宅)으로 기재 되어 있다. 소출량은 보통 문치원이 2~3석, 적제원이 1석 가량 유지되다 1922년부 터 변화가 나타난다. 1922년 추도기에는 추산댁 1석, 최술이 2석 12두, 임기한(林基 漢) 1석 1두, 보곡댁(甫谷宅) 8두 소출로 기재되어 있어, 전답 매입이 이루어졌고, 소 출량이 증가하였음을 알 수 있다. 소출량이 가장 많았던 해는 1926년 병인년으로, 이때 추도기에는 김경출(金景出) 2석 5두, 임을출(林乙出) 미(米) 13승, 박방곡댁(朴芳 谷宅) 미 4승, 임우출(林又出) 4승, 박광원댁(朴廣院宅) 1석 2두, 우암회(禹岩回) 2석 8 두로 양조(良租) 합계가 7석 5두이며 백미(白米)가 21승으로 나타난다. 대략 1910 년대보다 1920년대에 두 배 이상의 소출량을 보이고 있다. 이때의 전답 확보도 대 부 상환 금액으로 이루어졌다. 실제 1921년 12월의 봉전기에 따르면 848냥 9전 3 푼의 상환 자금 중 380냥으로 문치원 1번답 2두락을 매입했다고 기록되어 있다. 한 편, 『학계치부책』에는 해당 소출 아래에 작전(作錢) 또는 작미(作米)한 규모까지 기재 해 놓았다.

대부의 규모도 『학계안』보다 크게 증가한다. 1917년 11월 봉전기와 편전기에 기재된 금액이 각각 106냥 5전 6푼과 105냥 5전 5푼으로 대부 규모가 100냥을 넘어서기 시작한 후, 점점 증가하여 1921년 봉전기에는 모두 16명에게 대부한 금액 848냥 9전 3푼을 상환받은 것으로 나타난다. 이와 같이 대부를 통해 일정 부분 증식된 자금은 이전처럼 전답 매입비용으로 집행되었던 것이다. 그런데 『학계안』에서부터 『학계치부책』의 1925년 기록까지는 화폐단위가 전통적인 '냥', '전', '푼'으로 기재된 반면, 1926년부터는 일제강점기 신식 화폐 단위를 사용하고 있다. 이미 이전부터 신식 화폐가 유통되었음에도 본 학계는 1925년까지 전통적 화폐 단위를 사용하고 있다는 점이 주목된다. 또한 특이할 점은 1926년부터는 더 이상 대부가 없으며, 오로지 소출 수익만을 기재하고 있다는 것이다. 대부 대신 전답 소출에 주력했다는 것, 신식 화폐의 적용이 1926년부터 시작되었다는 것에 대한 명확한 까닭은 알 수 없으나, 미가(米價) 변동과 무관하지 않을 것이라 추정된다. 이러한 경제적 환경의 변화를 거치면서 학계의 자금은 점점 증식되어 갔다. 『학계치부책』 마지막에 수록된 1928년의 기록에 따르면, 273원 32전 가운데 부조(扶助)한 액수를 제외하고 272원 32전이 남아 있다고 기재되어 있다. 1905년 화폐 개혁 당시 교환비가 '5냥 =1원'이었음을 감안한다면, 불과 20년 사이 전답을 제외한 자금규모만 20배 이상 증가했던 것이다.

한편, 본 자료에서 학계 임원의 명단은 1922년 기록에서 유일하게 확인된다. 1922년 기록 서두에 '임술유사(壬戌有司)'라 하여, 박조수(朴祖洙, 1868~1942)와 박성수(朴聲洙) 2인이 기재되어 있는데, 2인 모두 맛질의 함양박씨 일족이다. 본 학계가 함양박씨 일족 주도로 운영되었음을 단편적으로나마 보여주는 사례이다.

4. 가치 및 의의

학계는 지역 내지 일족 단위로 후진 양성과 자제 교육의 목적하에 운영되던 전통시대 일반적인 계 조직이다. 함양박씨 일족이 거주하는 맛질에서도 이들 가문에 의해 학계가 결성되었으며, 그 운영 과정에서 발생한 각종 재정 사항을 기록한 본 자료가 작성되었던 것이다. 특히 본 자료는 학계를 실질적으로 운영하는 데 필요한 각종 자금의 마련이 어떻게 이루어졌는지를 단적으로 보여주고 있다.

계 소유 전답의 소출로 학계 운영비용으로 집행하고, 대부를 통해 자금을 증식 시켜 나가는 방법은 조선후기 화폐 경제 발달에 따른 사족들의 전형적인 자본 증식 방법으로, 일제강점기 때까지 그 방법이 유지되었던 것이다. 여기에는 고율의 이자 가 한몫을 하고 있다. 본 학계의 경우 10% 미만에서 40%까지 다양한 이자율이 적 용되었는데, 대체로 1년 상환으로 고율을 적용하였다. 조선시대 관청의 관행적인 이자율과 일제강점기 금융 기관의 이자율이 보통 10% 정도였음을 감안한다면, 상 당한 고율임을 알 수 있다. 비록 교육을 위한 학계 관련 자료이지만, 이는 대한제국 말기와 일제강점기 전통 사족 가문이 경제적 기반을 증식해 나가는 일반적인 방법 에서 크게 벗어나지 않는다.

한편, 본 자료에서는 전답 매입 기록이 두 차례 확인되는데, 같은 적제원의 전답 2두락을 매입하면서 1909년에는 90냥, 1921년에는 380냥이 지출되는 차이가 나 타난다. 또한 『학계치부책』의 추도기에는 소출 곡식의 작전(作錢) 금액이 부기되어 있는데, 그 금액의 규모가 시기에 따라 적지 않은 변동을 보여주고 있다. 본 자료를 통해 일제강점기 미가(米價) 변동의 추이를 확인할 수 있는 것이다.

이광우

[핵심어]

학계, 맛질, 함양박씨, 예천군 용문면, 박조수, 박성수, 학계안, 학계치부책

[참고문헌]

노영택, 「일제하 농민의 계와 조합운동연구」, 『한국사연구』 42, 한국사연구회, 1983.

안병직 · 이영훈 편저, 『맛질의 農民들』, 일조각, 2001.

오세창 외, 『영남향약자료집성』, 영남대학교 출판부, 1986.

향촌사회사연구회, 『조선후기향약연구』, 민음사, 1990.

韓客巾衍集

서　　명 : 韓客巾衍集

편 저 자 : 李德懋, 柳得恭, 朴齊家, 李書九 著 : 柳琴(柳璉) 編

판 사 항 : 漢文筆寫本

발행사항 : [刊地未詳]

형태사항 : 4卷1冊 : 四周單邊. 半郭 : 19.2×13.3 cm. 有界, 10行20字, 註雙行. 上下
白口 上下向黑魚尾 ; 28×16.4 cm

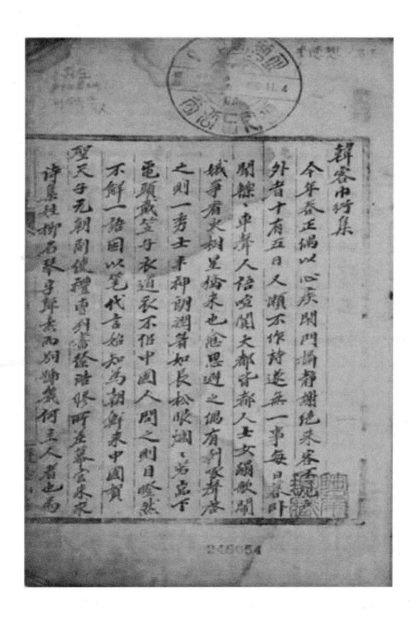

1. 개요

『한객건연집(韓客巾衍集)』은 1776년(영조 52) 유득공의 숙부인 유금(柳琴)이 연행 (燕行) 길에 가지고 가서 청조(淸朝)의 문인인 이조원(李調元)·반정균(潘庭筠) 등의 서 문을 얻어 이듬해 1777년에 중국에서 간행한 것으로 알려졌다. 개인 시집이 아니 라 조선 후기 한시사가(漢詩四家)라 불리는 이덕무(李德懋, 1741~1793)·유득공(柳得恭, 1749~?)·박제가(朴齊家, 1750~1805)·이서구(李書九, 1754~1825) 등 4명의 시를 초록 한 시집으로 일명 사가시집(四家詩集)이라고도 한다. 이후 1917년과 1921년에는 '전 주사가시(箋註四家詩)'라는 표제로 박경길(朴景吉)이 주를 달고 백건칠(白建七)이 교정 하여 재판을 간행하였다. 필사본으로 전해져 오다가 1917년 박제영(朴齊永)이 주를 달고 백두용(白斗鏞)이 교정을 보아 『전주사가시(箋註四家詩)』라는 제목의 활자본으로 다시 간행되었다. 영남대본은 앞에 이조원과 반정균의 서문이, 권말에는 시평과 발 문이 수록되어 있다. 사가의 시들 가운데 일부 시에 대하여서는 이조원과 반정균의 비점(批點)과 평어(評語)를 가하고 있다. 연장자 순서대로 이덕무의 시를 권1에 수록 하고 권2에 유득공, 권3에 박제가, 권4에 이서구의 시를 수록하였다.

2. 편·저자 및 편찬 경위

『한객건연집』을 편찬한 유금(柳琴, 1741~1788)은 자가 탄소(彈素), 호는 기하실(幾 何室), 착암(窄菴)이며, 초명(初名)은 련(璉)이다. 한상(漢相, 1707~1770)의 셋째 아들로 태어났고, 유득공의 숙부가 된다. 연암학파의 일원으로 박지원(朴趾源)·홍대용(洪大 容)·이덕무·유득공·박제가·이서구 등과 교류하였으며 서호수(徐浩修)와는 친분 이 두터웠다. 유금은 서호수의 두 아들 서유구(徐有榘)와 서유본(徐有本)의 숙사(塾師) 를 지내기도 했다. 그는 '기하실'이라는 호를 얻을 정도로 수학에 밝았으며, 천문학 과 율력에도 뛰어났다. 또한 자를 탄소라 하고 이름을 유련에서 유금으로 개명할 정 도로 거문고를 좋아했다. 그 외 서화, 금석, 전각 등의 예술 전반에 상당한 재능과 안목을 지녔다. 아들로는 유재공(柳在恭)이 있다.

1776년(영조 52) 유금이 사은부사(謝恩副使) 서호수의 막객(幕客)으로 중국에 갈 때(1776.11~1777.4) 이덕무·유득공·박제가·이서구 사가(四家)의 시 각 100수를 가려 책으로 엮어서 갔다. 그가 선집한 『한객건연집』을 청조(淸朝) 문인들에게 평어를 받고자 하여 물색하던 중 이조원(李調元)의 『월동황화집(粵東皇華集)』을 보고는 그로 결정하였다. 이조원의 처소에 방문한 유금이 그에게 시집을 보여주자 그는 흔쾌히 서문을 적고 평어를 적어주었다. 이조원의 소개로 다음날 반정균(潘庭筠)에게 찾아가자 그 역시 서문과 평어를 가했다. 이조원은 이 시집을 조만간 간행하겠다는 의도를 유금에게 이야기했고, 유금은 이 사실을 유득공·박제가에게 전달했다. 비록 이러한 사실들이 있지만 이조원에 의한 중국 간행 여부는 확실치 않다.

중국에 갈 때 가져간 시집이 구체적으로 어떤 형태로 이루어졌는지는 알 수 없는 까닭에 『한객건연집』의 정본(定本)을 정하기는 어려운 실정이다. 청조(淸朝)의 문인인 이조원과 반정균에게 시집을 보이고 그들의 평(評)을 수록했다고 하나 이것 역시 필사가 된 것이 많아, 유금이 중국에 가지고 가서 이조원과 반정균의 평을 받아 돌아온 책이 지금 전하는지는 확인하기 어렵다. 지금 전해오는 『한객건연집』은 대개 유금이 귀국한 뒤에 다시 필사된 것으로 추정된다.

3. 구성 및 내용

영남대학교 도서관에는 6종류의 『한객건연집』이 있는데, 본 해제본은 이 중에 판심하단(版心下端)에 봉호산방(蓬壺山房)이라 적혀 있는 판본이다. 4권 1책으로 구성된 시집의 첫 장에는 이조원과 반정균의 서문이 붙어 있으며, 각 권에는 사가(四家)의 시 100수를 수록하였다. 각 권의 말미에는 이조원의 평과 반정균의 발문이 수록되었는데, 이서구의 시집에는 이들의 평과 발이 빠져 있다. 그 자리에 양분찬(楊芬燦)이 인동(印同)한 「桂貞曲」이 실려 있다. 순서는 연장자 순에 따라 정해져 있다. 시체별 구분이 없이 대체적으로 창작 연대순으로 배열되어 있고, 이조원·반정균(李

調元·潘庭筠)의 평이 그대로 옮겨져 있다. 이조원을 청(靑), 반정균을 주(朱)로 칭하여 이름 대신 청·주(靑·朱)를 들어 평하기도 한다. 사가의 시집 중 나이가 가장 많은 이덕무(李德懋, 1741~1793)의 시가 1권에, 유득공(柳得恭, 1749~1807)의 시가 2권에, 박제가(朴齊家, 1750~1805)의 시가 3권에, 이서구(李書九, 1754~ 1825)의 시가 4권에 수록되었다. 각 권에 수록된 시는 각각 100수씩으로 구성되었으며 시인의 시를 시체별(詩體別)로 구분하면 다음과 같다.

이덕무의 시는 오언고시 1수, 오언절구 3수, 오언율시 13수, 육언절구 1수, 칠언고시 5수, 칠언절구 28수, 칠언율시 49수로 모두 100수다. 유득공은 오언고시 13수, 오언절구 1수, 오언율시 19수, 육언시 8수, 칠언고시 1수, 칠언절구 35수, 칠언율시 19수, 동금언(東禽言) 4수로 모두 100수다. 박제가는 오언고시 4수, 오언절구 6수, 육언시 1수, 오언율시 18수, 칠언고시 1수, 칠언절구 25수, 칠언율시 45수로 모두 100수다. 이서구는 오언고시 13수, 오언절구 3수, 오언율시 14수, 육언시 3수, 칠언고시 1수, 칠언절구 28수, 칠언율시 28수로 모두 100수다.

시집의 서문에는 이조원과 반정균의 글이 수록되어 있는데, 이조원의 서문에는 "乾隆四十二年歲次丁酉元夕後一日", 반정균의 서문에는 "乾隆四十二年歲次丁酉元夕後二日"로 되어 있어 이들 서문이 하루 상간으로 이루어졌음을 알 수 있다. 이로 보아 서문은 1777년 1월 16일과 17일에 각각 작성한 것이다. 심질(心疾)에 걸려 있던 이조원은 유금이 가져온 『한객건연집』을 감상하고는 "今觀四家之詩 沈雄者其才 鏗錚者其節 渾浩者其氣 鄭重者其詞 有一類于前之所議者乎"라고 했다. 이조원은 사가(四家)의 시를 읽고는 재주는 깊고도 웅장하며, 음절은 낭랑하고, 기개는 웅혼하며, 문사는 정중하다고 높이 평가했다. 반정균도 서문에서 "海東四家之詩 多刻畫景物 攄寫襟抱妍妙 可喜之"라고 했다. 반정균은 해동사가의 시는 경물을 다양하게 그려내고 마음 속의 아름답고 묘함을 남김없이 드러내니 가히 즐길 만하다고 했다. 그러면서 높은 기상과 고요한 심성을 지닌 선비라고 그들을 평했다.

『한객건연집』에 수록된 시들은 1776년까지 사가들이 창작한 것으로 이덕무를 제외하고는 20대에 작시하였기에 사가의 초기 시 모습을 잘 보여준다. 시집에 수록된 사가의 시적 특징은 답습(踏襲)·진부(陳腐)를 버리고 독창·참신한 데 있다. 시집에 수록된 이덕무의 시는 기발하고 신선한 발상과 심상의 오묘한 전개를 보여주고 있다. 감각적 시어를 활용한 상상력과 탁월한 시어의 조합은 개성적 시세계를 구축하였다. 유득공의 시는 고담하고 충담한 삶의 지향을 시화하였지만 관념 속의 한적한 전원에 머물지 않고 구체적인 삶의 공간으로 확장했다. 이는 현실적 인식에 따른 것으로 당대의 풍속이나 현재적 삶의 양상을 드러내는 것으로 나타나고 있다. 박제가의 시는 자연 경물에 대한 지속적인 관심을 시화했다는 점을 들 수 있다. 청정한 자연을 소재로 청아(淸雅)한 시상을 담아냈으며, 진부한 발상에서 벗어나 참신하고 독특한 표현을 통해 핍진하고도 생동감 있는 시풍을 이끌어 냈다. 이서구의 시는 중국 시인에 대한 주체적 비평을 통해 학자적 면모를 보여주고 있는 것이 한 특징이다. 특히 자주(自註)의 적극적 활용을 통해 조선의 역사, 인물, 지명 등을 상세하게 고증하고 소개하고 있다.

4. 가치 및 의의

유금의 『한객건연집』은 한·중 문인 교류사에 있어 중요한 역할을 담당하고 있다. 시집에 수록된 북학파의 신진학자인 이덕무, 유득공, 박제가, 이서구의 시는 이덕무를 제외하고는 모두 20대에 지은 시들로 구성되었다. 각 100수씩 수록된 시는 젊은 신진학자들이 자신만의 개성을 십분 발휘하여 독창적 시세계를 구현한 것이다. 이 작품들을 통해 18세기 한시사의 주된 흐름을 살필 수 있으며, '사가' 초기 시의 구체적인 특징을 조감할 수 있을 뿐만 아니라 그들의 내면의식까지 파악할 수 있다. 또한 '사가'가 초기 시에서 추구했던 청대(淸代) 시 수용의 노력을 잘 반영하고 있는데, 청초(淸初)의 시인인 왕사정(王士禎)의 신운풍(神韻風)의 시를 추종하는 시적 경향이 많이 나타난다. 이러한 점은 이조원과 반정균의 평어(評語) 가운데 왕사정의 신운풍에 가까운 시 경향을 다수 지적한 데서 알 수 있다. 따라서 조선 정조 이후의 시인들이 청나라의 시인들과 본격적으로 시로써 교유하게 되는 계기를 마련했을 뿐만 아니라 청대 시의 신운풍을 수용한 새로운 시 경향을 추구한 시집이란 점에서 중요한 의의를 가지고 있다.

유금의 『한객건연집』은 영남대학교 도서관에 6종이 소장되어 있다. 소장된 6종은 사가의 시들이 수록된 순서는 다를지라도 각 100수씩 수록된 점에서는 동일하다. 이는 필사자의 기호나 선시(選詩) 과정에 따른 차이로 보인다. 이본들 가운데 이조원과 반정균의 서문과 발문, 그리고 평어들이 온전하게 구비된 것은 본 해제본이 유일하다. 본 해제본은 사가 초기시의 특징과 청 문인들과의 문학적 교유 양상을 밝힐 수 있는 자료로써 큰 역할을 담당할 수 있다는 점에서 그 가치와 의의가 새삼 주목된다.

김원준

[핵심어]

한객건연집, 사가집, 사가, 유금, 이덕무, 유득공, 박제가, 이서구, 이조원, 반정균

[참고문헌]

김원준, 「『한객건연집』을 통해 본 형암 이덕무 시의 특징」, 『민족문화논총』 54집, 영남대 민족
　　　문화연구소, 2013.

김윤조, 「강산 이서구의 학문경향과 경학관」, 『한국한문학연구』 17집, 한국한문학회, 1999.

――, 「후사가 한시의 문예미 ; 유득공 시의 문예미-『사가시집』에 실린 시를 중심으로-」,
　　　『한국한시연구』 12집, 한국한시학회, 2004.

박종훈, 「초정 박제가 초기 시 고찰」, 『한국언어문학』 35권, 한국언어문학회, 2008.

――, 「강산 이서구의 초기 시 고찰」, 『동방학』 16집, 동방학회, 2009.

――, 「냉재 유득공의 초기 시 고찰」, 『고시가연구』 23집, 한국고시가문학회, 2009.

――, 「한시 '사가'의 전원시 비교 고찰」, 『동방학』 18집, 동방학회, 2010.

――, 「형암 이덕무의 초기 시 고찰」, 『한문학논집』 30권, 근역한문학회, 2010.

박현규, 「조선 유금ㆍ서호수와 청조 이조원과의 交遊 시문」, 『한국한시연구』 7집, 한국한시학
　　　회, 1999

閑居錄

서　　　명：閑居錄

편 저 자：俞瑒

판 사 항：古字本

발행사항：1672年

형태사항：1册, 無界, 10行 22字：34×24.8 cm

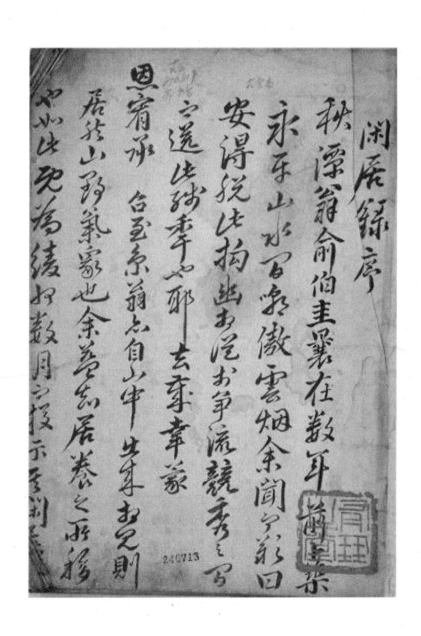

1. 개요

이 책은 17세기 문인인 추담(楸潭) 유창(兪瑒, 1614~1692)이 1672년 그의 만년에 영평(永平)에 은거하며 귀락당(歸樂堂)을 짓고 한가로이 거처하면서 수창(酬唱)하거나 경관을 보며 일어난 흥을 달래며 지은 시문을 모아 1책으로 편집한 것이다.

『한거록(閑居錄)』은 유창의 교유관계 및 시문을 이해할 수 있는 가장 초기의 집필본이다. 권차 및 서체의 구분이 없이 시와 문장이 모두 실려 있지만, 권수에는 송시열에게 받은 서문과 권말에는 박세채에게 받은 후제(後題)를 수록하여 한 권의 책 형식을 갖추고 있다.

영남대본은 문집 『추담집(楸潭集)』이 간행되기 이전 그의 저작을 살펴볼 수 있는 초기 저작이며 유일본이다. 『추담집』의 경우 문집의 체제는 갖추고 있지만 저작 시기 및 결락된 문장이 많이 보이는바 영남대본 『한거록』은 문집의 보완 및 비교연구 자료로 중요한 가치를 지닌다.

2. 편·저자 및 편찬 경위

이 책의 저자는 17세기 문인인 유창으로 본관은 창원(昌原), 자는 백규(伯圭), 호는 추담(楸潭)·운계(雲溪)이다. 필의(必疑)의 증손으로, 할아버지는 정(淨)이고, 아버지는 서윤 여해(汝楷)이며, 어머니는 최건(崔建)의 딸이다.

1635년(인조 13) 생원이 되고, 1650년(효종 1) 증광문과에 을과로 급제, 1653년 (효종 4)에 세자시강원설서를 거쳐 이듬해에 지평(持平)이 되었다. 1655년(효종 6)에 통신부사(通信副使)로 일본에 다녀오고, 동부승지·충청도관찰사에 이어 1662년(현종 3)에 우부승지에 임명되었다. 다음해 좌승지를 지내고 광주목사(廣州牧使)로 나갔다.

1666년(현종 7)에 승지를 거쳐 수원부사를 역임할 때 진상물을 병조판서 홍중보 (洪重普, 1612~1671)에게 임의로 주었다가 파직되어 철원의 풍전역에 유배되었다가 풀려나온 뒤 병조참판이 되었다. 1674년(숙종 즉위)에 고부사(告訃使)로 청나라에 다녀왔다. 그러나 벼슬길에 나아가기보다는 시골에서 안분자족하는 생활을 즐겼다. 그는 여러 번 제수받은 관직을 거절한 이유로 허적과 같은 조정에 서고 싶지 않았기 때문이라고 언급하기도 했다. 또한 상소문과 편지글에서 경신환국(庚申換局)으로 서인들이 재집권한 것을 기뻐한 사실, 송시열·김수항·김수흥·남용익 등 서인 대신들과의 유대를 통해 그의 당색을 짐작할 수 있다. 1689년(숙종 15)에 개성부유수가 되었다. 문집으로는 『추담집』이 있다.

책의 표제인 '한거(閑居)'는 한가하게 지낸다는 의미로 그가 관직생활에서 물러나 지내며 주변경관을 감상하며 일어난 흥을 시문으로 기록한 것이다.

『한거록』의 집필 경위는 권수에 제시된 「귀락당기(歸樂堂記)」 끝부분에 자세히 나타난다.

> 지금 이후로 죽는 해에 이르기까지 여기에서 떠나지 않고 끝내 여기에 귀의할 수 있다면 옛 사람이 이른바 '승화귀진(乘化歸盡, 조화를 타고 다하는 데로 돌아감)과 낙부천명(樂夫天命, 저 천명을 즐김)'이란 것과 가까울 것이니 이 또한 즐거움을 즐기는 사람일 것인저. 아! 마음에 이미 즐기는 것이 있으니 스스로 읊어 드러내지 않을 수 있겠는가! 이에 「유거사시십이영(幽居四時十二詠)」, 「귀락당팔영(歸樂堂八詠)」, 「관가정팔영(觀稼亭八詠)」, 「곡구정십영(谷口亭十詠)」을 지어 흥을 부쳐 스스로 회포를 푼다. 만일 후에 자운(子雲)을 만난다면 또한 혹 취할 만한 것이 있을 것이다.
>
> 임자년(壬子年, 1672) 5월 7일 추담노인(秋潭老人) 창원(昌原) 유창(俞瑒) 쓰다.
>
> 한가로이 지내며 수창(酬唱)한 것과 경관을 만나며 흥을 달랜 것을 함께 다음과 같이 기록한다.
>
> (自今以往, 至死之年, 能不去於斯, 而終得歸於斯, 則古人所謂乘化歸盡, 樂夫天命者近之, 斯不亦樂之樂者乎. 噫. 心旣有所樂, 自不得不發於吟詠. 於是乎有幽居四時十二詠, 歸樂堂八詠, 觀稼亭八咏, 谷口亭十詠, 以寓興而自遣焉. 如遇子雲於後, 亦或有取焉爾. 壬子五月初七日秋潭老人 昌原俞瑒記. 閑居

酬唱遇景遣興竝錄于左.「歸樂堂記」)

　유창은 항상 벼슬살이보다는 시골에 살며 안분자족하며 유유자적하는 삶을 원하여, 만년에는 영평(永平)에 귀락당을 짓고 한가로이 거처하며 문인들과 수창한 시들과, 경관을 보며 일어난 흥을 달래며 쓴 시문들을 기록한다고 밝혔다. 이렇게 집필한 『한거록』 1책을 우암(尤庵) 송시열(宋時烈)에게 보내 서문을 부탁하여 『한거록』 권수에 실었으며, 그 서문에 대하여 직접 쓴 답서도 실어 두었다. 그리고 권말에는 반남(潘南) 박세채(朴世采)에게 받은 「한거록후제(閑居錄後題)」를 실어 두었다.

3. 구성 및 내용

　『한거록』의 전체 구성을 살펴보면, 권 차의 구분은 없으며 한 책에 시와 문장이 모두 실려 있다. 시가 대부분을 차지하며 총 197제(題) 355수(首)로 오언절구(五言絶句) 19수, 오언율시(五言律詩) 51수, 칠언절구(七言絶句) 68수, 칠언율시(七言律詩) 189수, 오언시(五言詩) 17수, 칠언시(七言詩) 11수가 실려 있다. 그리고 차운(次韻) 1수, 고풍(古風) 1편, 가(歌) 1편, 만사(挽詞) 2편, 서(序) 1편, 서후(書後) 1편, 기(記) 3편, 명(銘) 1편, 설(說) 1편, 기후(記後) 1편, 후제(後題) 1편이 수록되어 있다.

　시는 저자가 「귀락당기」 서문에서 "경관을 보며 일어난 흥을 달래며 쓴 것을 기록한다."고 언급하였는바, 시체별로 수록된 것이 아닌 작자의 시각과 흥에 따라 쓴 것을 수록해 두었다. 「유거사시십이영(幽居四時十二詠)」, 「귀락당팔영(歸樂堂八詠)」, 「관가정팔영(觀稼亭八詠)」, 「곡구정십영(谷口亭十詠)」 등이 앞부분에 수록되어 있어 작자가 거주하고 있는 주변의 사계절 풍경과 주변 경관 및 건물에 대한 흥취를 읊고 있다. 그 밖의 대부분의 시들도 주변경관과 그에 대한 흥취 및 유유자적한 삶에 대해 읊은 것이다.

　그리고 당대 문인들과의 교유 및 그들을 위해 지어준 시들이 보인다. 대표적인 문인으로는 문곡(文谷) 김수항(金壽恒)과 수창한 시, 호곡(壺谷) 남용익(南龍翼), 퇴우(退

憂) 김수흥(金壽興), 이천득(李天得), 이자수(李子修)에게 보내는 시, 그리고 서엄(西崦) 장선징(張善澂)을 애도하는 시로 「곡서엄(哭西崦)」이라는 시가 있다.

만사(挽詞)는 「현종대왕만사(顯宗大王挽詞)」 6수, 「영릉개장만사(寧陵改葬挽詞)」 30운이 실려 있다.

서(序)는 우암 송시열이 쓴 「한거록서(閑居錄序)」로 책머리에 실려 있다. 송시열은 서문에서 유창이 산야(山野)의 기상이 있지만 『한거록』의 내용에서처럼 관어관가(觀漁觀稼)하고 노이귀(老而歸) 귀이락(歸而樂)하는 것은 잠시 편안하고자 한 것이고 오히려 벼슬에 뜻이 있다고 판단하여 '사이귀(仕而歸) 귀이락(歸而樂)'할 것을 경계하고 있다.

서후(書後)는 송시열의 「한거록서」에 대한 유창의 답서로, 「서우재선생서한거록후(書尤齋先生序閑居錄後)」라는 제목으로 실려 있다. 유창은 자신이 『한거록』을 쓰게 된 경위가 우암의 말처럼 주자의 '노이귀(老而歸 늙으니 돌아왔고), 귀이락(歸而樂 돌아오니 즐겁다)'의 말에서 느끼는 바가 있어 쓰게 되었다고 밝히며, 서문에 쓰인 우암의 가르침에 대해 감사의 말을 전하고 있다.

기(記)는 「귀락당기(歸樂堂記)」, 「관가정기(觀稼亭記)」, 「곡구정기(谷口亭記)」 3편이 실려 있다. 「귀락당기」는 귀락당의 기문이다. 귀락(歸樂)이라 이름한 것은 돌아가는 것으로 즐거움을 삼은 것을 말하는데 서울에서 세거하는 친척이나 친구들이 고향과 집으로 돌아오는 것을 즐거워하는 의미가 담겨 있다. 귀락당은 영평(永平) 치동(治東)의 용호산(龍虎山) 가운데에 위치해 있으며, 귀락당 주변 지세를 설명하면서 아울러 귀락당에서 누리는 즐거움을 말하고 있다.

「관가정기」는 관가정의 기문이다. 시골로 돌아온 뒤 한가하여 관물(觀物)로 세월을 보내는데 무엇보다 농사짓는 것을 보는 것[觀稼]이 가장 유익하다고 한 뒤 기골이 쇠잔하여 직접 농사짓기는 힘들고 사방으로 농사짓는 것을 한눈에 볼 수 있는 용호산(龍虎山) 한 자락에 2간 정자를 지어 '관가정(觀稼亭)'이라 이름 짓게 된 경위를 설명하고 있다.

「곡구정기」는 1673년에 지은 것으로 곡구정의 기문이다. 곡구정 주변의 아름다운 경치를 설명한 뒤 '운계(雲溪)'라는 호(號)를 짓게 된 연유가 '백운청계(白雲淸溪)'

의 합성어에서 유래하였으며, '곡구(谷口)'라고 정자의 이름을 짓게 된 것은 용호산의 입을 참조하였음을 말하고 있다.

명(名)은 「금명(琴銘)」 1편으로 1673년에 지은 것이다. 고요한 밤 초당(草堂)에서 거문고를 타면서 읊은 곡조를 거문고에 새긴 글이다. 자신을 알아주는 것은 거문고이고 거문고의 소리가 울려 온갖 사특한 것이 저절로 사라진다는 내용이다.

설(說)은 「감적설(甘糴說)」 1편으로 복예(僕隸)들로 하여금 주인이 국가에서 내리는 녹(祿)을 사양하고 적미(糴米)를 달갑게 여긴다는 인식을 심어주어 이들을 징계하고자 한 글이다.

그리고 남구만(南九萬)이 쓴 「귀락당기」에 보내는 편지 「서귀락당기후(書歸樂堂記後)」, 박세채(朴世采)가 『한거록』 뒤에 쓴 「한거록후제(閑居錄後題)」가 있다.

4. 가치 및 의의

현재 알려진 유창의 문집은 『추담집』으로 『한국문집총간』과 규장각에서 찾아볼 수 있다. 총 4책으로 1책과 2책은 시(詩), 3책은 소차(疏箚), 4책은 계사(啓辭), 서(書), 서기(序記), 제문(祭文), 가장(家狀), 묘지명(墓誌銘), 책문(策問), 잡저(雜著)로 구성되어 있다. 비록 문집의 체제를 갖추고 있기는 하지만 결락된 작품 및 문장들이 보이며, 유창의 작품이 수록된 『한거록』에 대한 사항은 언급만이 있을 뿐 책의 제작시기 및 내용에 대한 연구는 전혀 이루어지지 않았다.

『한거록』은 영남대에서만 소장 중인 유일본이다. 이는 문집이 만들어지기 전 그가 직접 엮은 책으로 작자 만년의 의식과 시문을 살펴볼 수 있는 중요한 자료이다. 또한 문집에서는 찾아볼 수 없는 새로운 작품 및 저작 시기 등을 확인할 수 있어 문집간행 이전의 기초자료 및 연구 자료로서의 가치를 지닌다.

양 재 성

[핵심어]

유창, 한거록, 추담집, 귀락당, 교유인물, 송시열

[참고문헌]

유창(俞瑒), 『추담집(楸潭集)』.

서울대학교 규장각 한국학연구원(http://e-kyujanggak.snu.ac.kr).

화룡도연산별곡이라

서　　　명 : 화룡도연산별곡이라

편 저 자 : 筆寫者 未詳

판 사 항 : 筆寫本

발행사항 : 未詳

형태사항 : 1冊(67張) : 無界, 14行 字數不定 ; 23.5×26.8 cm

1. 개요

『화룡도연산별곡이라』은『삼국지연의』의 판소리 사설 「적벽가」의 독서물인『화용도』의 이본이다. 중국 문학인『삼국지연의』를 소재로 하면서도 한국화한 연행 예술작품인 것이다. 『화용도』는『삼국지연의』17회부터 50회를 독립시킨 이야기이며, 이 중에서도 5회의 사건이 중심이 되어 서술된다.

이 책의 이본으로는 김동욱 소장본『華龍道傳』, 김종철 교수 소장본『華容道』가 있으며, 이 중 김동욱 소장본은 한국학중앙연구원에 마이크로필름으로 보관되어 있다.

영남대본은 표지에는 따로 표제를 적어놓지 않았고 내제에 '화룡도 연산별곡이라'라고 필사되어 있다. 첫 장에서 마지막 장까지 모두 67장이며, 마지막 장에는 '화룡도 연산별곡 합부 권지단'이라 기록하고 있다.

2. 편 · 저자 및 편찬 경위

『화룡도연산별곡이라』는『삼국지연의』의 판소리 사설 「적벽가」의 독서물인『화용도』의 이본이다. 중국 문학인『삼국지연의』를 소재로 하면서도 한국화한 연행 예술작품인 것이다. 창작자 및 필사자는 알 수 없다.

앞선 이본인 한국학중앙연구원 소장『華龍道傳』24장본의 표지에는 필사시기를 추정할 수 있는 경오년(庚午年)이라는 간기가 있다. 경오년은 1870년 혹은 1930년으로 추정할 수 있으나, 신재효본 적벽가가 1873년에 필사된 것으로 확인되었고, 1880년에서 1910년경에 필사된 것으로 확인되는 다수의 화용도가 발견되므로, 1870년으로 보는 것이 타당하다.

『화용도』의 창작과 파급은 판소리 사설에서 「적벽가」 또는『화용도』가 형성되고 정착되는 과정에서 짐작할 수 있다. 조선 초기부터『화용도』의 모태인『삼국지』가 많은 독자층을 형성하고 있었고, 『삼국지』가 한국화 하는 과정에서 한문에서 한글로의 표기 전환이 있었다. 이 과정에서 한국적 형상화의 과정을 거친 새로운 『화용도』가 창작되면서 판소리로 불릴 수 있는 사설이 삽입된 것으로 본다.

3. 구성 및 내용

『화용도』는 120회 회장체 『삼국지연의』의 37회에서 50회까지를 새롭게 해체하여 변용시킨 것이다.

「서사 구조」

(1) 발단(37~38회) : 현덕의 삼고초려와 융중 결책

(2) 전개(39~42회) : 박망파 전투부터 유비의 패주

(3) 위기(43~48회) : 공명의 입동오와 조조, 주유와의 지략 대결

(4) 절정(49회) : 적벽대전

(5) 결말(50회) : 조조의 패주와 관우의 의석조조

「내용」

사건의 핵심은 37회, 46회, 48회, 49회, 50회의 사건만이 중요하게 선택되어 있다.

(1) 37회 유현덕삼고초려

유비에 의해 공명이 등장하는 발단 단락이다.

현덕이 공명을 맞이하기 위해 공명을 삼고초려하는 부분이다. 그러나 『화용도』에서는 유비가 공명을 만나지 못한 두 번의 방문은 생략되고 세 번째의 방문만을 다룬다. 이후 공명이 노숙을 따라 동오로 들어가는 부분, 오나라의 군신들과 설전하는 대목 등이 요약 제시된다.

(2) 46회 용기모공명차전

동오로 들어간 공명이 지모로 조조에게서 화살 십만 개를 얻어낸다. 이 장면은 『화용도』에서 확장되는데 동남풍을 비는 부분은 『화용도』의 절정인 적벽화전을 예비하는 내용으로 사건이 크게 다루어진다.

(3) 48회 연장강조조부시, 칠성단제갈제풍

적벽화전을 예비하는 위기 부분이다. 공명이 칠성단을 쌓고 동남풍을 비는 장면과 바람을 얻은 후 내려와 마중 나온 자룡을 만나 돌아오는 장면에서 자룡 탄궁 장면 등이 등장한다.

(4) 49회 삼강구주유종화

『화용도』의 절정부분으로 주유의 존재는 보조적 역할에 머물고 공명의 계책이 강조된다. 이후 적벽화전이 벌어져 조조의 대군이 몰살당한다.

(5) 50회 제갈량지산화용, 관운장의석조조

적벽에서 패배한 조조가 자룡, 장비, 관우에게 목숨을 구걸하여 겨우 살아간다.

영남대본 『화룡도연산별곡이라』 67장본은 기존의 판소리 사설과는 구별되는 내용으로 전개된다. 조조 패주 이후 다른 필사본과는 다르게 '백구사설'과 '군사점고사설'이 등장하는데, 다른 필사본이나 창본들에서는 찾아볼 수 없는 특이한 내용으로 전개된다. 이후 방포사설과 촌군 장수들의 호통으로 짜여지는데 이때 등장하는 장수는 방사원·마맹기·장비·자룡·관우이다. 육로에서 곤욕을 당한 조조가 이를 피해 물길로 달아나다가 장비에게 다시 당한다. 조조는 겨우 살아나고, 객관에 들어가 쉴 때 독특한 새타령이 나온다. 자룡은 조조를 살리기 위해 화살을 대신 받으려는 정욱의 충성스런 태도를 칭찬하고 조조를 살려준다. 장승사설에서는 군사들이 장승을 발견하고 도초관이 장승 대신 발명을 한다. 『화용도』에서는 운장의 동문 친구로 설정된 장요가 위왕 조조의 구원을 간청한다. 장요의 충성에 감복된 운장이 목숨을 애걸하는 조조에게 충고하며 방면하는 장면에서 끝을 맺는다.

4. 가치 및 의의

『화룡도연산별곡이라』는 『삼국지연의』의 판소리 사설 「적벽가」의 독서물인 『화용도』의 이본이다. 중국 문학인 『삼국지연의』를 소재로 하면서도 한국화한 연행 예술작품인 것이다. 이러한 이본들을 통해 『화용도』의 창작과 파급, 판소리 사설에서 소설로 형성되고 정착되는 과정을 짐작할 수 있어, 문학사적 의의가 크다.

또한 이 책의 이본으로 김동욱 소장본 『華龍道傳』, 김종철 교수 소장본 『華容道』가 있으며, 이 중 김동욱 소장본은 한국학중앙연구원에 마이크로필름으로 보관되어 있는데, 내용 면에서 각각 다른 면을 부각하고 새롭게 창작한 부분이 첨가되어 이본으로서 의미가 크다. 김동욱 소장본은 문장체 소설에 판소리 사설이 삽입 확장되어 가는 과정을, 김종철 소장본은 현재 연행되는 판소리 사설과의 관계를, 영남대 소장본은 새로운 판소리 사설이 짜여가는 과정을 살펴볼 수 있는 이본이기 때문이다.

영남대본 「화룡도 연산별곡이라」 67장본의 내용은 다른 필사본과 내용이 사뭇 다르다. 서사성이 중심에 놓이기보다 주로 창으로 불릴 수 있는 가요의 양이 매우 확장되어 있어, 서정성이 강한 창본의 성격이어서 또 다른 가치를 가진다. 또한 조조에 대한 희화적 요소가 강하고, 장수들의 충성스러운 태도가 강조되어 있다. 초기의 창본이거나 후기에 판소리 영향을 받아 새롭게 창작된 이본으로 보이므로, 판소리 사설이 짜여가는 과정을 탐색할 수 있는 자료로서 문학사적 가치가 매우 높다.

김 남 경

[핵심어]

화룡도연산별곡, 화용도, 적벽대전, 삼국지연의, 판소리사설

[참고문헌]

김진영 · 이기형 · 차충환 · 김동건, 『화용도』, 민속원, 2004.

한국정신문화연구원, 『한국민족문화대백과사전』, 한국정신문화연구원, 1996.

황월성전

서　　　명 : 황월성전
편 저 자 : 未詳
판 사 항 : 國文筆寫本
발행사항 : [刊地未詳] : [刊所未詳], [刊年未詳]
형태사항 : 1册(37張) : 無界, 13行 字數不定, 無魚尾 ; 23.6×18.0 cm

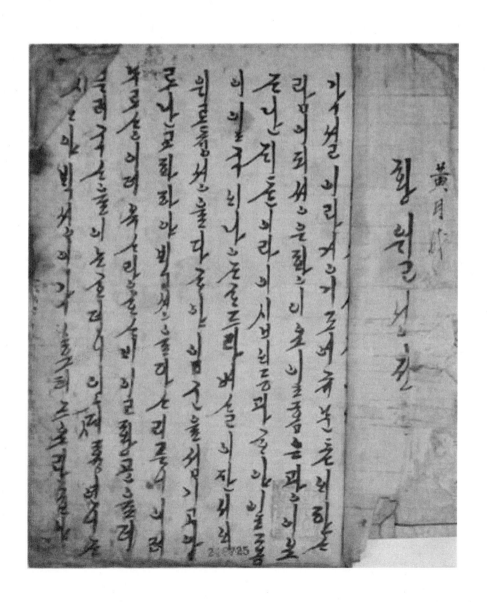

1. 개요

영남대본 『황월선전』은 가정소설이다. 가정소설이라고 하면 쟁총형 가정소설과 계모형 가정소설을 들 수 있다. 한 남자를 놓고 두 여자가 사랑을 다투는 내용이 나타나면 쟁총형 가정소설이고, 계모로 인해 주인공이 수난을 당한다는 내용이 나타나면 계모형 가정소설이다. 『황월선전』은 후자에 해당되므로, 계모형 가정소설이다. 표제는 '황월성전'이고 옆에 한자로 '黃月成'이라 적혀 있다. 간기는 없고 말미에 '오즈 낙서 못 아라볼 듯 능문을 눌너 보시옵소서'라는 문구가 있는 정도이다. 이 정도로는 필사 시기를 알기 어렵다. 작품의 서술 속에 '장화홍련'이라는 언급이 나타난다는 점을 근거로 하면, 일단 『장화홍련전』보다는 늦은 시기에 필사되었으리라는 추측은 가능하다. 물론, 모든 이본에 '장화홍련'이라는 이름이 나타나지는 않는다. 〈동국대본〉, 〈영남대본〉, 〈김광순본〉 2종에서 나타나므로, 이만으로 속단하기는 어려우나 내용과 묵질로 볼 때, 연대상으로 『장화홍련전』을 결코 앞지를 수는 없다. 창작 시기를 19세기 후반 내지 20세기 초반쯤으로 보면 합당할 것 같다.

일반적인 고소설에 비추어볼 때, 영남대본 『황월선전』의 분량은 많은 편이다. 표지를 제외하고 본문만을 헤아리면 총 118면이다. 한 면당 9~11행이고, 각 행당 20자 내외로 필사되어 있다. 현전 이본은 총 38종이다. 필사본이 37종이고, 활자본이 1종이다. 필사본과 활자본 간에 내용상의 차이는 없는 편이다. 필사본 내에서 내용상의 차이는 그다지 없다. 결말 부분의 벌주대목과 천벌대목에서 약간의 차이를 드러낼 뿐이다. 김민조 교수에 의하면, 벌주대목과 천벌대목의 유무를 통해 벌주대목과 천벌대목이 모두 있는 이본군, 벌주대목과 천벌대목이 모두 있되 천벌대목에 계모에 대한 위로의 내용이 포함된 이본군, 벌주대목만 있고 천벌대목이 빠져 있는 이본군, 벌주대목과 천벌대목이 모두 빠져 있는 이본군의 네 가지 유형으로 나눌 수 있다고 하나, 유형 간의 차이가 그리 커 보이지는 않는다. 이본 사이에 차이가 없는데도 이본이 많은 까닭은 필사자마다 『황월선전』의 내용 그 자체만으로도 독자들에게 흥미를 줄 수 있다고 여겼기 때문이 아닐까 한다.

2. 편 · 저자 및 편찬 경위

필사자는 고소설 애독자일 가능성이 많다. 글자체는 정자(正字)도 아니고 자체(字體)가 세련되지도 않았지만, 행간마다 일관된 서체로 되어 있다는 점이 특이하다. 필사자가 고소설을 다독하고 필사해본 경험이 많은 자라고 생각된다. 그 이외에는 필사자에 대한 정보를 알려주는 기록이 어디에도 없다. 필사본 그 자체가 유일한 증거물이므로, 필사본을 통해 필사자의 성향을 역추적해볼 도리밖에 없다.

『황월선전』은 『장화홍련전』의 전통을 계승한 측면과 확장한 측면을 모두 지닌다. 계승한 측면으로는 계모의 전실 자식 박대, 상황을 판단하지 못하는 가장의 무능, 조력자의 직 · 간접적 도움, 계모의 징치와 전처자식의 복귀라는 내용을 그대로 물려받았다는 점을 들 수 있고, 확장한 측면으로는 『장화홍련전』과는 무관한 천상계 설정, 계모 용서와 가족의 화합, 주변인물의 역할 확대라는 내용이 첨가되었다는 점을 들 수 있다. 결국, 『황월선전』은 대중적 흥미 지향이라는 원칙 아래 창작된 작품이라 할 수 있다. 대중적 흥미 지향이 계모형 가정소설의 발전인지 퇴보인지는 가늠하기가 쉽지 않다. 이본이 거의 40종에 달할 정도로 독자층을 광범위하게 끌어들였다는 점에서는 발전으로 볼 여지가 있지만, 공간과 인물이 확장되면서 초기 계모형 가정소설에서 보여주던 가정사(家庭事) 내지 가족 관계의 날카로운 문제의식이 이완되었다는 점에서는 퇴보로 볼 여지가 있다.

영남대본 『황월선전』은 계모형 가정소설의 발전적 측면과 퇴보적 측면을 고스란히 지니고 있는 고소설이다. 여타 『황월선전』 이본과 마찬가지로 영남대본 『황월선전』을 접하면 고소설의 종합선물세트와 같은 인상을 지울 수 없다. 월선이 천상계의 적강선녀라고 하는 대목에서는 마치 적강소설을 대하는 듯하고, 주변인물의 역할이 확장되는 대목에서는 판소리계 소설을 대하는 듯하고, 가족 구성원의 화합에 치중하는 대목에서는 가문소설을 대하는 듯한 느낌이 그것이다. 요컨대, 여타 이본 모두가 그러하듯 영남대본 『황월선전』 또한 계모형 가정소설의 흥미 지향이라는 원칙을 그 나름대로 충실하게 수행하고 있는 작품이고, 그 필사자는 유형적 특징을 점검하고 흥미의 요소를 계승해나가는 최일선의 첨병이라고 할 수 있다.

3. 구성 및 내용

영남대본 『황월선전』은 크게 보아 세 가지의 사건으로 구성되어 있다. '계모의 전실 자식 학대', '전실 자식의 시련 극복', '전실 자식의 가족', '재회와 계모 처리'가 그것이다. 세 가지 사건을 각기 A, B, C라고 할 때, A→B→C순으로 사건이 전개된다. 이와 같은 사건 전개의 양상은 『황월선전』 이본 전체의 구성이기도 하다. 바꾸어 말하면, 영남대본 『황월선전』은 '계모의 박대와 전실 자식의 대응'이라는 구도에 매우 충실한 작품이다. 각 사건을 하나씩 밝히면서 영남대본 『황월선전』의 내용을 확인해보기로 한다.

사건A는 가장의 재산 분배로 인해 촉발된다. 가장이 대국으로 사신을 가기 전에 말썽의 소지를 없애기 위해 재산을 전실 자식과 후실 자식에게 공평하게 분배해 주었다. 계모는 이에 불만을 품고 사사건건 전실 자식을 박대한다. 일단 시작된 박대는 가장이 대국에서 돌아온 뒤에도 계속된다. 농사를 짓게 한 뒤 흉작이 되도록 함으로써 가장의 눈 밖에 나게 한다든지 남성과 통정하고 낙태했다고 소문을 낸다든지 하는 행위가 그것이다. 제1차 모해와 제2차 모해를 통해 한 아이의 어머니이던 여인이 막상 계모가 되었을 때 어느 정도로 나빠질 수 있는지를 생생히 보여준다.

사건B는 전실 자식이 어디에도 갈 곳이 없다. 죄인의 몸이 되어 정처없이 이리저리 떠돌기만 할 뿐이다. 한계 상황에 직면했을 때, 모든 계모형 가정소설의 작품이 그러하듯 조력자가 여럿 등장한다. 제1차 조력자는 중과 노인이다. 중과 노인은 월선에게 용기를 북돋워주거나 앞으로 나아갈 방향을 제시해준다. 이들 조력자가 월선을 위기에서 건져 올리지는 못하지만, 고난에 대처할 수 있는 큰 동력을 부여한다. 제2차 조력자는 죽은 어머니와 장진사의 아들 장위이다. 죽은 어머니는 꿈에서 계시한 대로 장진사 댁에 몸을 의탁하게 되고 지인지감을 지닌 장위를 만난다. 결국, 장위의 구애를 받아들여 혼인함으로써 모든 고난에서 빠져 나오게 된다. 본인의 힘이 아닌 남성의 힘에 의지한다는 점에서 주체성에 문제가 있기는 하나, 가부장제 사회에서 남성의 힘을 빌리지 않을 수 없는 측면도 있다.

사건C는 진실 자식과 계모의 위상을 대조적인 측면에서 다룬다. 즉, 전실 자식의 위상은 상승하고 계모는 끝없이 추락한다. 월선은 모든 혐의를 해소하고 가족들과 재회하며 행복한 나날을 보내는 데 반해, 계모는 이중의 처벌을 받는다. 계모가 받는 첫 번째 처벌은 월선이 가하는 벌주이고 두 번째 처벌은 하늘이 가하는 벼락이다. 첫 번째 처벌의 수위는 가볍지만 두 번째 처벌의 수위는 매우 혹독하다. 목숨을 거두어 가버리기 때문에 이렇게 볼 수 있다. 인간은 인간을 용서할 수 있지만, 하늘은 인간을 용서하지 않는다고 할 수 있다. '보상과 징치'를 권선징악의 구도라고 볼 때, 주인공이 개입하여 권선징악의 구도를 바꾸어 놓고자 했으나, 끝내 바꾸어놓을 수 없었다는 지적도 가능하다.

4. 가치 및 의의

영남대본 『황월선전』은 계모형 가정소설의 모색기에 나온 작품이다. 즉,『장화홍련전』,『김인향전』,『콩쥐팥쥐전』이라는 초기 계모형 가정소설은 서민 부녀자들만을 겨냥해서 창작되었으나, 『황월선전』은 서민 부녀자를 넘어서서 남성을 독자층으로 끌어들이기 위해 창작되었다. 가장의 신분이 거의 재상급으로 격상된다든지, 천상계가 개입한다든지, 재산 분배라는 사회적인 관심사가 나타난다든지 하는 점이 그 근거이다. 『황월선전』이 자기 혁신을 도모할 수밖에 없는 이유는 계모형 가정소설이 위기에 처했기 때문으로 보인다. 19세기의 현실적인 시대 분위기에 젖은 독자들이 '권선징악이라는 틀 안에 갇힌 전실 자식과 계모'를 매력 있게 보지 않게 되었고, 그로 인해 계모형 가정소설은 '구성의 다변화와 제재의 확장'으로 활로를 모색해야 했다. 그 결과가 『황월선전』이고, 그 『황월선전』 속에 영남대본이 한 몫을 차지하고 있다. 요컨대, 영남대본 『황월선전』은 계모형 가정소설의 후대적 변모과정을 보여주는 작품으로서, 계모형 가정소설의 동력과 혁신을 보여주는 실증적 근거가 된다.

신 태 수

[핵심어]

계모형 가정소설, 장화홍련전, 동력과 혁신, 후대적 변모과정

[참고문헌]

김민조, 「『황월선전』 이본 연구」, 『고소설연구』 15, 한국고소설학회, 2003.

박인희, 「계모형 가정소설의 후대적 변모 양상 연구」, 한국교원대 석사학위논문, 2012.

이원수, 「가정소설 작품세계의 시대적 변모」, 경북대 박사학위논문, 1992.